D0433825

SV

Ulrich Plenzdorf

Legende vom Glück ohne Ende

Suhrkamp

Erste Auflage 1979
Suhrkamp Verlag Frankfurt am Main 1979
Lizenzausgabe für die Bundesrepublik Deutschland,
West-Berlin, Österreich und die Schweiz

Satz: LibroSatz, Kriftel
Druck: May & Co., Darmstadt
Printed in Germany

Legende vom Glück ohne Ende

Hier haben sie gewohnt. Hier auf der Singerstraße. Und nicht, wie manche erzählen, auf der Kraut oder auf der Blumen. Oder in Prenzlauer Berg oder Weißensee. Oder am Ende in Lichtenberg. Welche sagen in Werneuchen. Hier auf der Singerstraße haben sie gewohnt, in Friedrichshain. Genau hier stand ihr Haus, genau da, wo jetzt die picobello Kaufhalle steht, und genau daneben standen andere von der gleichen Sorte. Und da, wo jetzt die Telefonzelle steht, stand die alte grüne Pumpe aus Guß, wo sie schon als Kinder gespielt haben und wo fünfundvierzig die ganze Singerstraße Wasser geholt hat.

Damals ging die Singer noch durch bis zur Frucht, heute Straße der Pariser Kommune. Direkt am Küstriner Platz, heute Mehring-Platz, kam sie auf die Frucht, da wo jetzt das eine von den großen Studentenhäusern steht. Da war Schuberts großer Lampenladen, vis-à-vis Neumanns Kneipe, dann kam Bäcker Hellwig, Schuster Lehmann und der Glaser. Das war schon Pauls Haus. Da ist er geboren worden. Dann hatten wir noch eine Molkerei, da gab es nach dem Krieg noch Kühe auf dem Hof und ein Eiswerk, das von Lau. Der hat noch bis vor vier Jahren Eis mit seinen Gäulen ausgefahren, für unsere Eiskästen. Auf der Singerstraße hatten wir alles. Auch ein Kino. Das war in Paulas Haus. Eins von ihren Zimmern lag genau neben der Tonkabine. Sie konnte alle Filme umsonst hören. Aber rein ging sie auch, von klein auf. Sie war eine große Kinomaus.

Geboren war sie aber nicht in der Singerstraße. Ihre

Mutter zog siebenundvierzig zu. Ihren Vater hat man nie gesehen. Sie hatten einen Spreekahn, der wurde dann abgewrackt. Die »Paula«. Auf der »Paula« ist Paula zur Welt gekommen. »Alle Weiber und alle Kähne hießen bei uns Paula«, wie sie immer gesagt hat. Es hatte schon immer zuviel Mädchen und zuwenig Jungs in der Familie gegeben und zuletzt gar keinen mehr. Da stand Paulas Mutter noch lange am Steuer, bis sie nicht mehr konnte, auch wurde der Kahn morsch. So zogen sie in die Singerstraße. Paulas Mutter hat dann nicht mehr lange gelebt. Aber ihren Enkel, Paulas ersten Jungen, den hat sie noch gesehen, der drei Jahre später direkt vor Paulas Haus von dem Taxi überfahren worden ist. Manche sagen, es war in der Frucht oder in der Koppen. Es war aber genau vor Paulas Tür. Das war das Tragische. Paula brauchte nur aus dem Fenster zu sehen. Er war ein netter Junge. Dick und fröhlich. Paula war stolz auf ihn. Wieder ein Junge in der Familie. Sie dachte wieder an einen Kahn. An dem Tag damals war es in der ganzen Singer still wie in einem Grab.
Der Taxifahrer war blaß wie ein Leichentuch. Es war nicht seine Schuld. Der Junge war ihm direkt vor den Wagen gelaufen. Er kam aus dem Kino, aus der Nachmittagsvorstellung. Paula ließ die Kinder oft nachmittags ins Kino gehen. Die Große und den Jungen. Sie hat immer gesagt, besser im Kino als auf der Straße rumlungern.
Meine Person hört die Bremsen noch wie heute quietschen. Und dann Totenstille. Wo jetzt nichts ist außer Beton, da war früher im Kopfsteinpflaster ein Gulli, direkt vor Paulas Tür. Und da rein floß das Blut von dem Jungen. Die Polizei hat dann Sand draufgestreut.

Von uns wäre dazu keiner in der Lage gewesen. Wir waren wie vor den Kopf geschlagen. Um den kleinen Körper wurde ein Kreis gezogen, mit Kreide, bevor sie ihn weggenommen haben. Niemand hat die Kreide weggewischt. Man konnte sie noch ein halbes Jahr später sehen. Die ganze Singer machte einen Bogen um die Stelle. Meine Person geht heute noch nicht drüber. Sie haben den Beton einfach drübergegossen.

Dreiundvierzig, am fünften April, das wird keiner vergessen, in der Nacht auf den sechsten, als fast ganz Friedrichshain rechts von der Frankfurter zu Bruch ging, fast die ganze Koppenstraße, die halbe Frucht, der Küstriner Platz, der Ostbahnhof, früher Schlesischer Bahnhof, da ging auch fast die ganze Singer zu Bruch. Dachten wir jedenfalls, als wir im Keller saßen und auf unser letztes Stündlein warteten. Es war aber mehr stehengeblieben, als wir dachten. Das war, weil die Singer mit reinem Zement gemauert war, achtzehnhundertneunzig, da hieß sie noch Grüner Weg. Die Hälfte war am Boden, auf beiden Seiten. Und die andere Hälfte haben sie letztes Jahr gesprengt. Uns Alte hatten sie schon vorher ausgesiedelt, jeden woandershin, die meisten in Altersheime. Von allen, die noch über Paulundpaula erzählen könnten, ist heute keiner mehr am Leben, außer meiner Person.

Paul gaben sie mit den Kindern drei Zimmer im selben Haus wie meine Person, neunzehnter Stock, und Paula lag schon in Baumschulenweg unter dem Rasen, im Urnenhain, ohne Grabstelle und Kreuz, gleich neben einer Birke. Sie hat es so und nicht anders gewollt. Sie hat es Paul genau gesagt: »Kein Kreuz. Kein Grabstein.« Sie wollte, daß er sie vergißt. Gras sollte über sie wachsen. Er sollte sich eine andere suchen, die gut zu ihm und zu den Kindern ist. Das hat sie immer wieder gesagt. Sie ist bis zuletzt bei vollem Bewußtsein gewesen. Sie hat auch nichts bereut. So war Paula. »Hätte« und »Wenn« gab es bei ihr nicht. Das war ihre große Stärke. Und ihre große Schwäche war: Sie konnte nicht Nein sagen. Ihr Herz war zu weich. Paula war ein Bild von einer Frau, vielleicht ein Stück zu klein, aber sehr sinnlich. Keiner hat sich gewundert, daß sie bei dieser Mischung mit knapp achtzehn das erste Kind erwischte und vier Jahre später das nächste. Leider nicht von Paul. Paulundpaula haben zusammen gespielt und alles gemacht, was man als Kind macht. Sie waren unzertrennlich, wie Bruder und Schwester. Die ganze Singer dachte, das wird ein Paar. Aber dann ging Paul auf die Oberschule und dann zum Studium nach Rußland. Und Paula, was sollte sie studieren mit ihren acht Klassen? Paula mußte Geld verdienen. So sind sie auseinandergekommen. Als Paul zurückkam, war Paula längst Mutter. Der Kerl war ein Säufer. Paula wußte das. Aber er hat sich an sie gehängt, es war nicht mitanzusehen. Wir haben sie alle gewarnt. Ein Kind von einem Säufer. Aber Paula wollte ihm helfen. Er sollte einen Halt finden. Keiner hat den Kerl je wieder zu Gesicht bekommen. Das Kind war aber schön, ein Mädchen, die Große. Sie ist Paula wie aus dem Gesicht geschnitten, genauso lebhaft, schwarze Locken. Paul hing an ihr, das kann man gar nicht beschreiben. Wie an seinem eigenen Jungen, der nun wieder ganz Paul ist. Als Paul vom Studium zurückkam, hat er sich nach einer Frau umgesehn. Zur gleichen Zeit war Paula ihren Säufer los und allein mit dem Kind. Damals gab es noch den Prater.

Und Paula war da Stammgast und Paul auch. Eigentlich die ganze junge Singer, von klein auf. Das war Tradition. Aber Paul war lange weg gewesen, und Paula hatte die Geschichte mit dem Säufer gehabt. Und genaugenommen waren beide auch schon zu alt für den Prater. Trotzdem: kaum war der Prater offen, da waren sie schon da. Man muß sich das vorstellen. Frühling, der erste schöne Tag und Paul wieder in Berlin und Paula ihren Säufer los. Da ist es dann der erste beste, beziehungsweise die erste beste. Bei Paula war es der Kassierer von der Berg-und-Tal-Bahn und bei Paul die Tochter vom Schießbudenbesitzer. Beide sind schöne Menschen gewesen. Der Kassierer hatte den Kopf voller blonder Locken, so viel und so dicht, daß man fast kein Gesicht sehen konnte. Er hatte große braune Augen, die immer nur traurig in die Welt gesehen haben. Und die Schießbudentochter war schön wie eine Fee. Der Kassierer war ein abgebrochener Musikstudent. Er wohnte in einem windigen Zirkuswagen gleich beim Prater. Die Schießbudentochter wohnte auch in einem Zirkuswagen, zusammen mit Vater und Mutter, und das mit zwanzig Jahren.

Vater und Mutter paßten auf sie auf wie Schießhunde, vor allem der Vater, und das aus gutem Grund. Der Mann war ein gemeiner Kerl. Noch bis lange nach dem Krieg war er eine Art Rummelkönig gewesen, im Osten und im Westen, immer hin und her. Nicht nur die eine Schießbude hatte ihm gehört, sondern auch eine Geisterbahn, zwei Luftschaukeln und zwei Kettenkarussells. Eines Tages aber schnappte die Falle zu. Steuerhinterziehung, und zwar nennenswert. Also hieß es: Ab in den Bau. Die Frau mußte sehen, wie sie durchkam. Die Schießbude war ihr noch geblieben, der Wohnwagen und die Tochter. Sie sah damals schon vielversprechend aus. Als der Alte aus dem Bau kam, sah er sofort seine Chance. Er richtete die Tochter zu seinem Hauptgewinn ab. Er hat sie aufgedonnert, lange rote Stiefel bis auf die halben Schenkel, kurzes Kleid bis zum Bauch geschlitzt und raffiniert verschnürt, dazu blonde Haare bis auf die Hüften, die waren echt, und eine lange Zigarettenspitze. Dann setzte er sie auf einen hohen Hocker und machte bekannt, wer drei Blumen mit neun Schüssen schießt, kann mit ihr bis morgens früh ausgehen. Die Schüsse aber mußten aus der Hüfte sein. Jeder kann sich vorstellen, wie die Männer kamen und aus der Hüfte schossen. Nie hat es einer geschafft. Aber das Geschäft blühte. Nur das Mädchen hatte nie einen Freund. Nachts schloß der Alte den Wagen regelmäßig ab. Eines schönen Tages brauchte nur einer kommen und sie wie eine reife Frucht vom Baum schütteln. – Paul kam. Paul sah sie kaum auf ihrem Hocker, da war er blind für alle anderen. Er ließ sich ein Gewehr geben und schoß, aus der Hüfte und aus allen Lagen, mit ebensowenig Erfolg wie alle vor ihm. Aber nicht wie alle anderen hat Paul dann die Segel gestrichen, sondern hat sie gefragt: »Schönes Fräulein darf ich's wagen, Arm und Geleit ihr anzutragen?« Dem Mädchen ist vor Schreck die Zigarette aus der langen Spitze gefallen. Sie verstand kein Wort. Woher sollte sie auch Bildung haben bei dem Wanderleben? Abgesehen davon war sie dumm. Sie durfte nie viel sagen. Das gehörte zu ihrer Rolle. Stumm und schön. Paul hat sie einfach gefragt: »Wollen wir zusammen ausgehen?« Das verstand sie, und Paul hob sie vom Hocker. Der

Alte zeterte, aber Paul kümmerte sich nicht um ihn. Er nahm das Mädchen einfach mit. Die Frau dachte, sie kann nun den Hocker einnehmen trotz ihrer verblichenen Reize. Aber der Alte jagte sie zum Teufel. Von Stund an blieb sein Stand leer, nur Minderjährige kamen noch. Er versöhnte sich aber bald mit Paul, als er hörte, daß Paul Akademiker ist. Paul war gleich nach dem Studium in eine schöne Stellung gekommen.
So ist Paul geheiratet worden. Ein schönes Paar waren sie aber, und eine schöne Hochzeit war es auch in der Auferstehungskirche in der Friedenstraße über der Allee, Ecke Pufendorf. Mit Glocken und Kutsche. So weit hat sich Paul als Atheist hinreißen lassen. Seine Frau war eben wirklich schön. Darin waren sich Paulundpaula ganz ähnlich. Schön mußte sein. Paulas Kassierer war auf seine Art auch schön. Collie hieß er, und er wußte genau, wie er auf Frauen wirkt mit seinem Hundeblick.
Auch bei Paula konnte ein Mann den Kopf verlieren. »Wer zum Beispiel eine Taille sehen will, die wirklich eine Taille ist, der muß zu Paula gehen«, wie Paul immer gesagt hat. Einzig ihre Augen waren eine Spur zu klein. Sie waren schön und von einer Farbe wie wenn Sonne ins Bier scheint, aber eine Spur zu klein. »Schweinsritzen«, hat Paula sie genannt. Paul meinte: »Löwenaugen«. Wenn sie die Augen kniff, dann glitzerte es in den Spalten. Sie kniff die Augen oft, vor allem beim Lachen. Sie hatte ein Lachen wie ein Clown, breit, und sie zeigte alle Zähne. Da war niemand, der sich davon nicht anstecken ließ, am wenigsten Paul. Paulen ist immer ganz anders geworden. Paula konnte auch wütig sein, und dann glitzerte es auch, doch es war

keinem geraten, ihr in den Weg zu kommen. Aber das dauerte nie länger als drei Sekunden. Paula war aus einem Guß, das war es. Nur Schulbildung war nicht ihre starke Seite. Sonst hätte sie Collie im Prater nicht einfach nur geohrfeigt, als er zudringlich wurde, sondern etwas gesagt wie: »Sie haben keinen Geschmack, mein Herr.«
Collie ließ sofort die Finger von Paula, machte seine Hundeaugen und kümmerte sich nicht mehr um sie. Paula: »Und das war genau das Richtige, um bei mir zu landen.« Im Grunde konnte Paula keiner Fliege etwas zuleide tun. Außerdem sprach für Collie, daß er ehrlich gewesen war und deutlich gesagt hatte, was er von Paula wollte. Das war eigentlich Paulas Fall. Aber ein bißchen Romantik sollte auch sein, und der Abend im Prater hatte alles, was Paula brauchte. Die Leute, die Schlager, Paula liebte Schlager, die Berg-und-Tal-Bahn, die Lichter und darüber der dunkelblaue Himmel, und irgendwo schlug außerdem eine Nachtigall. Paula machte Runde um Runde in Collies Berg-und-Tal-Bahn. Collie ließ seine Bahn drehen, der Prater drehte sich um Paula, und Paula verdrehte sich den Kopf nach Collie. Paula hielt bis zur letzten Tour durch. Zuletzt schaltete Collie den Strom ab, und Paula mußte mit weichen Knien aussteigen. Aber sie blieb, bis keine Menschenseele mehr da war. Vor seinem Wohnwagen paßte sie Collie ab. Da wußte Collie, daß er gewonnen hatte. Er entschuldigte sich höflich für seine Frechheit am Anfang. Paula: »Und dann kam die Geschichte mit dem abgebrochenen Musikstudium.« Sein Instrument sollte Cello gewesen sein. Meine Person hat ihn nur mit Tonband gesehen. Und dann

machte er Miene, in seinen Wohnwagen zu klettern, und Paula fragte ihn: »Ist denn das nicht noch ziemlich kühl, in der Jahreszeit, da drin?« Da brauchte er bloß noch zu sagen: »Das ist nichts für Sie«, damit Paula ihn beiseite schob und noch vor ihm in dem Wagen war, und damit geschehen konnte, was geschehen mußte.

FAST AUF DEN TAG genau neun Monate später kam Paula nach Friedrichshain auf die Station von Professor Ludwig – zusammen mit Pauls schöner Frau. Beide genasen eines gesunden Knaben. Pauls schöne Frau nach drei Stunden, Paula mußte sich sechsunddreißig Stunden quälen.

Professor Ludwig war und ist ein hochgebildeter, hochfeiner Mann, der erste Geburtshelfer in Berlin und noch jung für einen Professor. Er sagt von sich selbst: »Ich hole jedes Kind, und wenn eine es unter der Schädeldecke hat«, und das ist die Wahrheit. Nach der Geburt hat er jeden Tag nach Paula gesehen, nach allen anderen auch, aber Paula war ein besonderer Fall. Sie lag ihm besonders am Herzen. Alle anderen hießen bei ihm einfach Kindchen. Paula war sein Schmerzenskind. Er hatte schon Paulas Große geholt, auch eine schwere Geburt, auch mit Kaiserschnitt. Paula war zu eng gebaut. Professor Ludwig hatte ihr die Pille verschrieben und ihr das Versprechen abgenommen, sie auch zu nehmen. Aber leider hat sie sich nicht daran gehalten, da war nicht mit ihr zu reden. Ihre Rede war immer: »Mit Pille fühl ich mich nicht mehr als Frau, und von der Liebe hab ich nur die Hälfte.« Und jetzt, nach dem zweiten Kaiserschnitt, nahm der Professor Paula am Arm, als sie wieder laufen konnte, und ist mit ihr durch den Friedrichshain gegangen. »Versteh doch mal, Paula, Schmerzenskind«, hat er gesagt, »du bist einfach nicht eingerichtet für ein Dutzend Kinder, begreif das doch endlich. Beim dritten Mal kommst du nicht durch. Drei Kaiserschnitte, das kann keine Frau überstehen. Das ist einfach die Grenze. Fang endlich an, an dich zu denken, und laß dir um Himmels willen diesmal nicht nur die Pille verschreiben, sondern nimm sie auch. Ich will dich auf meiner Station nicht wiedersehen.« Und Paula? Paula hat alles versprochen und sich für alles bedankt und sich verabschiedet: »Auf Wiedersehen.« Ohne zu wissen, was sie damit sagte. So kam alles, wie es kommen mußte.

COLLIE war in Paulas Wohnung untergekrochen. Aber auf die Idee, Paula und den Jungen aus der Klinik abzuholen, ist er nicht gekommen. Also rief Paula ein Taxi. Zehn Minuten später war sie zu Hause und sah die Bescherung. Ein Mädchen und Collie tanzten eng umschlungen im Wohnzimmer. Paula: »Das Mädchen oben ohne, Collie unten ohne, beide völlig verzückt. Das muß man sich vorstellen. Und ich mit dem Bündel im Arm und runtergefallenem Kiefer.« Später konnte sie darüber lachen. Paula schmiß ihm Stück für Stück seine Sachen an den Kopf und brüllte dabei, wie sie noch keiner hatte brüllen hören: »Raus«, und immer wieder: »Raus«. Und sie fluchte, daß wir alle unsere Türen geschlossen haben. Paula konnte fluchen, daß die hartgesottensten Bierkutscher rot wurden. Ganz zuletzt hat Collie noch gefragt: »Kann ich nicht das Kind mal sehen.« Da war Paulas Tür schon zu. Später kam Collie immer mal wieder vorbei und sah sich seinen Sohn an und bedankte sich bei Paula, daß sie so gut zu ihm war. Und als der Junge groß genug war, ist Collie mit ihm in den Prater gegangen, und er durfte auf jedem Karussell umsonst fahren. Collie war auch bei beiden Begräbnissen.

Auch Paul ist eines Tages nach Hause gekommen, und bei seiner Frau lag einer im Bett. Da war Paul schon bei der Armee, und die Paul-Seite der Singer war schon gesprengt. Sie hoben schon die Fundamente für die Neubauten aus. Paul war eine Übergangswohnung in der Alten Friedrichsfelder hinten am Wriezener Bahnhof zugesprochen worden, die steht heute auch nicht mehr.
Es war an einem Wochenende. Paul war zum Gefreiten befördert worden und kam einen Tag früher auf Urlaub als vorgesehen. Die Wohnung war still und leer. Paul wollte ins Schlafzimmer, um seine Uniform auszuziehen, aber die Tür war zu. Er wußte noch nicht, was er davon halten sollte, da hörte er Schritte und Flüstern und im nächsten Moment sprengte er die Tür mit der Schulter auf, daß die Fetzen flogen. Und was sah Paul da? Er sah, wie seine Frau versuchte, einen splitternackten Mann in den Kleiderschrank zu stopfen. Nur war der Mann zu groß für den Schrank. Immer war noch irgendein Stück von ihm draußen. Pauls Frau war auch

splitternackt. Sie hörte nicht auf, den Mann in den Schrank zu stopfen.
Paul: »Das war ihr nicht gegeben, so schnell einen Schluß zu ziehen. Sie hätte noch drei Stunden gestopft, wenn ich nicht mein Koppel abgeschnallt hätte.« Paul wollte aber nicht um sich schlagen. Paul wollte nur die Uniform ausziehen. Erst das Koppel, dann die Mütze, die Jacke, alles auf den Stuhl, als Päckchen, darauf die Mütze, um die Mütze das Koppel, wie er es gelernt hatte. Paul: »Das muß man sich vorstellen. Soweit kann es mit einem Mann kommen, daß ihm nichts anderes einfällt, wenn er einen fremden Kerl bei seiner Frau findet, als sein Päckchen zu bauen.« Paul hat den Menschen dann doch noch verdroschen. Tanzlehrer war er und feige. Er soll sich nicht gewehrt haben, sondern Paul nur immer angefleht haben, Rücksicht auf seinen Beruf zu nehmen. Pauls Frau zitterte wie Espenlaub. Sie dachte, danach kommt sie an die Reihe. Vor lauter Angst hat sie immer nur geschrien: »Laß dir doch gleich scheiden.« Aber Paul dachte nicht daran, sich an ihr zu vergreifen. Es ging ihm schon besser. Er hat sie ins Verhör genommen. Sie fing an zu jammern, daß sie es »nicht gewollt hat mit dem Kerl«, daß sie »nicht dagegen angekonnt hat« und daß sie es eben nicht ausgehalten hat, immer nur »das bißchen Urlaub« von Paul. Und von drei Jahren Armee wäre nie die Rede gewesen. Paul: »Sie hatte recht. Von drei Jahren war wirklich nie die Rede gewesen. Aber brav wie ich war und auf Karriere aus, hab ich mich breitschlagen lassen.« Er hatte seit drei Monaten keinen Urlaub gehabt. Und seine Frau war nach wie vor schön und immer noch nicht bekleidet. Nicht lange, und sie lagen zusammen

im Bett, und Paul malte ihr die gemeinsame Zukunft. Erstens die neue Wohnung, im Neubau. Zweitens die neue Einrichtung, nur vom besten. Drittens neue Sachen zum Ausgehen. Viertens sollte der Junge gut erzogen werden. Er sollte so früh wie möglich auf eine Spezialschule für Sport oder Russisch, je nachdem.

Drei Jahre später hatte Paul alles geschafft. Er war als Offiziersanwärter entlassen worden. War in seine alte Dienststelle zurückgekommen, gleich als persönlicher Referent vom Chef. Morgens stand der Dienstwagen vor der Tür. Und die Tür war die von einem Neubau, und der Neubau stand in der Singer, da wo die alten Häuser gestanden hatten, direkt vis-à-vis von unserem.

»Und wenn Paula nicht dazwischengekommen wäre«, sagte Paul, »hätte ich den Jungen auch auf Sport oder Russisch gedrillt, je nachdem. Ich war gut im Drillen. Meine Frau hatte ich auf reizende junge Gattin gedrillt, die zwar selten ein Wort sagte, was ihren Reiz nur noch erhöhte, und die außerdem eine ausgezeichnete Gastgeberin war, aufopferungsvolle Mutter und dabei immer nach dem letzten Chic aus Berlin gekleidet. Und mich selbst hatte ich auf jungen, aufstrebenden, bei aller Dynamik und Kritikfreudigkeit doch prinzipienfesten Kader gedrillt, der die besten Hoffnungen rechtfertigte und seinem Chef unentbehrlich war, so lange, bis er selber eines Tages Chef, welcher Institution auch immer, sein würde. Denn kein Chef kann auf die Dauer Chef sein, wenn's auch schwerfällt, und außerdem werden immer wieder neue Institutionen gebraucht und dafür Chefs.«

So konnten wir jeden Morgen ein Schauspiel vor unseren Fenstern beobachten. Viertel vor acht. Auf der

Paul-Seite öffnete sich die Neubautür. Heraus kam Paul, jeden zweiten Tag in einem anderen Anzug, der immer tadellos saß, mit weißem Hemd, abgestimmter Krawatte, in der Hand einen flachen schwarzen Koffer und auf dem Kopf immer einen Hut, im Sommer hell und luftig, im Winter dunkel, aus Filz. So ging er auf seinen Dienstwagen zu, wo er sich auf den Chefplatz neben dem Fahrer niederließ. Hinten saßen zwei Kollegen von ihm, die genauso aussahen wie er. Wenn Paul saß, fuhr der Fahrer los, und Paul holte die Zeitung aus dem Koffer und hielt sie sich vors Gesicht, und die andern holten auch ihre Zeitungen aus den Koffern und hielten sie sich auch vors Gesicht.

Zur selben Zeit kam regelmäßig Paula aus unserm Haus. Sie fingen zur gleichen Zeit mit der Arbeit an, Paul in der Stadt und Paula in der Kaufhalle Ecke Koppenstraße, in der Flaschenrücknahme. Als erstes mußte Paula den Jungen in den Kindergarten schaffen, in der Hildegardstraße, die Große ging längst allein zur Schule, drüben in der Krautstraße. Paula brauchte eine Viertelstunde – wenn sie nicht von Saft im Wagen mitgenommen wurde, was meistens der Fall war. So wie Pauls Dienstfahrer jeden Morgen dastand, stand Saft da für Paula, jedes Jahr mit einem neuen Auto.

SAFT oder auch Reifen-Saft kannte Paula schon von klein auf, und mindestens seit sie sechzehn war, war er hinter ihr her, nicht sittenwidrig, aber deutlich, mit kleinen Geschenken, Blumen, Komplimenten und zu jedem Dienst bereit. Der Mann war schon fünfzig, als

sie sechzehn war, und alleinstehend war er auch. Er hat sie auf seine Art wirklich geliebt.
Sein Motto war: Was lange währt, wird endlich gut. Er war Inhaber eines Reifengeschäfts, zunächst nur Fahrradreifen, später Autoreifen jeder Größe, anfangs allein, später mit fünf Angestellten. Über der Durchfahrt zu seiner Werkstatt stand geschrieben: Wenn du Kummer mit den Reifen hast – Schnell zu Reifen-Saft geschafft. Er war bekannt für schnelle und solide Arbeit, weit über Berlin hinaus. Als Saft auf Rente gegangen war, sind noch lange von überall Fahrer gekommen und haben nach ihm gefragt. Zuletzt hat Saft nur noch die Bücher geführt. Aber Paula hätte keinen Handschlag tun müssen bei ihm. Er hätte sie auf Händen getragen und die Kinder auch. Und Paula wußte das. Nach jedem Kind stand er vor ihrer Tür und sagte: »Sie sind noch schöner geworden, Frau Paula.« Und er hat ihr immer etwas Nobles und Teures geschenkt. Und eines Tages hat sich Paula gesagt: »Einmal muß Schluß sein mit dem schönen, aber wilden Leben, schließlich hab ich zwei Kinder, man kann nicht alles haben, und man kann nicht immer nur an sich denken. Herz ist ganz schön, aber Kopf muß auch sein. Was kann mir schon verfrieren! Daran ist noch keine gestorben, und meine Kinder haben einen Vater, sicher nicht mal einen schlechten, und ich bin endlich eine Frau mit Mann, die nicht mehr jeden Morgen um acht in der Flaschenrücknahme zu stehen hat.« Wir alle haben ihr zugeraten. Seit diesem Tag stand Saft jeden Morgen mit dem Wagen vor Paulas Tür, fuhr den Jungen in den Kindergarten, die Große zur Schule und Paula zur Kaufhalle. Das alles in fünf Minuten, weil alles dicht bei der Singer liegt,

Paula ließ Saft aber nicht über ihre Schwelle. Und nicht über ihren Bettvorleger. Saft verlor nicht die Geduld. Er konnte gut noch ein paar Wochen länger warten, als er schon gewartet hatte. Und dann war es für Paula keine Frage von Wochen mehr, es war nur noch eine Frage von einem Tag und einer Nacht.

PAULA WAR ZU SPÄT zur Arbeit gekommen. Sie war spät aufgestanden wie immer, weil sie wußte, unten steht Saft mit seinem Auto, den Hut in der Hand. Aber als sie ihn da stehen sah, neben seinem Auto, mit seiner dauernden Dienstfertigkeit, ist er ihr plötzlich auf die Nerven gegangen. Es war ein herrlicher Frühlingsmorgen, und sie ließ Saft stehen und griff sich den Jungen und ging mit ihm zu Fuß. So ist sie zu spät gekommen. Die Bauarbeiter mit ihren Körben voll leerer Bierflaschen standen schon Schlange vor dem Schalter. Verspätung waren sie von Flaschen-Paula nicht gewöhnt. Paula kam sich inzwischen Safts wegen sehr häßlich vor. Sie ist über die Männer vom Bau hergefallen: »Sauft halb soviel, dann braucht ihr nicht vom Flaschenpfand zu leben!« Und dann hat sie ihnen kaum eine Flasche abgenommen, weil sie angeblich entweder angestoßen war oder zu schmutzig oder weil es angeblich keine leeren Kästen mehr gab.
Die Männer vom Bau hatten Paula so noch nicht gesehen, und die Leute aus der Koppen und der Singer und so weiter auch noch nicht. Paul: »Ein klassischer Fall von Mißbrauch der Macht, auch wenn sie noch so klein war. Aber keine Macht kann so klein sein, daß man sie

nicht mißbrauchen kann. Nur, daß Menschen wie Paula nicht glücklich werden dabei.«
Abends, als Paula nach Hause gekommen ist, haben zwanzig Zentner Kohlen vor der Tür gelegen, halb auf dem Bürgersteig, halb auf der Straße. Sie stand mit den Kindern an der Hand vor dem Kohlenberg und wußte gleich, daß sie damit vor fünf Stunden nicht fertig sein konnte. Was sollte meine Person anderes machen, als ihr Kaffee bringen, als sie um halb elf noch immer auf den Knien lag und die Briketts in die zwei Elmer stapelte? Die Kohlen waren für Paula der Tropfen, der alles zum Überlaufen brachte. Als sie um halb eins in der Nacht mit den Kohlen fertig war, war sie mit allem fertig. Sie stellte sich in ihren Bottich, seifte sich ab und schwor sich zweierlei: »Das passiert mir nie wieder! Nie wieder schüttet mir jemand die Kohlen vor die Tür. Morgen lade ich Saft ein, und zwei Wochen später heiße ich Paula Saft und bin die Chefin.«
Das zweite, was sie sich schwor, war: »Aber vorher mach ich noch ein Faß auf. Ich hab noch die ganze Nacht Zeit, und bevor alles vorbei ist, mach ich das größte Faß meines Lebens auf.« So ist Paula gewesen.
Sie zog sich ihre besten Sachen an und zog los, das Faß aufzumachen. Manche sagen, es war in einer Bar in der Schönhauser oder in der Friedrichstraße. Beides ist nicht wahr. Es war eine Bar in der Luisenstraße.
Man steigt Friedrichstraße vorn aus, geht über die schmale Brücke, biegt gleich links unter der S-Bahn durch, wo sie nach Tiergarten fährt, geht den Schiffbauerdamm hoch, bis man links die Wilhelmbrücke hat und geradezu den Reichstag. Den läßt man links liegen

und biegt ein, und das ist die Luisen, und die geht man wieder runter bis zur S-Bahn, und dann ist man da. Sehr viele Schauspieler saßen da immer, vom Theater und vom Film, aber auch normale Leute. Paula ist aber nicht gelaufen, sie ist Taxi gefahren. Es war schon fast zwei Uhr nachts, und um sieben mußte sie wieder zu Hause sein, wegen der Kinder. Sonst ist Paula nie Taxi gefahren. Wenn es hoch kam, verdiente sie im Monat vierhundertfünfzig Mark, die Alimente nicht gerechnet, denn auf die war kein Verlaß. Von dem Trinker nicht und von Collie auch nicht. Paula war leider nicht der Mensch, wegen Geld vor Gericht zu gehen. Sie kam auch so durch, auch wenn sie jeden Monat heilfroh war, wenn sie die zweitausend Mark von ihrer Mutter nicht angerührt hatte. Die waren nur für den äußersten Notfall bestimmt. Manchmal verdiente sie dazu durch Nähen für uns. Aber was konnten wir alten Leute ihr schon geben? In dieser Nacht hat sich Paula gedacht: »Das ist das letzte Mal, daß ich an Geld denken muß. Ab morgen zahlt Saft.« Sie hat dem Taxifahrer ein hohes Trinkgeld gegeben, fünf Mark. Dafür hat er dann noch gewartet, ob Paula wirklich in die Bar reingelassen wurde. Paula wäre damals aber in jede Bar gekommen. Sie war seit undenklicher Zeit auf keinem Tanzboden mehr gewesen, und sie wußte, daß sie zum letzten Mal auf ihrer Hochzeit tanzen würde, mit Saft und irgendwelchen Männern aus seiner Verwandtschaft. Paula war eine Tanzmaus von Kind an. Tanzen war ihr in die Wiege gelegt worden. Als Kind bewegte sie sich eigentlich nur tanzend. Sie tanzte die Treppen rauf und die Treppen runter, sie tanzte auf der Straße, sie tanzte zum Bäcker, zum Fleischer, in die Schule.

Und auch als Große war die Art, wie sie ging, ein einziger Tanz, vor allem, wenn sie einen guten Tag hatte, und sie hatte eigentlich, trotz allem, viel gute Tage. Mit neun zog sie sich Schuhe mit hohen Absätzen von ihrer Mutter an, und schmuggelte sich auf den nächsten Tanzboden und tanzte alle an die Wand. Einen Mann brauchte sie nur als Vorwand. Schon mit vierzehn gab es keinen Tanzboden in ganz Berlin, den sie nicht kannte und wo sie nicht bekannt war, egal was für eine Sorte Tanz gerade modern war. Sie brauchte nur einmal hinzuhören, das reichte. Beim Tanzen konnte sie alles vergessen. Sie ging tanzen, wenn es ihr gut ging, und sie ging tanzen, wenn es ihr schlecht ging. Später ging sie nicht mehr auf die Tanzböden, nachdem ihre Mutter unter der Erde war. Sie tanzte nur noch für sich allein. Paula wollte zwei Stunden tanzen, sich »leicht besäuseln« und sich für den Rest der Nacht den »berühmtesten Schauspieler angeln, der in der Bar war«. Sie wollte sich später im Kino immer sagen können: »Den hab ich mal gehabt.« Eine Erinnerung fürs Leben sollte das sein. Paul später: »In dem Zustand ist man so gut wie scheintot. Ich muß das wissen, ich war selbst soweit.«

Paul ist in derselben Nacht in derselben Bar gewesen, und damit hat endgültig alles angefangen mit Paulundpaula.

Auch Paul wollte in der Nacht ein Faß aufmachen. Er hatte etwas wie eine Vision. Paul: »Ich habe mich selbst und die Familie gesehen, wie wir unausweichlich in ein paar Jahren sein würden. Die Frau immer noch schön, nur etwas voller oder magerer, auf jeden Fall aber restlos verblödet, hauptsächlich vom Dauerfernsehen.

Der Junge in den Fußstapfen seines Vaters, klug wie die Zeitung, Vorsitzender einer Leitung an seiner Sport- oder Russischspezialschule, je nachdem, der seine Mutter nicht für voll nimmt, sich aber bis zum geht nicht mehr verwöhnen läßt. Und ich selbst, immer mal wieder auf der Durchreise aus dem SW, später NSW, weil geschickt und unauffällig immer mit dem Rücken an der Wand geblieben. Der Mann im Kommen, auf den sich schon immer alle einstellten oder einschossen, je nachdem. Elastisch, aber prinzipienfest, mit auf internationalem Parkett geschliffenen Umgangsformen, der sich dennoch den herzhaften Händedruck bewahrt hat, den man haben muß. Mit einer Haut auf dem Gesicht, die von Jahr zu Jahr dicker wird, und einem Nachruf, der schon feststand: Nach kurzer schwerer Krankheit verstarb unerwartet im Alter von sechsundvierzig Jahren unser bewährter Direktor, mein treusorgender Gatte, mein vorbildlicher Vater, der Träger hoher staatlicher Auszeichnungen, Paul und so weiter.« Paul war am frühen Abend nach Hause gekommen, und selbst ihm in seinem Dienstwagen war nicht entgangen, daß Frühling war. Als er reinkam, war die Bude voll: Schwiegereltern und Qualm. Sie saßen vor der Röhre, schlürften Kaffee und tratschten mit ihrer Tochter von alten Zeiten.

Da rannte Paul aus der Wohnung an die frische Luft. Er ist lange durch die Straßen gelaufen und dann in die Kneipen. Er wollte sich betrinken, was ihm aber nicht gelungen ist. »Ich konnte schlucken, was und wieviel ich wollte. Ich wurde meine Vision nicht wieder los.« Gegen Mitternacht ist er in der Bar in der Luisen gewesen und da geblieben, weil ihn das kalte Grausen

packte, wenn er an zu Hause dachte. So ist Paul schon dagewesen, als Paula kam, und hat ihren Auftritt miterlebt.
Paula hat zunächst das abendliche Angebot an Schauspielern geprüft, das vorhanden war, und auch sofort den berühmtesten gefunden. Er war blond und lange Zeit oft in Filmen als Held und Liebhaber zu sehen. »Die Sahne war zwar runter, aber ziemlich schön war er immer noch.« – Paula.
Paul hat Paula auch zugenickt und Paula Paul auch. Irgendein Wort konnten sie nicht miteinander reden. Die Musik war viel zu laut. Es lag auch nicht in ihrer Absicht. Paul war kein berühmter Schauspieler, und wie sollte Paul durch Paula seine Vision loswerden? So hat Paul zugesehen, wie sich Paula dem Schauspieler an den Hals warf, obwohl der seine Frau bei sich hatte, auch blond, auch Schauspielerin. Die Frau soll ihren Mann sofort aus den Fingern gelassen haben, als Paula kam. Die beiden kannten sich »so auswendig, daß sie sich schon singen konnten, das sah man«. – Paul.
Die Frau griff sich Paul. »Sie hat mich regelrecht vom Barhocker gezerrt. Entweder sie wollte ihrem Mann etwas beweisen oder sie war tatsächlich scharf auf mich, oder beides.« – Paul. Ihm war alles recht. Und obwohl sie schön hüpfen konnte, schmiegte sie sich nur an Paul, als sie sah, daß Paul weniger nach Hüpfen war. Ab und an schob sie Paul an die Bar, wegen eines Schlucks. Sonst ließ sie ihm freie Hand. Paul war sich zeitweise fast sicher, seine Vision loszuwerden.
Paula ist es mit ihrem Schauspieler nicht viel anders gegangen. Auch er ließ sie machen, was sie wollte. Er ließ sie so verrückt tanzen, wie sie wollte, sorgte nur

immer rechtzeitig für einen Schluck, und mit der Zeit fing Paula an, auf Tuchfühlung zu gehen. »Es sollte ja noch mehr passieren als das Gehampel, und die Zeit lief.« – Paula.
Und da hat Paula plötzlich Paul gesehen. Es ist in einem Moment gewesen, in dem Paul wieder sehr weit entfernt davon war, seine Vision loszuwerden. Er schwankte laut Paula vor sich hin, ließ die Frau an sich hängen und starrte dabei ein Loch in die nächste Wand. Da passierte es bei Paula. Sie ließ den Schauspieler zwar weiter an sich rumfingern, aber Augen hatte sie plötzlich nur noch für Paul. Sie fing an darüber nachzudenken, wie es Paul ergangen war, und da sind ihr die Augen aufgegangen. Die schöne dumme Frau, der verzogene Junge, die schlimmen Schwiegereltern, Pauls Dienstwagen, Pauls Hut und das Köfferchen. »Ich hab da nie genau hingesehen«, hat Paula gesagt. Aber plötzlich hat sie erkannt, daß sie doch alles gesehen hatte und genau wußte, wie es Paul ging. Er tat ihr sehr leid. Sie mußte daran denken, wie sie als Kinder zusammen Eierpampe gemacht hatten und Schule gespielt und Doktor und Hochzeit. Auch Paul ist plötzlich wieder alles eingefallen. Auch er wußte plötzlich alles über Paula. Reifen-Saft, sein Auto, die beiden Kinder, und sie tat ihm auch sehr leid. Und Paul tat sich selbst leid und Paula sich auch. Beider erste Idee ist gewesen: sofort zueinander hin. Aber da waren eine Menge Leute zwischen ihnen, und der Schauspieler hielt Paula plötzlich sehr fest, und die Schauspielerin hielt Paul plötzlich sehr fest. Und dann haben beide angefangen zu denken, und beide haben sich gesagt, daß alles vorbei und alles zu spät ist. Da waren beide wie gelähmt. Sie haben sich

aber bis zum Schluß angesehen, bis die Bar schloß und noch auf der Straße, als sie alle auf ein Taxi warteten. Paul und die Schauspielerin und Paula und der Schauspieler. Es war schon fast hell. Als ein Taxi kam, hat der Schauspieler einen Arm hochgerissen und ist auf das Taxi losgerannt, und seine Frau hat auch den Arm hochgerissen und ist ebenfalls auf das Taxi losgerannt. Beide sind in das Auto gesprungen, einer von links, einer von rechts, und das Auto ist mit ihnen losgefahren, und jeder von beiden hat gedacht, Paula sitzt mit im Wagen beziehungsweise Paul. Paulundpaula haben sich angesehen. Paul hat Paulas Hand genommen und Paula seine. Es ist Schicksal gewesen. Sie sind zusammen losgegangen, die Marien runter in Richtung Friedrichstraße. Eine Stunde später sind sie in der Singer gewesen. Keiner von beiden konnte später sagen, welchen Weg sie genau genommen haben. Paul wußte nur noch, daß sie viel Wasser gesehen haben. Demnach müssen sie immer an der Spree geblieben sein. Wahrscheinlich sind sie gleich an der Weidendammer Brücke abgebogen, den Kupfergraben runtergegangen und am Zeughaus auf den Lustgarten, heute Marx-Engels-Platz, gekommen. Sie könnten dann den Lustgarten links liegengelassen haben, die Unterwasserstraße hochgegangen sein bis Jungfernbrücke und durch die Friedrichsgracht bis Gertraudenbrücke. Dann gleich weiter durch die Fischerinsel bis ans Märkische Ufer und dann hoch bis zur Jannowitzbrücke. Von der Jannowitzbrücke führen alle Wege in die Singer. Und so standen sie eine Stunde später vor Pauls Garage. In der Singer waren Paulundpaula zu Hause, und dahin sind sie gegangen. Sie hätten sich auch unter eine Brücke legen oder in Paulas Wohnung gehen können, sie sind aber in Pauls Garage gegangen, mit der es eine eigene Bewandtnis gehabt hat und die in Pauls Leben noch eine sehr tragische Rolle spielen sollte. Die Garage war aus Wellblech und verrostet und uralt, aber noch stabil. Es war der letzte Rest von Singerstraße drei, die dreiundvierzig vollkommen in die Brüche gegangen ist, mit Mann und Maus. Keiner wußte mehr, wem die Garage gehörte, und jahrelang hat sich keiner um sie gekümmert und um das Auto, das da stand. Keiner hatte gewußt, daß da ein Auto stand, bis Paul, noch als Junge, es entdeckte. Von da an gehörte es ihm und die Garage auch. Lange Zeit war nur ein Gedanke in seinem Kopf: das Auto wieder flottzumachen. Es war mindestens so alt wie die Garage, und Paul wußte nichts über Autos. Er verbrachte Stunden und Tage in der Garage und baute und baute und las Bücher über Autos und fragte Autofahrer aus. Aber das Auto selbst ließ er von keinem anfassen. Er wollte es selber schaffen, und eines Tages ist der Motor tatsächlich gelaufen.

Damals war Paul zum Autofahren noch viel zu jung, und der Motor ist nach dem einen Mal auch nie wieder angesprungen. Später war es eine Zeitfrage, wann Paul in der Garage sein konnte. Zeitweise hat er sie auch ganz vergessen, aber nie so sehr, daß sie ihm nicht wieder eingefallen wäre. Zum Beispiel wenn ihn irgend etwas anstank, zu Hause oder in seiner Dienststelle. Soweit war Paul nach seinen eigenen Worten noch nicht, daß ihn überhaupt nichts mehr anstank. Und immer dann ist er so schnell wie möglich in seine Garage gegangen und hat weiter gebaut oder auch einfach dagesessen oder gelesen oder einen Kaffee getrunken. Denn mit der Zeit hatte er da auch einen Tisch und Stuhl und Schrank und einen Elektrokocher. Und eine Liege zum Klappen. »Auf der Liege kam es dann zum Klappen«, hat Paula gesagt. Sie und Paul konnten darüber bis zum Umfallen lachen. Als sie beide endlich in der Garage waren und auf der schmalen Liege und als sie beide endlich weit genug miteinander waren, da klappte die Liege zweimal zusammen. Sie haben sich halb totgelacht darüber, und dann haben sie die Liege liegen lassen, wie sie wollte, und es hat endlich mit beiden geklappt. Paula: »Nach dem Lachen war ich ganz sicher, daß alles gut geht. Vorher hatte ich furchtbare Angst, es geht nicht gut, so daß es nie gut gegangen wäre.« Paula wußte von Anfang an, daß es die große Liebe war, deswegen auch ihre Angst. Paula wußte, wie Männer sind. »Die glauben doch erst daran«, war ihre Meinung, »wenn es geklappt hat.« Paul seinerseits soll nichts Besseres eingefallen sein, als sie in die Garage gekommen sind, als Paula sein abgetakeltes Auto zu zeigen und ihr zu erklären, wie es aussehen soll, wenn es fertig ist. Er soll sogar versucht haben, es anzulassen.

Zuletzt mußte Paula so tun, als wenn sie gehen wollte. Erst da hat Paul endlich zugegriffen. »So war es«, hat Paul gesagt. »Soweit kann es mit einem kommen, daß man die einfachsten Dinge auf der Welt nicht mehr begreift.« »Und daß einer die einfachsten Dinge auf der Welt nicht sagt, zum Beispiel: ›Ich liebe dich.‹« – Paula. Denn als es auf der Liege so gut geklappt hat, soll Paul nur neben ihr gelegen und kein Wort gesagt haben. Da beschloß Paula, Paul zu helfen. Sie hat ihn gefragt: »Ich bin völlig verrückt. Was ist das?« Und Paul: »Das ist normal.« Und Paula: »Kennst du das?« Paul hat genickt, aber nichts gesagt. Paula: »Kann das lange dauern?« Paul: »Kaum.« Paula: »Und woran merkt man, wenn Schluß ist?« Paul: »Das merkt man dann schon.« Da gab es Paula auf. Es war längst hell, sie mußte zu den Kindern und Paul zum Dienst. Sie dachte sich: Aufgeschoben ist nicht aufgehoben, und wenn er mich liebt, wird er es mir eines Tages auch sagen. Ich muß ihm bloß die Gelegenheit dazu geben. Sie hat Paul geküßt und ist losgerannt. Sie konnte sich denken, daß Paul sich nicht mit ihr zusammen in der Singer sehen lassen wollte. Das hätte sie auch nicht von ihm verlangt. Dazu war sich Paula zu fein. Paula: »Zu doof.« Sie wollte Paul nicht erpressen.

ZWANZIG MINUTEN später kam Paula aus ihrem Haus, die Kinder an der Hand, und vor dem Haus stand Reifen-Saft. Aber Paula ist wieder ohne ihn und sein Auto mit den Kindern losgelaufen. Saft stand da und wußte nicht, wie ihm geschah. Im selben Augenblick kam Paul aus seinem Haus. Sein Dienstwagen stand wie immer vor der Tür mit seinen Kollegen. Paula hat ihm zugelächelt, über die Straße weg. Paul wollte gelassen wie jeden Morgen in den Wagen steigen und sich die Zeitung vor das Gesicht halten. Aber da packte ihn ein regelrechter Gähnkrampf, und er mußte hastig ins Auto flüchten. Paula lachte hell auf, und die Kinder lachten mit, auch wenn sie nicht wußten, warum. »Die hat leicht lachen«, hat Paul damals gedacht. »Die braucht sich vor niemand zu verstecken. Die hat keine Frau zu Hause, die sich in der Küche eingeschlossen hat und erklärt, daß sie sich nicht mehr als verheiratet betrachtet.« Das war Pauls erster Tag »als Verbrecher«. Über Nacht war Paul Angehöriger »des größten Geheimbundes der Welt geworden, dem der Ehebrecher«. Und sein Gewissen der Regierung gegenüber war so schlecht, daß er keinem in die Augen sehen konnte. Paul wußte nicht, wie er den Tag überstehen sollte. Er konnte nur wieder mit anderen reden nach dem Entschluß, Paula nicht wieder anzurühren.

PAULA HÄTTE AM LIEBSTEN jedem auf der Straße erzählt, daß sie Paul hat und ihn liebt. Dieser Tag ist einer ihrer schönsten gewesen. Die Männer vom Bau warteten schon wie immer. Diesmal gingen sie aber nicht weg, wie sonst, wenn sie ihr Geld hatten. Sie blieben stehen, redeten mit Paula, redeten untereinander, es wurden immer mehr. Paula störten sie nicht, auch nicht, als sie so merkwürdig grinsten. Und dann hat Paula gemerkt, daß sie zwar wie immer ihr Kleid ausgezogen hatte, aber, wie sonst, einen Kittel anzuziehen, hatte sie vor lauter Glück vergessen. Deswegen die Versammlung in ihrem Laden. Paula: »Clever waren die Jungs. Eine halbe Stunde haben sie mich so rumlaufen lassen.« Das war an einem Sonnabend. Die Kaufhalle war wie jeden Sonnabend brechend voll, und wie fast jeden Sonnabend war eine von den Kassiererinnen krank und die anderen mit den Nerven am Ende. In ganz Friedrichshain ist noch lange über diesen Sonnabend geredet worden. Die wildesten Gerüchte sind in Umlauf gewesen. Es hieß zum Beispiel, in der Singerhalle soll eine Verkäuferin irre geworden sein und unter dem Abgesang unzüchtiger Lieder die Waren umsonst verteilt haben, und das nackt. Oder sie soll, als alle Regale leergekauft waren und nur noch Schnaps da war und die Leute anfingen zu protestieren und die Regale zu demontieren, den Schnaps kostenlos verteilt und die Kunden zum Singen unzüchtiger Lieder angestiftet haben und sich ausgezogen und eine Massenorgie zwischen den Regalen organisiert haben. Oder es hieß, im Warenhaus soll eine Verkäuferin durch den Werbefunk Schiebereien der Leitung mit Mangelwaren aufgedeckt und die Leitung vor versammelter Kundschaft gezwungen haben, sich zur Strafe bis aufs Hemd auszuziehen und eine Stunde lang Kampflieder zu singen. Anschließend soll sie verhaftet worden sein. Darauf soll es zu einem Aufstand der Kundschaft gegen die Polizei gekommen sein. Die Verkäuferin soll den Händen der Polizei entrissen worden sein, und die Leute sollen sich im Warenhaus verbarrikadiert haben, eine Nacht und einen Tag lang. Ein Unterleutnant soll als Geisel genommen worden sein, und sie sollen erst aufgegeben haben, als die Verkäuferin Leiterin des Warenhauses geworden ist. Daraufhin soll der Handelsminister stark kritisiert worden sein und mußte Innenminister werden, und der Innenminister wurde Handelsminister, aber der Unterleutnant wurde Oberleutnant, weil er standhaft geblieben war und sich nicht an der Massenorgie beteiligt hatte, die nachts unter den Aufständischen ausgebrochen war. In Wirklichkeit war nichts weiter passiert, als daß Paula sich an eine Kasse gesetzt

hatte, weil die Leiterin sie inständig darum bat. Bis dahin war Paula immer der Meinung gewesen, zur Kassiererin reicht es nicht bei ihr. Aber an dem Tag konnte sie kassieren, daß es nur so rasselte. Die Schlangen in der Halle wurden zusehends kürzer, und die Leute sind fast mit einem Schlag friedlich geworden, als sie Paula gesehen haben, die fix und freundlich war und der die Sache außerdem Spaß machte. Wahr ist auch, daß Paula gesungen hat beim Kassieren, aber keine unzüchtigen Lieder, sondern Lieder, die sie noch von ihrer Mutter kannte, zum Beispiel: Und 'ne Trikottrikottrikot-trikottaille hat sie an, zwei Stiefel ohne Absatz ohne Sohle dran. Das ist alles gewesen. Paula: »Ich hätte aber auch Sachen umsonst verteilt, wenn ich auf die Idee gekommen wäre. Schließlich muß man eines Tages mit dem Kommunismus für alle anfangen.«
»Kommunismus ist immer für alle, oder es ist keiner«, hat Paul ihr geantwortet. »Bloß«, hat Paula dann gesagt, »daß an unseren Kassen jeder zehnte wie ein Kommunist einkauft. Geld spielt für die keine Rolle. Zwei-, dreihundert Mark auf einen Hieb. Viel mehr verdient unsereins nicht im Monat.«
Und Paul: »Niemand sagt, daß wir im Kommunismus leben, sondern in einer Übergangsphase.« Darauf Paula: »Verstehe. Das heißt, welche fangen schon mit dem Kommunismus an, und andere müssen eben noch warten.« Paul: »Dir fehlt der Überblick!« Darauf hat Paula still geschwiegen, oder sie hat gesagt, Paul hätte Lehrer werden sollen. Darauf wurde Paul still, oder er hat gesagt: »Und du solltest Etliches lernen.« Paula: »Und wer nimmt solange meine Flaschen ab?« Paul: »Wird sich jemand finden.« Paula: »Und der muß nicht

lernen? Dann haben wir zuletzt lauter gelernte Flaschenabnehmerinnen. Oder wir schaffen das Trinken ab, jedenfalls aus Flaschen. Wie wär's mit Büchsen.« Und Paul: »Soweit sind wir noch nicht.« Woraufhin Paula gähnte. Das lag, laut Paul, an dem kleinen Wörtchen noch. »Richtig angewendet, verfehlt es nie seine Wirkung, und ich war ein großer Nochist.« Pauls gesamtes Studium soll nach seinen Worten nur ein Ziel gehabt haben: die richtige Anwendung des Noch. Dabei soll es eigentlich ganz einfach sein: »Läßt es sich trotz aller theoretischen Beschlagenheit und Beredsamkeit nicht vermeiden, eine Tatsache anzuerkennen, die nicht so recht ins schöne Bild paßt, dann setzt man möglichst mit einem ernsten Lächeln das Noch davor, und alles ist wieder in Ordnung. Es ist doch ein Riesenunterschied, ob einer sagt: ›Wir haben kein Bier in Büchsen‹, oder ob er sagt: ›Noch haben wir kein Bier in Büchsen.‹ Im ersten Fall steht er eindeutig als einer da, der destruktive Kritik übt, der eigentlich sagen will, wir werden nie Bier in Büchsen haben, als Systemkritiker. Im zweiten Fall, im Noch-Fall, wahrt er sein Image als kritischer Kopf, beweist aber, daß er die Perspektive nicht aus den Augen verloren hat und daß er sich mit allen einig ist, daß der bewußte Zustand überwunden werden wird. Noch beruhigt ungemein, bis zum Gähnen. Es gibt auf die Dauer kein besseres Beruhigungsmittel als noch. Es macht so schön passiv. Es flößt soviel Vertrauen ein zu dem, der es verteilt. Wer über das Noch verfügt, der wird auch wissen, wie es zum Jetzt kommt, und vor allem hindert es am Nachdenken darüber, ob bestimmte Dinge, die wir noch nicht haben, überhaupt erstrebenswert sind und ob es nicht besser ist zu sagen, wir haben dies und das nicht, und wir wollen es auch nicht haben. Zum Beispiel Bier in Büchsen.« – Paul.

Paul ist an dem bewußten Tag gleich nach dem Dienst in einen Blumenladen gegangen und hat einen großen Strauß für seine Frau gekauft. Er war fest entschlossen, Paula wirklich nicht mehr anzufassen. Aber alles zog ihn zu Paula und nach Hause nichts. Und als er in die Singer gekommen ist, hat er seinen Hut abgenommen, hat den Strauß auf den Rücken gehalten und sich in die Garage geschlichen. Er zog sich seinen Kittel über und fing an, am Auto zu schrauben. Eine Entscheidung war das auch nicht. Paul wußte es. Nach seinen eigenen Worten war er nie ein großer Entscheider. »Wie auch. Ich hatte mich nie zu entscheiden brauchen. Alles war immer schon vorentschieden, nehmen wir mein Studium. Alle nahmen an, ich war wild auf meine Fachrichtung. Keine Spur davon. Ich studierte, was mein Kumpel studierte. In der Schule war es angezeigt, überall gute Leistungen zu haben, möglichst sehr gute, weil an den Leistungen dein Grad an gesellschaftlichem Bewußtsein gemessen wird und an deinem Bewußtsein alles andere. Also hatte ich überall sehr gute Leistungen, war allseitig gebildet und hätte alles studieren können, hätte aber auch alles sein lassen können. Logisch, daß ich das machte, was mein Kumpel machte, das war mein einziger Antrieb. Aber abgesehen davon, kann man sich oft genug entscheiden, wie man will, es läuft zuletzt doch anders und durchs Auf-die-lange-

Bank-Schieben erledigen sich manche Entscheidungen von selbst, und nicht mal immer zum Schlechten. Gelegentlich sollte man aber eine Entscheidung fällen, etwa in einem Drittel der Fälle, aber das will gewußt und gelernt sein.«
Damals war Paul noch nicht soweit. Demgemäß saß er in der Garage und wartete auf jemand, der für ihn entschied, ob Paula oder nicht Paula. Paula saß zu der Zeit bei sich und wartete, daß Paul kommt. Sie wartete bis es dunkel war, und ihr ist immer kälter geworden. Als es völlig dunkel war, hat es Paula nicht mehr ausgehalten. Sie hat ihr Herz in die Hand genommen und ist auf die Straße gelaufen und geradenwegs in Pauls Garage. Paula: »Wohin hätte ich sonst gehen sollen? Wo seine Dienststelle war, wußte ich damals noch nicht, irgendeine Stammkneipe hatte er nicht. Und in seiner Garage war er dann ja auch. In seinem komischen Auto hat er gesessen.« Paula war gegen das Auto eingestellt. Ihr sechster Sinn sagte ihr, daß es mit Paul und dem Auto noch einmal schlimm enden würde. Paul ahnte, daß es nun mit seiner Reue und seinem Vorsatz nichts werden würde. Er hat sich nicht gerührt und nichts gesagt. Aber Paula war erlöst. Sie lehnte sich an Paul, weinte und erklärte ihm gleichzeitig, daß er sich keinen Kopf machen sollte. »Wenn ich heule, ist immer alles in Ordnung. Ich hab' bloß gedacht, es ist schon alles aus zwischen uns!« Paul ist still geblieben. Und Paula redete weiter über Pauls Frau und ihre Schönheit. Paula: »So schön werd' ich doch nie.« Dann hat sie Paul gefragt, warum er trotz einer so schönen Frau letzte Nacht so ausgehungert gewesen ist, als wenn er jahrelang keine Frau mehr gehabt hätte. Da

fing Paul endlich an zu reden. Er hat ihr alles erzählt von seiner Frau und sich und ihren Eltern und von ihrer Dummheit und daß sie sich sofort scheiden lassen würde, wenn sie von Paula erfährt, und daß er, Paul, sich bei seiner Funktion und seiner Laufbahn keine Scheidung leisten kann. Er versuchte Paula zu erklären, daß sie in seiner Dienststelle aus allen Wolken fallen, wenn sie erfahren, daß er seine Frau nicht erzogen hat, »daß also das Bild der vorbildlichen, zurückhaltenden, anpassungsfähigen, charmanten Gattin in keiner Weise stimmt, daß alles nur Dressur war, daß da also etwas war, das sie nicht gewußt haben«. – Paul. Und: »Bei einer Dienststelle wie dieser darf man keine Geheimnisse haben, nicht das kleinste, weil daraus erhebliche politische Verwicklungen entstehen könnten, vor allem, wenn man im Ausland ist, und dahin soll ich später.«
Paula hat zu alledem nichts gesagt, sondern nur mit dem Kopf genickt, als wenn ihr alles klar wäre. Paula: »In Wahrheit verstand ich kein Wort. Genickt hab' ich, weil ich keine Diskussion wollte. Ich wollte was ganz anderes.« Sie wollte mit ihm in ihre Wohnung. Paulundpaula haben später noch oft über das Thema gesprochen, daß ein Mensch von Dienst wegen kein Geheimnis haben darf, auch nicht das kleinste, und aus Paulas Kopfnicken ist im Laufe der Zeit ein Kopfschütteln geworden. Sie hat gesagt: »Acht Stunden am Tag bin ich Flaschenabnehmerin, aber dann fängt mein Privatleben an, und damit hat niemand was zu schaffen, wenn ich es nicht will. Andernfalls wär' sofort der Fünfzehnte der Erste bei mir.« Paul konnte ihr lange Referate halten über das internationale Parkett und daß

es sehr glatt ist und einer ganz schnell ausrutscht, wenn er sich nicht korrekt verhält, »auch und gerade in seinem Privatleben«. Wenn da nicht alles »glasklar ist und den Normen entspricht«.

Paul: »Und das Schönste war, ich hab' daran geglaubt. Ich war davon überzeugt. Ich wollte es nicht anders. Ich wollte ein Leben führen, das ganz und gar den Normen entspricht, das in jeder Hinsicht normal sein sollte, klar und sauber, wie vielleicht eine leere, leergefegte Stube, von jedermann auf den ersten Blick zu übersehen.« Das war Pauls »Ich-Ideal«. Seine Frau in ihrer Dummheit war der einzige Fleck darauf, und deshalb dressierte er sie.

Paula war nicht zu dressieren, das wußte Paul, und deshalb seine Angst vor ihr, und deshalb hat er sie an dem Abend in der Garage plötzlich an die Hand genommen und ist aufgesprungen und hat Paula mitgezogen, hinten über den Hof zur Rüdersdorfer. Paula ist auch ohne weiteres mitgegangen, weil sie annahm, jetzt geht es zu ihr in die Wohnung. Ging es aber nicht. Paul ist mit ihr schnurstracks die Frucht hoch, über die Allee, die Frieden lang bis in den Friedrichshain. Paula wußte immer noch nicht, was gespielt wurde. Es war gute Musik. Je weiter sie in den Hain gekommen sind, desto deutlicher war es zu hören. Direkt auf dem Bunkerberg, von wo man ganz Berlin sehen kann, alle Kirchen, alle Türme, Funkturm, Gaswerk, Fernsehturm und den Stern am Zoo und Müggelturm, war an dem Abend ein Orchester, das spielte gute Musik, Beethoven. Paula war sehr enttäuscht. Sie hat protestiert. »Ich schlaf' dabei ein, unfehlbar!«

Gute Musik, das war nichts für Paula. Keine zehn

Pferde hätten Paula da sonst hingebracht, nur Paul. Paul hatte sie an der Hand und ließ sie nicht mehr los. Er wußte plötzlich, wie alle Probleme zu lösen waren. Paul: »In meinem Kopf war schon ein ganzer Bildungs- und Erziehungsplan für Paula fertig. Angefangen mit guter Musik wär' es weiter gegangen mit Museen, Oper, Volkshochschule, Russisch, Manifest, Große Initiative, Gothaer Programm, Potsdamer Konferenz, Ursprung der Familie, Politische Ökonomie, Historischer Materialismus, Deutscher Bauernkrieg, Zwanzigster Parteitag, Neunter Parteitag, Konferenz der kommunistischen und Arbeiterparteien. Ich hätte aus Paula im Laufe der Zeit eine richtige, anständige, gebildete Konformistin gemacht, wäre immer mit ihr in Kontakt gewesen, und Paulas Erziehung wäre sogar noch eine gute Tat gewesen.«
Vierundzwanzig Stunden glaubte Paul an diesen Plan. Dann wußte er, daß er die Rechnung ohne Paula gemacht hatte. Paulundpaula sind nie in irgendeinem Museum oder in der Oper gewesen. Sie sind nur einmal auf dem Schiffsfriedhof im Rummelsburger See gewesen, wo die alten Spreekähne liegen und vor sich hinfaulen, wenn sie aus Holz sind, oder darauf warten, daß sie nach Hamburg geschleppt werden, wenn sie aus Eisen sind, zum Schrottpreis. Da hat Paula Paul die »Paula« gezeigt, auf der sie geboren war. Sie lag längst auf Grund, dicht bei dicht mit vielen anderen Kähnen. Der Laderaum war voll Wasser, aber die Kajüte war noch ganz in Ordnung, noch mit Ofen und Stühlen.
Paula ging oft auf Friedhöfe. Sie mochte Friedhöfe. Sie konnte auch nachts hingehen, ohne Schaudern. Paula hatte, laut Paul, ein seltenes Verhältnis zum Tod, auch

zu ihrem eigenen. »Während unsereins Tod und Todeskrankheit verdrängt, davor Angst hat und unbewältigt läßt, hat Paula mit dem Tod geradezu auf Duzfuß gestanden.« Paula las auch gern Todesanzeigen. Paul: »Du liest die Zeitung überhaupt nur auf Todesanzeigen!« Und Paula: »Und du nur auf Autoanzeigen.« »Dabei sind wir dann geblieben.« – Paul. »Das war nicht so schlecht. Schließlich kann man sich auf beides verlassen. Wenn einer seinen Wartburg dreihundertelf verkaufen will, dann will er ihn auch verkaufen, oder wenn Erna Schulze mit sechsundsiebzig Jahren gestorben ist, dann ist sie es auch. Aber wenn da steht, der und der hat den und den zu einem Gespräch empfangen, wer sagt mir, daß es wirklich so gewesen ist und nicht vielleicht umgekehrt? Die Zeitung nicht.« Und die von Paul später entdeckte Methode, die Zeitung zu lesen, war Paula zu schwierig. Paul: »Daß das häufigere Auftauchen von Reisrezepten bedeutet, es wird Schwierigkeiten in der Kartoffelversorgung geben, konnte man ihr noch klarmachen. Daß aber ein dreispaltiger Artikel über die hervorragende Qualität der Schulspeisung, bis auf wenige noch zu verbessernde Ausnahmen, bedeutet, die Schulspeisung ist generell unter aller Würde, das begriff Paula schon nicht mehr. Sie war auch der Meinung, daß ein normaler Mensch da nicht mitkam. Ganz zu schweigen von den höheren Beträgen.
Was es zum Beispiel bedeutet, daß eine bestimmte Formulierung in einem Beschluß nicht mehr auftaucht, sondern durch eine andere, wenn auch kaum abweichende ersetzt wird, und was hingegen die Abweichung bedeutet, nämlich, daß da ein regelrechter Irrtum vorgelegen hat, der nunmehr korrigiert worden

ist. Was an sich kaum tragisch ist, weder der Irrtum noch die Korrektur, nur dann, wenn man sich einmal darauf festgelegt hat, sich nicht zu irren, oder wenn schon, es dann nicht an die Zeitung oder die Medien zu geben. Was dann, wenn es sich zum Beispiel um Formulierungen über zeitgeschichtliche Entwicklungsphasen handelt, bei normalen Menschen nur so ankommen kann, als würden ständig neue Phasen um ihrer selbst willen oder der Erfinder willen erfunden. Oder wer kann den feinen Unterschied zwischen entfaltet und entwickelt begreifen oder sich auch nur dafür interessieren, ihn zu begreifen, wenn er nicht zuvor in eine Diskussion darüber hineingezogen worden ist? Zum Beispiel in der Zeitung? Eine Diskussion, deren Ergebnis man dann getrost in Gänsefüßchen setzen kann, als Zeichen für ihre Vorläufigkeit und als Zeichen dafür, daß sich alle Beteiligten, und es sind immer alle beteiligt, für die nächste Zeit oder Phase als Beteiligte an einem allgemeinen Versuch verstehen können. Woraus folgt, daß man bei nächster Gelegenheit lauthals und ungeniert verkünden kann, zum Beispiel in der Zeitung, wir, und zwar wir alle, haben uns geirrt oder nicht geirrt oder teilweise geirrt, und dementsprechend sollten wir den weiteren Kurs einrichten, den wir, weil das Kind ja einen Namen haben muß, als Phase so und so benennen wollen. Aber vorläufig ist das nur eine Idee. Und so lange man an die Wände schreibt, mit dem Volk, oder für das Volk, was sich an sich sehr gut anhört und auch ein Fortschritt ist gegen frühere Zeiten und gegen andere Gegenden, solange wird es eine Idee bleiben, weil dahinter immer steht: hier die Regierenden und dort das Volk, das mitmachen darf. Das ist

zwar immer noch besser als für das Volk regieren, hört sich aber immer noch nach Mitbestimmung an und hört sich gut an, aber doch mehr in Frankfurt am Main und nicht an der Oder. Da muß doch die Selbstbestimmung sein.«
Paula: »Also das Volk regiert selbst, Paula regiert selbst? Und wer nimmt solange die Flaschen ab?« Und Paul: »Das müßte sich regeln lassen, und das haben wir dann nächste Stunde«, und er hat gelacht und Paula auch. Paul war nicht mehr fanatisch und Paula noch nie. »Weil Fanatismus«, so Paul, »eine sexuelle Ausfallerscheinung ist«, und die hatten Paulundpaula nicht, seit sie zusammen waren.

ÜBER ALLES das ist an jenem Abend im Friedrichshain nicht geredet worden. Da ist überhaupt nicht viel geredet worden. Paula war stumm aus Protest gegen Beethoven, und Paul hat nichts geredet aus Ehrfurcht vor Beethoven. Paula hat mit der Zeit langsam ihren Protest aufgegeben. Was tut man nicht alles aus Liebe. Und: »Wie lange konnte Beethoven schon dauern? Höchstens bis neun, länger kann keiner unter freiem Himmel Noten lesen!«
Aber schon um halb neun hat Paula Paul am Arm genommen und ihn weggezogen. Sie hat gesagt, sie kann es nicht länger aushalten. Und um Paul zu trösten: »Vor Glück.« Diesmal zog Paula Paul den Bunkerberg abwärts und zurück in die Singer, und Paul ließ sich ziehen. Er hätte keine Chance gegen Paula gehabt. Er ließ sich bis in Paulas Hausflur ziehen. Paula ist Paul um

den Hals gefallen und hat ihn geküßt und hat ihn angefaßt. Paul hielt nur still. Aber je weniger er machte, desto verrückter ist Paula geworden, bis sie es schließlich geschafft hatte, bis Paul sie auch küßte und anfaßte. Paula sind die Knie weich geworden und Paul auch. Sie sind beide zu Boden gegangen. Das war schon alles im Dunkeln, in unserem Hausflur, im Durchgang zum Kino. Die letzte Vorstellung war noch nicht vorbei. Aber Paul ist plötzlich aufgestanden. Paula hat sofort begriffen. Pauls Ausgang war zu Ende. »Mir war plötzlich eiskalt«, hat sie gesagt. Und das kam nicht von dem Durchzug im Hausflur. Paul wäre am liebsten in den Boden versunken, wie Rumpelstilzchen. Förmlich zerrissen hat es ihn. Er hatte »die Zwangsvorstellung«, daß seine Frau jeden Moment dazukommt. So hat Paula Paul über die Straße gehen lassen. Sie hat immer gesagt: »Eigentlich bist du mehr gekrochen als gegangen, und du hast mir sogar leid getan.« Und Paul: »Ich mir auch, und wie.« Aber Paul war auch froh. Er dachte, er wäre Paula endgültig entgangen. Paul: »Als wenn man sich selbst entgehen kann. Obwohl auch das geht und zwar millionenfach.« Ganz zuletzt hat Paula noch gesagt: »Bis morgen!« Paul wollte aber nicht und konnte auch nicht. »Ich habe Ausbildung. Und dabei kann keiner fehlen.« Das war auch die Wahrheit. Aber Paula hat nur gesagt: »Du kommst.« Das war kein Befehl und auch keine Beschwörung und auch keine unausgesprochene Erpressung, sondern eine Feststellung. Paula war sich völlig sicher, daß Paul kommen wird.

Am nächsten Morgen kaufte Paula ein wie für ein Festessen. Zartes Schweinefleisch für Schaschlik, Spreewälder Gurken und Schinken und Salami und Kaviar und Sekt und Wein und Schnaps. Die Frauen in der Kaufhalle haben nur den Kopf geschüttelt. Aber gefragt haben sie nichts. Paula stand alles ins Gesicht geschrieben. Der Kaviar und die Salami waren allerdings nicht aus den Regalen und der Schinken und die Gurken auch nicht. »Was weiter Wunder. Im Umgang mit Mangelartikeln bewahrt auf die Dauer niemand Charakter. Wenn er nämlich in den Genuß anderer Mangelartikel, Mangelleistungen oder sonstwelcher Vorzüge kommen will, ist er gezwungen, die ihm zugänglichen Mangelwaren als Tauschobjekte zu verwenden, zumal er sieht, daß große Gruppen in den selbstverständlichen Genuß von Mangelartikeln und so weiter gelangen. Und so ist es denn kein geringes Motiv, auf dem Tauschmarkt aktiv zu werden, sich seinerseits Dinge zu verschaffen, die ihn jedenfalls äußerlich zu jener gesellschaftlich höher bewerteten Gruppe gehörig erscheinen lassen und die außerdem auch deren Genüsse und Freiheiten mit sich bringen, zum Beispiel mehr Freizeit, indem man sich eine Mangeldienstleistung ertauscht.« – Ungefähr so lautete eine von Pauls Vorlesungen, die er später für Paula oder wen auch immer gehalten hat. Der Schluß ging so: »Es sei denn, da wäre eine Atmosphäre des Verzichts und der Mäßigung, es herrscht aber eine Atmosphäre des Gewinns, wenn auch nicht im Sinne von Profit. Und so ist es denn auch kein Geheimnis, daß es im Lande mindestens drei Versorgungssysteme oder Märkte gibt. Den allen zugänglichen Markt, wo Geld gegen Ware getauscht wird, den vielen zugänglichen Tauschmarkt und das Verteilungssystem nach Zugehörigkeit zu einer Gruppe. Es gilt gemeinhin als wenig edel, sich zu diesem Thema zu äußern. Man kommt in den Verdacht, gierpicklig und neidisch zu sein. Und es ist auch kaum sinnvoll, sich über diesen Zustand aufzuregen. Diese Phase liegt hinter uns. Wir stecken mitten in der Phase der Anpassung ans Gegebene. Die Phase nach den Ursachen dafür zu suchen, liegt noch vor uns.« Mit alldem meinte er nicht Paula direkt und ihre Salami. Paula hatte nichts im Tausch anzubieten außer leeren Flaschen. Sie stand sich mit all ihren Kolleginnen in der Kaufhalle aber sehr gut, und was sie brauchte, bekam sie, vorausgesetzt, ihr Geld reichte. Sie haben ihr aber auch geliehen, wenn es bei Paula knapp war. Außerdem kaufte Paula noch einen halben Blumenladen leer, den in der Koppen, die Frau kannte sie von Kind an, bei der hatte sie Kredit. Auch sind die Beziehungen Blumenladen–Kaufhalle nur die besten gewesen. Auf der Basis Rosen für Salami, Nelken für Ölsardinen und Tulpen für Thunfisch. Paula schleppte alles in ihre Wohnung. Und als die Kinder im Bett lagen, hat sie angefangen, sich und ihr Zimmer für Pauls Empfang zurechtzumachen. Sie hat gebadet und sich die Haare gewaschen. Dann schminkte sie sich schön, fing an, den Schaschlik zu braten und die Platte mit Salat und Salami und den Gurken zurechtzumachen. Sie stellte alles zusammen aufs Bett, mitten auf das Laken. Dazu den Sekt und den Wein und den Schnaps. Keine Zigaretten. Rauchen kam bei Paulundpaula nicht vor. Als sie damit fertig war, schmückte sie das Zimmer aus mit den Blumen. Sie machte Kränze, einen für sich und einen für Paul, und Girlanden, die hat sie um das Bettende gewunden und um die Stehlampe. Die Rosen steckte sie alle einzeln in die Gardine. Hinter alle Bilder kamen Blumen, die gelben Margeriten auf Paulas Schneiderpuppe. Den Rest streute sie über den Fußboden oder steckte sie sich ans Kleid. Zuletzt war ihr warm geworden, und Paul war noch nicht da. Paula ist völlig ruhig geblieben. Sie hat ein zweites Mal gebadet. Sie war sich immer noch völlig sicher, daß Paul kommt. Nach dem zweiten Baden zog sie das Kleid nicht erst wieder an, und die Blumen, die am Kleid gewesen waren, steckte sie sich gleich an den Unterrock. »Schließlich wollte ich mit Paul nicht ausgehen, sondern im Gegenteil.« – Paula. Um die Zeit lag Paul noch in der Heide in voller Uniform, bis an die Zähne bewaffnet. Nach Paul war »die Feindlage« folgende: »Eine Truppe Agenten, per Fallschirm abgesetzt, ist entdeckt worden und hat sich in einem verfallenen Gehöft festgesetzt. Sie sind mit modernsten Waffen ausgerüstet und entschlossen, ihr Leben so teuer wie möglich zu verkaufen. Ich mußte es wissen. Ich gehörte zu den eingekreisten Agenten.« Das war Paul ganz recht. Er mußte immerzu an Paula denken, auch wenn er nicht wollte, und an ihre Prophezeiung. Wenn er eingekreist war, konnte er nicht wegkommen. Nach Pauls eigenen Worten sind ihm diese »Wochenenden im Grünen« immer ganz recht gewesen. »Das war immer noch besser, als mit meinen entsetzlichen Schwiegereltern Kaffee zu trinken und Röhre zu glotzen. Ideal wäre gewesen, wenn der Junge dabeigewesen wäre. Ich selbst hab' mich immer halb als Junge gefühlt, bei Sheriff- und Indianerspiel. Lagerfeuer machten wir gelegentlich auch. Ich bin aber nicht sicher, daß es dem Großteil der anderen genauso ging. Ihr Familienleben war meist attraktiver als meins. Sie mußten auf zwei Kanälen senden, was nie beweisbar, aber immer spürbar ist. Ich hatte das nie nötig, war immer mit Begeisterung bei der Sache und war folglich als einer der besten bekannt und angesehen und dekoriert. Unter anderem hatte das den Vorteil, daß mein Chef mir gegenüber kein ganz reines Gewissen hatte. Er, wie andere Chefs, verfügte immer über einen plausiblen Grund, nicht mit ins Grüne zu kommen.« Diesmal ist es Paul anders gegangen. Es soll schon am Nachmittag angefangen haben, als sie sich durch ein Dorf zurückgezogen haben. Sie sind auf dem Bauch die Dorfstraße entlanggekrochen, weil sie »Feindeinsicht« hatten. Paul machte das nicht zum ersten Mal, aber diesmal kam er sich »regelrecht albern« vor und fehl am Platze. Paul: »Eigentlich war Feierabend, obwohl auf dem Dorf eigentlich nie richtig Feierabend ist. Dung wurde gefahren und Saatgut und Futter. Ich mußte mir erst klarmachen, warum. Es war Frühjahr und folglich Aussaatkampagne. Das wußte ich aus der Zeitung. Eigenartigerweise versäumen die Zeitungen nie, den Bauern im Frühjahr zuzurufen: Jetzt muß das Saatgut in die Erde, als wenn das eines Jahres vergessen werden könnte. Die Bauern liegen auf dem Ofen, und eines schönen Morgens lesen sie in der Zeitung: Das Saatgut muß in die Erde! Da schlagen sie sich vor die Stirn und rennen auf das Feld und fangen an zu säen. Und etwa so eine Vorstellung hatte ich auch. Es fiel mir zum ersten Mal auf, daß die Leute auf ihren Treckern überhaupt keinen hektischen Eindruck machten. Die waren alle die Ruhe selbst. Nicht daß irgendeiner über uns grinste oder dergleichen. Die sahen uns nicht zum ersten Mal, und außerdem erweckt das Militärische immer Interesse. Die hatten keine Probleme mit uns. Nur ich hatte plötzlich einen wahnwitzigen Lachanfall, den ich nicht unterdrücken konnte. Die Tränen sind mir runtergelaufen. Mir blieb nichts anderes übrig, als mich von der Dorfstraße zu erheben und das Weite zu suchen, in Richtung auf das verfallene Gehöft, das wir ebensogut kannten wie unsere Verfolger.« Paul hat das Gefühl gehabt, Paula sieht ihm zu, wie er da über die Dorfstraße robbt, und er hat sich vorgestellt, was für ein Gesicht sie dazu macht, und deswegen mußte er so lachen.

Und von dem Augenblick an hatte er Angst, Paulas Prophezeiung könnte tatsächlich eintreffen, und er ist regelrecht geflohen, rein in das alte Gehöft, und seine Leute hinter ihm her. Seinen Leuten gab er die Erklärung, die Dorfbevölkerung wäre ihnen feindlich gesinnt. Paul: »Was bei einem Agententrupp schließlich auf der Hand lag. Keiner hat sich auch weiter gewundert. Sie waren an solche Einlagen gewöhnt. Das war für alle das Salz in der Suppe. Ich war bekannt dafür. Einmal hatte ich ein ganzes Wochenende im Grünen durcheinandergebracht, indem ich, auch als Agent, eine Geisel nahm. Ein zwölfjähriges Mädchen aus einem Dorf. Die Eltern wußten natürlich Bescheid. Sie kochte für uns am Feuer Suppe, und für die Nacht hatte sie sämtliche Zeltbahnen, über die wir verfügten. Keiner Geisel auf der ganzen Welt war es je besser gegangen. Sie hatte einen Riesenspaß. Alle Kinder im Dorf haben sie beneidet. Aber unsere Gegner hatten erhebliche Probleme mit uns. Das alles paßte nicht in ihr Feindbild. Sie hatten sich Agenten immer viel netter vorgestellt. Zuletzt mußten sie uns ungeschoren abziehen lassen, zu ihrer Schande.« Paul wartete zuletzt geradezu sehnsüchtig, daß sie endlich das Gehöft umstellten, und er war heilfroh, als sie endlich kamen und jede Lücke besetzten. Da war es schon dunkel, und sie haben mit dem Angriff bis zum nächsten Morgen gewartet. Im Dunkeln war es zu riskant, daß im Durcheinander Paul oder einer der Agenten durchkam. Es wurde eine schöne Nacht. Vollmond war, und die Nachtigallen sangen. Und plötzlich packte Paul der Ehrgeiz. Jedenfalls dachte er, daß es Ehrgeiz war. Er machte sich auf und ging auf Erkundung. Er wollte sehen, ob wirklich alle Lücken dicht waren und keine Chance durchzubrechen. Keiner hat ihn zurückgehalten. Alle haben damit gerechnet, daß er sich etwas einfallen läßt. Und als Paul vor den feindlichen Linien lag, sah er, daß wirklich alle Lücken dicht waren und daß es viel zu hell war für einen Durchbruch. Paul wollte es trotzdem versuchen. »Wenn sie mich erwischen, um so besser, dann setzen sie mich fest, und ich kann erst recht nicht weg«, hat er gerechnet. Er ließ es darauf ankommen. Aber so ganz einfach wollte er es ihnen auch wieder nicht machen. Er ist rückwärts auf ihre Linien zugekrochen, mit dem Gesicht zum Gehöft, als wenn er einer der Einkreiser wäre, der vom Vorposten zurückkommt. Was um so leichter war, als alle die gleichen Uniformen hatten. Urplötzlich wurde Paul klar, daß alle Kriege nur deshalb möglich gewesen sind, weil sich alle Parteien strikt an die Vereinbarung gehalten haben, unterschiedliche Uniformen zu tragen. Plötzlich ist Paul angerufen worden wegen der Losung. Paul flüsterte: »Kriechtier.« Da haben sie ihn passieren lassen, obwohl die Losung »Kommissar« lautete. Paul nahm an, daß sie ihn nicht verstanden haben und in sein Kriechtier ihren Kommissar hineingehört haben. So war Paul hinter den Linien und konnte tun und lassen, was er wollte. Die Nacht war noch lang, und vor sechs fingen sie niemals wieder mit dem Krieg an, das wußte Paul. Er wußte auch, daß die Autobahn ganz in der Nähe war. Da hat er sich gesagt: »Ich fahr' für die Nacht einfach nach Hause und morgens mit der Taxe wieder her. Das ist erstens ein schöner Gag, wenn ich morgens um sechs hinter den feindlichen Linien mit einer Thermosflasche heißen Kaffee und Kognak auftauche, und zweitens will der Junge schon lange meine Pistole sehen.« Es war zwar verboten, Waffen mit nach Hause zu nehmen. Paul: »Mit Recht. Ich möchte nicht wissen, wieviel Männer auf der ganzen Welt, die übungsweise mit Waffen umgehen, früher oder später nicht den Wunsch haben, sie auch am Mann auszuprobieren und nicht nur an den sogenannten Pappkameraden. Ich bin sicher, fast alle. Sie müssen diesen Wunsch notwendigerweise haben, und sie sollen ihn schließlich auch haben. Das ist der Sinn der Übung, was sonst? Man stelle sich vor, jemand wird auf Autofahren trainiert, mit allen Raffinessen. Erst theoretisch, dann im Simulator. Ein Film wird ihm gezeigt, es wird an seinen Reaktionen geschliffen, dann darf er mit dem Fahrlehrer auf die Straße, und vielleicht darf er auf einem abgezäunten Platz sogar allein auf sich gestellt fahren – und zugleich sagt man ihm: Du wirst nie eine Fahrerlaubnis kriegen. Frage: Wann schnappt der Mann sich das erste beste Auto und stürzt sich in den Straßenverkehr? Frage:

Wieviel scharfe Schüsse gehen weniger auf das Konto irgendeines Befehls als vielmehr auf das eines solchen inneren Zwanges?« Daß Paul selber an der Autobahn den ersten besten Autofahrer mit vorgehaltener Pistole gezwungen haben soll, ihn nach Berlin zu fahren, ist die reine Legende. Es war eine Taxe, mit der Paul gefahren ist, und der Fahrer war froh, um diese Zeit und so weit außerhalb der Stadt noch einen Fahrgast zu kriegen. Es war die Rüdersdorfer, wo die Taxe gehalten hat, und nicht die Singer, wie Paul angegeben hatte. Paul nahm an, daß der Mann sich verfahren hatte vor Müdigkeit. Paul ist trotzdem ausgestiegen. Von der Rüdersdorfer sind es nur ein paar Schritte bis in die Singer, wenn man über die Höfe geht.

UM DIE ZEIT war Paula dabei, mit Pinsel und Plakatfarbe an ihr Bett große rote Herzen zu malen und in großen Buchstaben PAULUNDPAULA. Das Bett hat man noch lange sehen können. Paulas Mädchen schlief darin. Paul konnte es nicht stehenlassen, daß es zusammen mit dem Haus gesprengt wird, und es auf den Sperrmüll zu tun, brachte er nicht über sein Herz.
Zuletzt hängte Paula noch große Kränze Margeriten über die Bettpfosten, als es klingelte und Paul in der Tür stand. Er war in voller Montur und starrte Paula an. Paul wußte nach seinen eigenen Worten einfach nicht mehr, was gespielt wurde. Bis zu diesem Augenblick war er der festen Meinung gewesen, es ist sein Haus und seine Wohnung, vor der er stand, und nach dem Klingeln wird er seine Frau vor sich sehen und

nicht Paula im Unterrock mit Blumen. Er wußte nur, daß er über die Höfe gegangen war, und dann, mitten in Paulas Hausflur, muß sich irgend etwas seiner bemächtigt haben, und er muß die Treppe hochgelaufen sein bis vor Paulas Tür. Als er da in der Tür stand, hat Paula nicht triumphiert und etwas gesagt, wie: »Ich hab' doch gleich gesagt, du kommst.« Sie lächelte nur freundlich, trat zur Seite und ließ Paul eintreten. »Ins Paradies«, wie Paul dachte, als er alles wahrgenommen hat. Die Blumen und das Festessen im Bett. Und Paula war Eva und Paul Adam, wenn auch in Uniform, mit Pistole, Feldflasche, Gasmaske und Knobelbechern. Paula nahm ihm die Mütze vom Kopf, und Paul schälte sich selbst Stück für Stück aus seiner Montur. Es war auch warm, wegen der vielen Kerzen. In kurzer Zeit haben beide keinen Fetzen mehr am Leib gehabt. Sie haben sich vis-à-vis voneinander auf Paulas Bett gesetzt und angefangen, Paulas Schaschlik zu essen und alles andere, was Paula aufgefahren hatte. Während sie schlemmten, hat Paula Paul die Geschichte ihrer Familie erzählt, soweit sie davon wußte, und beide sind sehr verzückt in die Nacktheit vom anderen gewesen.
Paula haben besonders Pauls Salznäpfchen gefallen. »Nicht nur die Salznäpfchen, aber auch.« – Paula. Sie befahl Paul, die Augen zu schließen. Dann streute sie ihm in sein linkes Salznäpfchen Salz und in sein rechtes Pfeffer, aus lauter Übermut. Paul hielt still. Dann hat er sie gefragt: »Ich bin dir wohl nicht scharf genug?« Da wurde Paula blaß und konnte nur noch sagen: »Das hast du gesagt.« Gleich darauf haben sie das Laken genommen zusammen mit dem Rest vom Essen, und alles unter das Bett geschoben. In dieser Nacht haben sich

Paulundpaula geliebt wie noch nie, darin waren beide einer Meinung. Paul hat gesagt: »Es war schöner, als man es sich vorstellen kann.« Und Paula: »Es war schöner, als man sagen kann.« Mehr haben beide nie über diese Nacht erzählt, obwohl es sonst ihre Art war, jedermann, dem sie vertrauten, alles über sich zu sagen. Auch sehr intime Dinge. Es machte ihnen Spaß oder sie konnten nicht anders oder sie dachten sich nichts dabei. Und sie vertrauten fast jedem, jedenfalls jedem aus dem Haus, von meiner Person ganz zu schweigen. Sie träumten in dieser Nacht beide den gleichen Traum. Sie träumten, ihr Bett steht auf der »Paula«, dem Kahn von Paulas Mutter. Die »Paula« hat ein großes rotes Segel, auf dem steht auch »Paula«. So fahren sie die Spree abwärts.

Als Paulundpaula wach wurden, war es schon hell. Die Sonne schien voll auf Paulas Bett, und die Tür ging auf, und Paulas Kinder standen im Zimmer. Mit einem Schlag wurde Paul seine Situation klar. Am liebsten hätte er sich unsichtbar gemacht. Paula ihrerseits mußte sich das Lachen verbeißen. Sie hat die Kinder scheinbar ernst angefahren: »Was wollt ihr denn hier!? Marsch, raus!« Die Kinder haben aber nur gelacht und sind stehengeblieben. Da mußte ihnen Paula erklären: »Das ist der Herr Paul. Der hat seinen Hausschlüssel verloren, und da hat er die Nacht bei uns geschlafen.« Paul hat schnell gesagt: »Das war sehr nett von Ihnen. Da werde ich jetzt man gehen.« Paula hat immer gesagt: »Wenn die Kinder nicht gleich gegangen wären, hätte

ich vor Lachen innere Verletzungen davongetragen.« Der Junge hat noch geäußert: »Das ist Michael sein Vater von gegenüber, der immer solche Ausdrücke sagt.« Damit war es um Paul restlos geschehen. Er ist in große Hektik geraten. Paul: »Was heißt Hektik? Das war solide Panik.« Ihm war klar, was alles auf dem Spiel stand, wenn er erstens nicht wieder pünktlich im Wald bei seiner Truppe war und wenn zweitens Paulas Kinder die Geschichte von seinem verlorenen Hausschlüssel in der Singer verbreiteten. Paul hat Paula mit Blicken angesehen, die nicht zu beschreiben waren, als er in voller Panik seine Stiefel und Riemen und Hosen im Zimmer zusammenklaubte. Paul: »Ob das nun einer glaubt oder nicht, ich war soweit, daß ich ernsthaft dachte, dies alles sei ein Komplott des Klassenfeindes, um mich durch Paula zu erpressen, die mir in dem Moment wie eine besonders raffinierte Agentin vorgekommen ist. Vor allem, als sie mich ausgerechnet noch fragte, was ich denn beruflich so mache. Da war mir alles so gut wie bewiesen.« Dabei wollte Paula nur eine Erklärung für die Hektik haben und außerdem ins Gespräch über das nächste Treffen kommen. Aber da führte, laut Paula, kein Weg rein.
Sie konnte ihm gerade noch zwischen Tür und Angel klarmachen, daß er jeden Tag zu jeder Stunde zu ihr kommen konnte. Dann war Paul weg. Paula hat ihm noch nachgesehen von ihrem Fenster aus, wie er über die Höfe in Richtung Rüdersdorfer gerannt ist. Und wenn Paula es nicht selbst gesagt hätte, würde selbst meine Person es für eine Legende halten, daß er dabei tatsächlich hinter jeder Ecke und hinter jedem Baum Deckung suchte, um nicht gesehen zu werden.

VON DEM TAG an ist Paul weggeblieben. Die Fahrt ins Grüne mit einem neuen Taxi war laut Paul höllisch. Der Fahrer durfte Berlin nicht verlassen. Paul war nahe daran, diesmal wirklich seine Pistole zu Hilfe zu nehmen. Er war längst überfällig, und eine Thermosflasche mit Kaffee von zu Hause hatte er auch nicht, geschweige denn mit Kognak. Er war noch immer in heller Panik. Er wollte dem Fahrer seinen Dienstausweis dicht vor die Augen halten und mit eisiger Stimme sagen: »Fahren Sie jetzt, Mann, oder es hat schlimme Folgen für Sie!« Paul meinte später: »Das wäre mit Sicherheit gelaufen. Die Erfahrung der Leute besagt, daß mindestens jeder dritte auf der Straße im Besitz eines Ausweises ist, der ihn als zu einem der drei wichtigen Ministerien gehörig ausweist, oder zumindest zu ihrem Bereich oder zumindest zu ihrem Bereich im weiteren Sinn. Und wenn es nicht die eigene Erfahrung ist, dann ist es der Bericht darüber oder das Gerücht, was noch erheblich wirkungsvoller ist.
Und der Mann oder die Frau müssen demnach erst gefunden werden, die der Schockwirkung eines dicht vor die Augen gehaltenen Ausweises nicht erliegen, sondern nachfragen, und die dann auch noch über ihre Rechte einem Ausweis gegenüber informiert und dann auch noch bereit sind, ihre Rechte wahrzunehmen und nicht doch lieber zu passen, anstatt einen Aktendeckel voll Eingaben zu schreiben.« Paul ist zu guter Letzt auf die Idee mit dem Trinkgeld gekommen. Da ist der Mann endlich gefahren, wenn auch nie mehr als acht-

zig, und Paul saß wie auf Kohlen und mußte noch eine glaubhafte Geschichte über seine Entfernung von der Truppe erfinden und möglichst auch einen handfesten Beweis. Zuletzt ließ er das Taxi halten und kaufte die Berlin-Ausgabe der größten Zeitung. Damit hat er es geschafft und mit seinem Markenzeichen als Erfinder von Einlagen. Die Quittungen für die Taxifahrten konnte er später als Dienstfahrten verbuchen. Zwei Sachen nahm er sich danach fest vor. Keine Einlagen mehr zu machen und Paula nicht wiederzusehen, und daran hat er sich auch gehalten. Es war aber eine Rechnung ohne Paula.

Drei schlimme Wochen sind gekommen, in denen alles so gewesen ist wie früher. Paula sah Paul morgens in seinen Dienstwagen steigen und Paul Paula in das Auto von Reifen-Saft. Paula hat immer auf ein Zeichen von Paul gewartet, das aber nicht gekommen ist. Paul hielt Paula zwar nicht mehr für eine besonders raffinierte Agentin, zitterte aber doch bei dem Gedanken, daß Paula einfach zu ihm über die Straße kommt und sagt: »Tag Paul, wann sehn wir uns?« Es gab Tage, da war Paula tatsächlich nahe daran, es so zu machen.
Aber Paul ließ sich mit der Zeit immer weniger in der Singer blicken. Er hatte sich einen Plan gemacht, wen er jeden Abend besuchen konnte. Und wenn er sonst schon kaum eine Versammlung oder Sitzung versäumte, so nun überhaupt keine mehr. Und in die Singerstraße ließ er sich, auch wenn es noch so spät war, nur mit dem Dienstwagen bringen, was ihm ei-

gentlich als Einzelperson nicht zustand. Und er hat den Fahrer beinahe gezwungen, immer noch für eine Viertelstunde mit in seine Wohnung zu kommen, nur damit er das kurze Stück über die Straße nicht ohne Begleitung war und nicht etwa gekidnappt werden konnte. Paul: »Ganz, als wenn ich ein Spitzenkader gewesen wäre.« So sehr war es Paul in die Knochen gefahren, daß er einmal im Leben nicht mehr gewußt hatte, was er getan hat.

PAULA WUSSTE von alledem nichts. Sie ist morgens aufgestanden und hat auf Paul gewartet. Sie ist in ihre Kaufhalle gegangen und hat auf Paul gewartet. Sie hat gegessen und getrunken und hat auf Paul gewartet. Sie hat ferngesehen und auf Paul gewartet. Sie hat mit den Kindern geredet und hat auf Paul gewartet. Sie ist schlafen gegangen und hat auf Paul gewartet. Sie hat geschlafen und auf Paul gewartet. Und dann hat sie etwas unternommen, womit Paul und keiner rechnen konnte.
Viele sagten, Paula hat Paul ganz einfach abgepaßt und ihn zur Rede gestellt. Dann hieß es wieder, sie soll ihm einen Brief geschrieben haben, um ihn zu erpressen. Letzteres wäre aber nie ihre Art gewesen, und ersteres machte Paul durch seine perfekte Organisation unmöglich. Organisation war Pauls Gebiet. Paul: »In Organisation war ich gut und besser. Zwar hatte ich alles mögliche studiert, den ganzen ML, die Geschichte der Diplomatie, der Philosophie, des Bürgerkrieges, des Weltkrieges, des kalten Krieges und was sonst noch,

nur von Organisation hatte ich nie etwas gehört, außer dem Satz, wenn die Idee klar ist, entscheidet die Organisation alles. Was ich aber vom ersten Tag an in meiner Dienststelle machen mußte, war Organisation. Vom simpelsten Urlaubsplatz bis zum Protokoll heikelster Empfänge heikelster Leute in heikelsten Situationen.« Bei einem solchen Empfang ist ihm Paula in die Quere gekommen. Das wissen die wenigsten. In Organisation war Paul gut, aber gegen Paula war die beste Organisation nichts. Laut Paul soll die perfekteste Organisation auch die anfälligste sein. »Sie organisiert sich selbst ihre Schlappen. Sie kann gar nicht anders, und Paula hat einen Instinkt dafür gehabt.« Paula: »Ich hatte einen Instinkt für dich, das war alles. Ich konnte dich riechen, wenn ich wollte, wie ein Spürhund.«

Wie Paula auf diesen Empfang im Gästehaus gekommen ist, ist weiter kein Rätsel. Sich ein langes Kleid zu machen, war für Paula kein Problem. »Ein sogenanntes Gattinnenkleid«, nach Paul. Eine Perücke lieh sie sich, und eine große Sonnenbrille kaufte sie sich, und die zwei Worte Englisch, die sie brauchte, hat sie gekonnt. Yes und please. Pauls Leute haben sie dann auch nach nichts weiter gefragt und sie durchgelassen. Viel interessanter ist, wie Paula Paul auf die Schliche gekommen ist, wie seine Dienststelle heißt und seine Abteilung, wie sein Dienst läuft, was er genau macht, zum Beispiel Empfänge. Wann und wo solche Empfänge sind. Was da für Leute kommen. Wie sie angezogen sind. Dazu brauchte Paula ihrerseits eine perfekte Organisation, und über die konnte sie verfügen, wenn sie wollte. Einige von den alten Singer-Leuten arbeiteten zum Beispiel auf der Neubauseite. Sie machten da sauber oder führten Haushalt. Ein alter Herr war sogar Hausmeister. Da wußte Paula schon die Hälfte. Und für die andere Hälfte sorgten Paulas Frauen in der Kaufhalle. Das waren neun Frauen, von denen kannte jede vielleicht neun Leute näher, von denen kannte jede wieder neun, und keine Stadt ist so groß und schon gar nicht das eine Stück Berlin, daß nicht irgend jemand irgendeinen aus dem Gästehaus kannte, das Pauls Dienststelle für seine Empfänge bevorzugte, jedenfalls für die, denen wichtige Verhandlungen vorausgingen, und um einen solchen hat es sich laut Paul in diesem Fall gehandelt. »Wir hatten da eine genau abgestufte Skala, in diesen wie in allen Dingen. Die Skala und ihre Abstufungen war überhaupt das, worum es bei meiner Tätigkeit ging. Man sollte nicht glauben, wieviel Fertigkeit und Einfühlung dazu gehört, eine solche hoch differenzierte Skala beherrschen zu lernen. Das hatte schon etwas mit Kunst zu tun.« Und wenn Paul manchmal nach Hause kam, und es war ihm gelungen, einen richtig guten Empfang hinzuzaubern, bei dem alles gestimmt hat, jede Nuance, und bei dem im »richtigen Moment die Tür für den richtigen Mann aufging und der im richtigen Abstand zum nächsten hereinkam und sich im richtigen Moment auf den richtigen Platz setzte und die richtigen Blumen in der richtigen Farbe vor ihm standen«, dann war Paul richtig zufrieden. Wie ein richtiger Künstler ist er sich dann vorgekommen, »Reihenfolgefragen« zum Beispiel waren von immenser Bedeutung. Jeder Fehler konnte dabei zu den schlimm-

sten Mißhelligkeiten führen. »Vor allem Zusammentreffen Ost–Ost waren laut Paul ein Kapitel für sich. Aber am heikelsten sollen doch immer Treffen mit seinen Leuten und denen aus dem Orient gewesen sein. Das waren Prüfsteine für Paul. »Man kann dergleichen schließlich nicht probieren. Es ist immer eine Premiere. Dabei sollte man andererseits nicht meinen, wie fügsam Repräsentanten sind. Wieviel Macht sie auch immer repräsentieren – wenn sie einen wie mich sehen, im dunklen Anzug ohne Orden und Ehrenabzeichen, dann wissen sie Bescheid und lassen sich führen. Das hat viel von Regiearbeit an sich«, hat Paul berichtet.
Noch heikler sollen Personenkreisfragen sein, geradezu Delikatessen. »Welche Personen darf man wann keinesfalls übergehen und welche allenfalls und welche jedenfalls? Oder wen lädt man zur Garnierung ein? Künstler? Wenn ja, welche? Insider, die out sind oder Outsider, die in sind?« Fast immer gut war es, laut Paul, »mit Schauspielerinnen aufzufüllen. Man ruft an, schickt mir bitte ein, zwei Schauspielerinnen, hübsch und mit Kopf, wenn ich bitten darf, notfalls nur hübsch, aber dann wenigstens blond, notfalls Perücke, wir zahlen wie üblich.« Paula: »Das gibt es nicht.« Und Paul: »Das gibt es, oder denkst du, du hättest sonst bei mir die geringste Chance gehabt durchzukommen? Beim Einlaß vielleicht, aber doch bei mir nicht. Ich hab' dir doch sofort die Perücke angesehen!« Paulas Perücke war rotblond. Meine Person hat sie in der Hand gehabt. Blond hatte Paul an dem Abend bestellt, weil da Repräsentanten aus Afrika waren. Paul dachte, als Paula in den Saal kam, das ist eine von den Schauspielerinnen. Dazu paßte auch Paulas Sonnenbrille. Als eine Servie-

rerin mit Kognaks gekommen ist, nahm Paula das ganze Tablett, das sie ihr hingehalten hatte. Paul dachte, das ist ein Gag von der Schauspielerin. Paul: »Dergleichen ließen sie sich nie entgehen, sowohl die mit als auch die ohne Kopf.« In Wahrheit war Paula nur verwirrt von ihrem Unternehmen, und von der Atmosphäre, die da herrschte. Von Pauls Gegenwart ganz abgesehen. Paul hat in Englisch zu ihr gesagt: »Nur ein Glas für Sie, bitte.« Und Paula: »Yes«, und sie hat das Glas gekippt. Da stutzte Paul zum erstenmal. Irgend etwas ist ihm an Paula bekannt vorgekommen. Die Frau, hat er sich gesagt, mußt du schon einmal gesehen haben. Er fand auch, daß die Sache mit dem Glas sehr echt gespielt war. Dann wurde ihm klar, wen er da vor sich hatte – die D., jedenfalls dachte er das, und damit war er beruhigt. Andererseits beunruhigte ihn der Gedanke, daß die D. sich bekanntermaßen nie zur Garnierung, welcher Empfänge auch immer, hergab. Um so erfreulicher fand er es, daß sie zu ihm gekommen war. Bis zu dieser Stunde konnte Paul wieder sehr zufrieden sein mit seinem Empfang. Der richtige Mann hatte zur richtigen Sekunde durch die richtige Tür den Saal betreten und so weiter. Als Paula kam, waren sie bereits beim gemütlichen Teil. Eine Combo war da, und es konnte getanzt werden, und vor allem die Leute aus Afrika waren längst auf dem Parkett. Sie beherrschten es laut Paul. »Sie mühten sich mit unseren Gattinnen herzlich ab, leider umsonst.« Bis auf eine große Ausnahme, und das ist Pauls Frau gewesen. Das war auch der eigentliche Grund, weshalb sich Paul nicht weiter um Paula kümmerte, oder um die D., wie er dachte. Sie soll so hingegeben und so natürlich und so locker und so gekonnt wie die Afrikaner getanzt haben. Paul hatte seine Frau zum ersten Mal auf einen internationalen Empfang mitgenommen. Paul hatte bis dahin immer mit allerhand Ausreden gearbeitet, um seine Frau nicht vorzeigen zu müssen. Weil er ihre Dressur nicht für beendet gehalten hat. Das war sie auch nach seiner Meinung nach wie vor nicht. Aber Paul wollte einen Versuch machen. Und der ist über alles Erwarten von Paul gut ausgegangen. Seine Frau soll *der* Erfolg des Abends gewesen sein, und Paul war entgeistert, beinahe begeistert. Später meinte er: »Damals habe ich wahrscheinlich angefangen zu begreifen, daß ich meine schöne dumme Frau in einem ganz falschen Licht gesehen habe. Daß meine gesamte Dressur vielleicht für die Katz' war. Tanzen, zum Beispiel, hatte ich ihr keineswegs beigebracht.« Außerdem sprach seine Frau mit dem Mann aus Afrika. Paul hatte keine Ahnung, in welcher Sprache. Aber sie schien sich mit ihm zu verstehen. Sie sollen sich sogar Witze erzählt haben. So lachen hatte Paul seine Frau auch noch nicht gehört.

PAULA HAT das alles gesehen. »Ich hätte auch Tomaten auf den Augen haben müssen.« – Paula. Auf Pauls Frau war Paula nicht gefaßt. Pauls Frau war an dem Abend besonders schön. Paula war nicht eifersüchtig, eher traurig. »Auf eine so schöne Frau«, hat sie immer gesagt, »kann man nicht eifersüchtig sein, die kann man nur bewundern oder vielleicht beneiden.« Auf das Tanzen brauchte Paula nicht eifersüchtig zu sein. Tanzen konnte sie auch. Sie war immer eine Tanzmaus gewesen. Es zuckte ihr auch in den Beinen. Im Herzen war ihr aber nicht nach Tanzen, da war sie nur todtraurig. Zuletzt hat sie ihre große Sonnenbrille abgenommen, und da wußte Paul endlich, was die Stunde geschlagen hatte. Er ist sofort wieder in Panik geraten. Er hat Paula angezischt: »Bist du wahnsinnig!« Keiner durfte etwas hören. Und Paula: »Ich wollte mit dir tanzen.« Paul hat sofort gesagt: »Ich bin im Dienst.« Paul: »Mit anderen Worten – ich rief den Befehlsnotstand aus. Darauf lief es doch letztlich hinaus. Im Dienst braucht jede normale menschliche Reaktion nicht stattzufinden, sie kann, aber sie muß nicht. Im Dienst kann ich unhöflich, verschlossen, unsolidarisch, eigensinnig, verlegen sein, und kann dann immer sagen: Ich war im Dienst. Und ich werde immer, wenn auch nicht auf Zustimmung, so doch auf Verständnis stoßen. Jeder kennt das, jeder weiß: Dienst ist Dienst, und legt an jeden, der im Dienst ist, nicht die normalen Maßstäbe an. Er wartet damit bis nach Dienstschluß.« Nur Paula wartete nicht. Sie hat ihn gefragt, ob er mit ihr auf den Dachgarten gehen kann. Paul hat sich gewunden, aber dann schien ihm, daß der Dachgarten noch das geringste Risiko war. Unter freiem Himmel stellte Paula ihm die entscheidende Frage: »Alles ist aus, oder?« Darauf ist Paul stumm geblieben. Er konnte Paula auch nicht ansehen. Da sind Paula die Knie weich geworden. Sie mußte sich irgendwo festhalten. »Das ganze ekelhaft hohe Haus«, hat sie immer gesagt, »hat unter mir gewankt.« Auch Paul ist sich so scheußlich vorgekommen, wie in seinem ganzen Leben noch nicht. Er konnte nur noch eins denken, daß alles schnell vorbeigeht. Paula sind die Tränen gekommen. Da hat Paul gesagt: »Was du willst, geht nicht!« Dazu konnte Paula nicht schweigen. Sie hat gefragt: »Was will ich denn schon?« Und Paul: »Alles oder nichts willst du.« Und Paula: »Na und?« So gab ein Wort das andere, und am Ende haben sich beide angebrüllt. Paul hat ihr, wie er selbst es genannt hat, ein Kurzreferat gehalten, darüber, daß es »Verpflichtungen gibt«, denen man nachkommen muß, und daß keiner immer nur machen kann, »was für ihn gut ist«. Ein Spruch, der laut Paul noch jeden zum Schweigen gebracht hat. Nur nicht Paula. Sie hat Paul gefragt: »Können wir nicht einfach glücklich sein?« Aber Paul dachte in dem Moment nur an eins, daß Paula ihre Macht über ihn benutzen könnte und ihn einfach an die Hand nehmen könnte und ihn in den Saal ziehen und vor seiner Frau und vor versammelter Mannschaft umarmen und einfach sagen: »Das ist Paul, und ich bin Paula.« Er hat sie angebrüllt: »Werde doch glücklich, aber nicht auf Kosten anderer!« »Auch ein beliebter Trick«, hat Paul später gesagt. »Man behauptet etwas, das zunächst zu beweisen wäre, und das möglichst laut. Denn wer, bitte, hätte denn die Kosten dafür getragen, wenn Paula und ich einfach glücklich gewesen wären? Erwachsene Menschen haben gefälligst damit zu rechnen, daß Gefühle sich ändern können. Institutionen kann man klarmachen, daß es eine Intimsphäre gibt. Bleiben die Kinder, in meinem Fall der Junge. Aber erstens kann man dem steuern, wenn man verhindert, daß Kinder bei solchen Gelegenheiten zu Geiseln gemacht werden, und zweitens, wer hat uns denn gesagt, daß wir Kindern bis zu ihrem achtzehnten Lebensjahr eine absolut harmonische Welt vorspiegeln sollen, um sie dann der schönsten Disharmonie zu überlassen?«

Paul wollte vor allem eins: Paula ins Unrecht und sich ins Recht setzen, und das ist ihm bei Paulas Temperament auch gelungen. Sie hat ihrerseits gebrüllt: »Die anderen können mich mal!« Darauf hat Paul nur vornehm geschwiegen. Paula ist verzweifelt gewesen. Sie konnte sich nicht so schnell damit abfinden, daß alles zu Ende sein sollte, vor allem, weil bei ihr gar nichts zu Ende war. Sie hatte aber keine Kraft mehr an dem Abend. Paul atmete auf. »Wir können doch Freunde bleiben.« Das sollte sein Schlußsatz sein. Damit wollte er sich aus der Affäre ziehen. Dafür hat ihm Paula eine Ohrfeige gegeben. Paula: »Dazu hat meine Kraft noch gereicht.« Und dann ist sie gegangen. Aber auch nach der Ohrfeige hat sie Paul noch »voll geliebt«. Und darum hat sie ihn zuletzt noch geküßt.

So ist der Tag gekommen, der für alle der schlimmste gewesen ist. Der Tag, an dem Paulas Junge um sein Leben gekommen ist. Paula hat wie immer gearbeitet als Flaschenpaula. Es machte ihr aber keinen Spaß mehr. Und Paul hatte sich zu einem Intensivlehrgang für Suaheli gemeldet, jeden Tag nach dem Dienst. Damals sind Paula zum erstenmal Gedanken über das Leben der Flaschen und das der Menschen gekommen. Sie ist sich wie eine Einwegflasche vorgekommen, die niemand zurücknimmt. Und sie hat gedacht, daß man als Mensch auch nur ein Leben hat, das keiner zurücknimmt. Aber die Frau, die sich sagt, wenn nicht der, dann ein anderer, die Frau war Paula nicht. Paul war ein für allemal der Mann für Paula. Als Paul am Unglückstag von seinem Lehrgang zurückgekommen ist, hat er von seiner Frau alles erfahren. Sie war dabeigewesen. Pauls Junge war in der gleichen Kinovorstellung gewesen wie Paulas Kinder, und seine Frau war auf die Straße gelaufen, als sie den Auflauf und das Taxi und die Polizei und den Krankenwagen gesehen hat. Von ihr wußte Paul auch, daß Paula keinen an den kleinen Körper herangelassen hatte und daß sie auch nicht zuließ, daß man ihn in einen Krankenwagen legte. Paula ist mit dem toten Jungen auf den Armen zu Fuß ins Krankenhaus gelaufen. Auch in den Wagen von der Polizei wollte sie sich nicht setzen. So ist die Polizei neben ihr her bis zum Krankenhaus gefahren. Es gab viel Aufsehen in Friedrichshain. Nachher hieß es, es haben sich immer mehr Leute Paula angeschlossen und vor dem Krankenhaus gewartet, bis Paula wieder rauskam, weil sie wissen wollten, was mit dem Jungen ist. Das ist eine Legende. Einzig meine Person hat sie begleitet. Niemand schloß sich an. Aber alle haben Platz gemacht. Auch die Autos auf der Allee haben angehalten, dafür hätte die Polizei nicht sorgen müssen. Paula ist direkt zu Professor Ludwig gegangen und hat ihm den Jungen in die Arme gelegt. Sie sagte nichts. Sie weinte auch nicht. Sie hat den Professor bloß angesehen. Der Professor ist weiß geworden wie die Wand. Äußerlich war dem Kind nichts anzusehen. Paula ist dem Professor nicht von der Seite gewichen, aber zum Leben erwecken konnte der Professor den Jungen auch nicht.

Es ist so gewesen, daß Paula beim Großreinemachen war. Es war Sonnabend, und Paula hatte mittags Schluß. Sie hatte aber den Kindern versprochen, mit ihnen in den Tierpark zu gehen. Und es wäre auch alles gut gegangen, wenn Paula nicht beim Saubermachen alles aus der Hand gefallen wäre, wie seit einiger Zeit schon. Entweder der Eimer mit Wasser kippte um, oder der Schrubber fiel ihr aus der Hand, oder eine Vase kam vom Regal, und wenn da zwei Vasen standen, eine mit und eine ohne Blumen, dann fiel die mit den Blumen. Auf die Art dauerte das Saubermachen Stunden. Auch mußte sie immer wieder Pausen machen. Seit einiger Zeit wurde sie schnell müde und war viel abwesend. Sie ertappte sich dabei, wie sie dastand und nichts tat und nichts dachte und nicht wußte, wie lange sie so gestanden hatte. Hinzu kam, daß die Kinder ihr immerzu im Wege standen und daß sie alle halbe Stunden fragten, wann gehn wir denn nun in den Tierpark? Da hat Paula etwas gemacht, was sie sonst nie gemacht hat. Sie schrie die Kinder an. »Könnt ihr mich nicht in Ruhe lassen«, hat sie geschrien, daß man es im ganzen Haus hören konnte. »Ihr seht doch, ich hab keine Zeit. Vielleicht bin ich auch krank. Vielleicht sehr krank. Aber ihr denkt immer nur an euch. Immer nur ihr. Immer nur ihr.« Die Kinder sind sehr blaß geworden und stumm und Paula auch. Es war sehr ungerecht von Paula. Ihre Kinder waren sehr nette Kinder und in der ganzen Singer sehr beliebt. Der Junge wegen seinem sonnigen Gemüt und das Mädchen, das immer sehr ernst war, weil es sich so gut um ihren Bruder kümmerte. Sie ließ ihm kein Haar krümmen. Sie war auch in der Schule sehr gut und machte Paula nicht die geringsten Sorgen. Sie half uns alten Leuten viel, und sie war weit über ihr Alter hinaus verständig. Sie redete nie viel, auch heute sagt sie noch wenig, aber das wenige ist

so treffend, daß es wie ein Wunder ist. Sie hat große dunkle Augen, mit denen sie durch einen hindurchsieht. Und genauso hat sie Paula angesehen, und Paula hat sie und den Jungen umarmt und sich entschuldigt, und dann gab sie ihnen leider Geld in die Hand und schickte sie ins Kino. Etwas, das sie sonst nie getan hat. Sie hielt immer, was sie ihren Kindern versprochen hat.
Es gab einen Indianerfilm. Das Mädchen ist wohl eher mitgegangen, um auf den Bruder zu achten, aber vor allem, um Paula mit sich allein zu lassen. Über Indianerfilme war sie längst hinaus. Während der Film lief, machte Paula weiter sauber, das heißt, sie kämpfte weiter mit den Sachen in ihrer Wohnung. Zuletzt stand sie nur noch da und starrte vor sich hin, ohne etwas zu sehen. So stand sie noch, als die Bremsen auf der Straße kreischten. Erst da ist sie wach geworden, ist zum Fenster gerannt und hat gesehen, wie der Junge vor dem Taxi lag.
Der Film war zu Ende, und die Kinder waren auf die Straße gestürmt. Nicht nur Paulas Kinder. Es war heller Nachmittag und das Kino voller Kinder, und als sie rauskamen, war jedes wie immer sein eigener Indianerstamm, vorneweg Paulas Junge. Er ist direkt bis auf die Straße gerannt, direkt vor das Taxi. Seine Schwester konnte ihn nicht halten, obwohl sie es versucht hat. Andere Kinder waren ihr im Wege.

Paul hatte nur einen Gedanken – sofort zu Paula. Er schob alles andere zur Seite, alle Rücksichten auf Frau,

Familie, die Leute, den Dienst. Er ist aus der Wohnung gegangen und am hellerlichten Tage quer über die Singer auf unser Haus zu und darin verschwunden. Er ist sehr leise vor Paulas Tür gekommen, trotzdem haben wir ihn alle gehört. Das ganze Haus hielt den Atem an. Paul klopfte an Paulas Tür und wartete, dann hat er wieder geklopft und wieder gewartet. Wir alle standen hinter unseren Türen. Aber Paula machte nicht auf. Paul wußte nicht, ob er auf die Klingel drücken soll. Er brachte es nicht fertig. Erst als Paul schon aufgeben wollte, machte Paula auf. Sie machte nicht weit auf, und sie ließ die Tür auch angekettet. Das war sehr selten bei ihr, das machten eigentlich nur wir Alten aus alter Gewohnheit. In der Regel war Paulas Tür nur angelehnt, wenn sie zu Hause war. Paul konnte sie kaum erkennen. Noch ehe Paul etwas sagen konnte, hat Paula gesagt: »Komm nicht mehr, Paul. Mach's gut.« Dann wollte sie schon die Tür zumachen. Aber Paul stemmte sich mit einer Hand dagegen und mit der anderen hat er das Treppenlicht eingeschaltet. Jetzt konnte er Paulas Gesicht sehen. Er war furchtbar erschrocken. Paula hat ausgesehen wie mit einer Maske, so bleich und regungslos. Paul ist alles im Hals steckengeblieben, was er sagen wollte. Da hat Paula noch gesagt: »Du hast recht, Paul, was ich will, geht nicht. Es mußte alles so kommen.« In diesem Augenblick ist das Treppenlicht wieder ausgegangen. Paul nahm die Hand von Paulas Tür, und Paula schloß die Tür. Paul hat gerufen: »Paula, mach auf!« Aber Paula rührte sich nicht mehr, und ihr letzter Satz war für lange, lange Zeit der letzte Satz für Paul. Paul fing an, an die Tür zu klopfen und zu klingeln und dann sogar mit den Fäusten gegen die Tür zu schlagen – alles umsonst. Zuletzt hat Paul gerufen: »Paula, das ist doch Aberglaube.« Und: »Halt doch die Dinge auseinander.« Paula hat trotzdem nicht reagiert. »Das war auch viel verlangt«, hat Paul viel später gesagt: »Dinge auseinanderhalten, die eigentlich zusammengehören, und das in so einem Moment.«

Paul selbst brauchte lange Zeit, um zu begreifen, daß die Dinge zusammengehören, daß da sehr wohl ein Zusammenhang war zwischen dem Tod von Paulas Jungen und seinem Verhalten zu Paula. Und Paula andererseits brauchte lange Zeit, um zu begreifen, daß nicht sie am Tod des Jungen schuld war, sondern daß dem Zufall eine große Rolle zukam. Paul konnte ihr das nur schwer begreiflich machen. Aber Paula hat erstens nie wieder mit ihm darüber gesprochen, geschweige denn diskutiert. Und als sie wieder mit Paul redete, da hatte sie es selbst begriffen. Und zweitens war Paul es selbst, der ihr gesagt hat, daß man nicht auf Kosten anderer glücklich werden kann. Das hatte sich bei Paula festgesetzt, obwohl es laut Paul nur einer von diesen Sprüchen ist, die ebenso wahr wie unwahr sind. Aber Paula glaubte, wenn einem ihrer Kinder ein Unglück zustößt, dann kann nur sie schuld sein, weil sie eben zu sehr an ihr eigenes Glück beziehungsweise Unglück gedacht hatte.

Es kann aber keine Rede davon sein, daß Paul damals an all das gedacht hat. Er hatte nur einen Gedanken, daß er Paula nicht allein lassen durfte. Und Paula hat immer gesagt, daß ihr alles egal gewesen wäre, was er später gemacht hat, daß alles nichts genutzt hätte, alles hoffnungslos verloren gewesen wäre, wäre Paul damals nicht an ihre Tür gekommen. Paul war noch jung, aber

doch ein gestandener Mann. Trotzdem war das nach seinen eigenen Worten die erste selbständige Entscheidung. »Bis dahin hatten andere für mich oder über mich entschieden, wenn auch immer so, daß ich nur zu sagen brauchte ja, richtig, gut, einverstanden.« Aber obwohl Paul wußte, daß diesmal keiner mit seinem völlig ungedeckten Erscheinen vor Paulas Tür einverstanden sein würde, ist er vor Paulas Tür gekommen.
Am nächsten Tag wußte es jeder in der Singer – nur Pauls Frau nicht. So hatte Paul noch eine Chance. Noch konnte er alles rückgängig machen. Noch konnte er in den Schoß von Familie und Dienststelle zurückkehren. Paula hat immer gefragt: »Aber für dich gab es nur einen Schoß, und welcher war das?« Paul: »Deiner.« Damals wußte Paul schon, daß er auf solche Fragen Paulas nicht ironisch antworten durfte. »Liebe und Ironie«, war Paulas Meinung, »gehen bei mir nicht zusammen. Da muß man alles sagen, wie man es meint. Und wenn man meint, ich liebe dich, dann muß man auch sagen, ich liebe dich. Und nicht etwa: ›übrigens, was ich noch sagen wollte, ich liebe dich‹. Oder: ›im Prinzip liebe ich dich‹, ›ich liebe dich ziemlich‹, ›ich liebe dich nämlich‹, ›ich liebe dich vermutlich‹ und so weiter. Es sind diese drei Worte, die eine Frau hören will. Sie können auch geschrieben sein, auch falsch geschrieben sein. Auch das gilt, aber sonst nichts. Jedenfalls nicht bei mir.« Paul hat es später gebrüllt.

Die Beisetzung von Paulas Sohn war im Baumschulenweg. Die halbe Singer war da. Auch Paul. Auch

Pauls Frau. Paula hat den kleinen Körper einäschern lassen. Paul war gekommen, um Paula die Hand zu drücken und ihr in die Augen zu sehen. Die Hand hat Paula ihm gegeben, aber in die Augen hat sie ihm nicht gesehen. In die Augen hat sie niemand gesehen. Sie sah immer nur das Stück Rasen, unter dem die Urne mit der Asche verschwunden ist.

In der Kaufhalle ist Paula nicht wieder in ihre Flaschenabnahme gekommen, sondern gleich an die Kasse. Sie sollte nicht soviel allein sein mit sich und den Stoffeln vom Bau. Die Männer vom Bau aber waren wie verwandelt. Sie hätten Paula auf Händen getragen und sie in Watte gewickelt, wenn sie gekonnt hätten. Paul ging nicht mehr zum Dienst. Er ließ sich krank schreiben. Seine Tage verbrachte er damit, von seinem Fenster aus Paulas Fenster zu beobachten, um zu sehen, was Paula macht. So sah er Paula wieder zur Arbeit gehen, und eine Viertelstunde später ist er in der Kaufhalle gewesen. Er hat irgendwelche Sachen in seinen Korb getan und stellte sich an die Schlange vor Paulas Kasse. Paula war noch längst nicht wieder am Leben. Paul hatte die Hoffnung, daß sie vielleicht ein Wort sagte, wenn er an die Reihe kam. Aber Paulas Blick ging nur nach innen, und ihre Hände haben automatisch gearbeitet. Da hat Paul sie gefragt: »Ich habe Pfeffer und Salz vergessen. Wo finde ich das bitte?« Paula griff nur nach dem nächsten Korb, der ihr zugeschoben wurde, und kassierte weiter. In dem Moment verlor Paul die Nerven. Er schmiß seinen Korb mit

Inhalt auf die Erde und brüllte: »Ich hab höflich gefragt, wo ich Pfeffer und Salz finde! Warum kann ich darauf keine vernünftige Antwort haben?« Und dann fängt er an zu fluchen auf eine Art, von der keiner wußte, daß sie Paul zur Verfügung steht. Er zieht Paula mit einem Griff von ihrer Kasse weg, umklammert sie fest und will mit ihr weg, aus der Kaufhalle raus. Paula hält still, sagt nichts, schreit nicht, läßt alles über sich ergehen. Nur Paulas Kolleginnen stürzen sich auf Paul und auch Männer vom Bau. Da zieht Paul seine Dienstpistole, bohrt sie Paula in den Rücken und erklärt, daß Paula seine Geisel ist und er abdrückt, wenn man ihm nicht freien Abzug gibt. Daraufhin lassen sie Paul mit Paula abziehen. Draußen bricht Paul dann zusammen und wird abtransportiert. Soweit die Legende.
In Wahrheit ist nichts weiter gewesen, als daß Paul tatsächlich für zwei Sekunden die Nerven verlor und losbrüllte. Aber eingegriffen hat niemand. Es ist nicht so ungewöhnlich, daß jemand in der Kaufhalle die Nerven verliert. Paul beruhigte sich auch wieder sehr schnell, als Paula auf sein Gebrüll nicht reagierte. Trotzdem haben Paulundpaula immer übereinstimmend gesagt, daß Pauls Brüllen sein Gutes hatte. Paul hat zum ersten Mal erlebt, »wie gut es einem tut, wenn man genau das tut, wonach einem zumute ist, sich gelegentlich abreagiert und seine Anpassung aufgibt«. Das hat ihm Mut gemacht für die weiteren Male, die ihm bevorstanden. Und Paula hat gesagt, daß es die Dinge sehr beschleunigt hat, die ohnehin kommen mußten. Sie wußte nun, wie ernst alles stand und wie schnell sie machen mußte, um die Pläne zu verwirklichen, die sie gefaßt hatte.

Paulas Plan war Reifen-Saft. Schon am nächsten Tag gab sie ihm das Zeichen, auf das er seit Jahr und Tag gewartet hatte. Das Zeichen bestand darin, daß Paula zu Saft sagte: »Wollten Sie mir nicht Ihre Werkstatt zeigen?« Das war noch am selben Nachmittag und auf offener Straße. Saft ist der Mund offen stehen geblieben, dann wurde er vollkommen hektisch. Beiden, Saft und Paul an seinem Fenster, sind in dem Moment die Knie weich geworden. Paul sind nicht nur die Knie weich geworden, sondern es hat ihn förmlich gewürgt. Genauer konnte er das Gefühl nicht beschreiben. Paul: »Ganz nachfühlen wird es nur einer können, der selbst mitangesehen hat, wie eine Frau, die er liebt, sich einem anderen Mann andient.«

Geliebt hat Paula Saft nicht eine Sekunde. Paula wollte ein neues Leben anfangen, das nichts, aber auch nichts mit ihrem alten Leben vor dem Tod ihres Jungen zu tun haben sollte. Sie wollte aus ihren alten Fehlern lernen. Sie wollte von nun ab *wirklich* an sich denken und an das eine Kind, das sie noch hatte. Die ganze alte Traumwelt, mit Herz, Vertrauensseligkeit, Mitleid – alles sollte vergessen sein. Von nun ab wollte sie ihr Schäfchen ins trockne bringen, wie so viele andere es auch hielten. »Und zwar knallhart.« – Paula.
Paul: »Das war einer der Tage, nach denen nichts wie vorher ist. Einer der Tage, nach denen man später sein Leben einteilt. So wie ein Amputierter sein Leben einteilt nach dem Tag, an dem er sein Bein verloren hat. Irgend etwas kam mir abhanden, wurde mir abge-

schnitten, abgesägt, abgehackt, abgefräst, und das in dem Moment, wo ich begriffen habe, daß ich Paula liebe.« »Du hast es erst begriffen oder erst wahrhaben wollen, als du mich mit Saft gesehen hast«, hat Paula gesagt. Strafverschärfend kam für Paul noch hinzu, daß er immer geglaubt, weil gelernt hatte, »daß das bürgerliche Ehemodell ein für allemal überholt und nicht mehr existent ist«. Jetzt mußte er mitansehen, wie »auf offener Straße Prostitution getrieben wurde. Nach dem uralten Motto: du gibst mir Sicherheit und Unterkommen und den Status, eine Frau mit Mann zu sein, und ich gebe dir dafür meinen Körper und alles drum und dran. Denn darauf lief es doch hinaus«. Und von der Sekunde an, als ihm das klar wurde, stürzte eine Kette von Bildern auf ihn ein, »die alle in dem einen gipfelten: Paula und Saft im Bett, in seinem, oder noch schlimmer in Paulas Bett. Safts alter Rücken an Paulas schönem Rücken« – das war noch das erträglichste aller Bilder für Paul. »Aus irgendeinem Grunde stellte ich mir von Anfang an vor, daß Paula und Saft sich zuerst mit dem Rücken zueinander aufs Bett setzten, sich dann Stück für Stück auszogen und sich nebeneinander ins Bett legten und dann, wie sich Safts altes graues Schamhaar mit dem schönen schwarzen von Paula vermischte.« Und dann fing der Boden unter Paul an zu schwanken, und er mußte sich förmlich festhalten, und es wurde ihm übel. Dabei war laut Paula zu der Zeit »an Bett und so weiter ü-ber-haupt nicht zu denken. Oder genauer gesagt: nur zu denken«. Je länger Paulundpaula zusammen waren, desto mehr nahm Paula Pauls Redeweise an. Paula war noch nicht wieder normal, wie sie selber gesagt hat, »aber so unnormal auch wieder

nicht, daß ich daran nicht wenigstens dachte«. Und sie dachte nicht nur daran, sie hat sogar eine Umfrage gemacht.
»Acht von zehn Freundinnen haben Männer geheiratet, die sie nicht geliebt haben. Vier davon werden immerhin geliebt. Die restlichen vier nicht einmal das.« Das war das Ergebnis. Und zwei von den restlichen vier befragte Paula, wie das ist, wenn man sich mit einem Mann ins Bett legt, den man nicht liebt und der einen nicht liebt. Eine davon hat gesagt: »Es ist zum Totekeln«, die andere: »Man stirbt nicht daran.« Paula: »Und Saft liebte mich, und keiner soll kommen und sagen: auf seine Art. Seine Art war die ganz normale Art. Sonst hätte er unmöglich so lange gewartet. Nötig hatte er das nicht. Seine Werkstatt hätte für manche gereicht, es darauf ankommen zu lassen, ob sie sich mit Saft totekelt. Und der soll kommen, der auf eine wie mich den ersten Stein wirft, die es im Leben zu nichts weiter gebracht hat als zu zwei Kindern, davon eins tot, und die einen Mann liebt, der sie nicht will. War es da nicht egal, mit wem ich da lebte? Und warum dann nicht einen, der mich in Samt und Seide kleiden will und mich auf Händen tragen?« Das war der Grund, warum Saft Paula schon immer seine Werkstatt zeigen wollte. Er wollte ihr zeigen, daß sie bei ihm auf Samt und Seide gebettet wäre und auch, daß sie durchaus eine Aufgabe gehabt hätte, bei der Führung der Bücher. »Und kritisiere du ihn nicht dafür«, hat Paula zu Paul gesagt, als alles gut war und Paul immer noch das Gesicht verzog bei Safts Namen. »Der Mann versuchte mit seinen Mitteln die Frau zu kriegen, die er wollte, wie du mit deinen. Und außerdem hätte ich durchaus

das Zeug zu einer Geschäftsfrau gehabt, und Buchhaltung, jedenfalls einfache, hätte ich mir ganz sicher draufgedrückt. Und wie gesagt, mein Lebensabend wäre gesichert gewesen.« Daran ließ Saft von Anfang an keinen Zweifel, daß er sein gesamtes Hab und Gut für immer und ewig Paula zu Füßen legen wollte. Auch darum ging es an dem Tag, als Saft Paula und Paulas Mädchen durch seine Werkstatt führte. Er hat es Paula deutlich zu verstehen gegeben und, laut Paula, »nicht ohne Charme«. Wie sehr Paul dabei auch das Gesicht verzog. Aber das waren nur Pauls Nachwehen. Sie hielten keinen Vergleich aus mit den Qualen, die Paul an seinem Fenster auszustehen hatte. Er hielt aber aus, obwohl er wußte, was ihn früher oder später erwartete – die Rückkehr von Saft und Paula und ihr gemeinsames Verschwinden im Haus. Je länger es dauerte, bis Paula und Saft zurückkamen, desto mürber wurde Paul. Und nach zwei Stunden wußte er, daß er diesen Augenblick nicht überleben konnte, »und zwar im wahrsten Sinne des Wortes«. Es stand für ihn fest, daß er etwas unternehmen mußte.

Als Paula und Saft zurückgekommen sind, sind sie nichtsahnend ins Haus gegangen. Saft wollte sich noch vor dem Haus verabschieden, aber Paula hat ihn zu sich eingeladen. Was sollte schon groß passieren? Sie hatte ihr Mädchen bei sich, und außerdem machte Saft wie immer einen eher zurückhaltenden Eindruck. Sie sind die Treppen hochgestiegen, und da stand Paul vor Paulas Wohnung. Er stand da schon eine ganze Weile, und er stand so, als wollte er niemand in die Wohnung lassen, nicht einmal Paula, dabei ging es ihm nur um Saft. Paul: »Saft hätte ich um nichts über die Schwelle

gelassen. Um Geld nicht und um gute Worte nicht und auch um einen Skandal nicht, und mit der Polizei hätte er nicht kommen können, schließlich hatte er in Paulas Wohnung nichts zu suchen.« Als Paula Paul vor ihrer Tür sah, konnte sie nur eins denken: Schnell weg hier, schnell rein in die Wohnung, schnell die Tür zu, eh irgendwas passiert. Sie hat Saft schnell verabschiedet, das Mädchen schnell in die Wohnung geschoben und schnell die Tür zugemacht und die Kette vorgelegt. »Paul«, hat sie immer wieder gesagt, »sah aus, als wenn er zu allem fähig war.«
So haben sich Paul und Saft gegenübergestanden. Paul fröhlich, weil er erreicht hatte, was er wollte. Saft sauer, weil er nicht erreicht hatte, was er wollte. Sie haben dagestanden und sich angesehen, und das ganze Haus hat den Atem angehalten. Wie die Hähne haben sich beide gegenübergestanden und sich beäugt. Der lange Paul und der kleine Saft. Beide haben sie gewartet, daß der andere geht. Ohne etwas zu sagen, ließ Saft keinen Zweifel daran, daß er auf den Besuch bei Paula keinesfalls verzichtet. Und Paul ließ seinerseits keinen Zweifel daran, daß er alles tun wird, um eben das zu verhindern. Saft lehnte sich bequem an die Wand, und Paul setzte sich noch bequemer auf die Treppe. Paul: »Womit ich schon im Vorteil war. Man kann länger sitzen als stehen.« Sein zweiter Vorteil war, daß er kein tätiger Mensch war. Er war nach wie vor krank geschrieben, und er hatte auch keine Werkstatt, wie Saft, die seine Anwesenheit verlangte. Die zum Beispiel abgeschlossen und abgeschaltet werden mußte und wo man kontrollieren mußte, ob die Leute nicht vor der Zeit gehen. So war die Lage, und hinter ihrer Tür stand Paula, um

notfalls das Schlimmste zu verhindern, aber auch weil sie wissen wollte, wie die Sache ausgeht. Und hinter allen anderen Türen standen wir. Die oben wohnten, hatten sogar die Türen halb offen. Es passierte aber nichts weiter, als daß Saft schon nach einer halben Stunde die Segel strich. Er lüftete den Hut und ging. Daß Saft aber noch einen Trumpf im Ärmel hatte, sollte sich nicht viel später zeigen. Zunächst aber war Paul der Sieger. Er wartete noch, bis Saft tatsächlich aus dem Haus war, dann stand er auf, klopfte sachte und voll Respekt an Paulas Tür, dann lauter, dann versuchte er, durch den Spion zu sehen und zu erkennen, ob Paula hinter der Tür stand. Dann klapperte er mit dem Briefschlitzdeckel, und dazu hat er geflüstert: »Mach doch auf, Paula. Ich weiß doch, daß du hinter der Tür stehst. Ich hör dich doch. Sei doch vernünftig«, und so weiter. Aber Paula rührte sich nicht, obwohl sie hinter der Tür stand. Sie hat gesagt: »Ich wollte weggehen, ins letzte Zimmer und das Radio andrehen oder mir die Ohren zuhalten oder beides.« Aber sie brachte es nicht fertig. Sie blieb bis zuletzt stehen und hörte zu, was Paul zu sagen hatte. Paul entschuldigte sich zunächst für sein Brüllen in der Kaufhalle: »Das war blöd. Entschuldige. Aber was soll ich machen, wenn du nicht mit mir redest. Das hält ja kein Tier aus, geschweige denn ein Mensch.« Zwischendurch hat er gelauscht, ob Paula etwas sagt, aber von Paula kam kein Wort. Er hat sie gefragt, was er machen soll, damit sie wieder mit ihm redet. »Und dann dieser Reifenfritze. Was soll das?! Der Mann könnte doch dein Vater sein. Dein Opa!« Paula schwieg. Sie war in dem Moment nahe daran, wegzugehen, weil Paul auf einen Punkt zusteuerte, der nicht

nur für ihn, sondern auch für Paula schlimm war, mit dem sie noch nicht fertig war. Aber sie hatte das Gefühl, daß Paul noch etwas Wichtiges sagen wollte, und das war auch so. Gleichzeitig ahnte sie, daß es etwas war, das gegen ihre Pläne ging. Und so war Paula plötzlich in zwei Paulas gespalten. In die eine, die neue, die von der Tür weg und sich die Ohren zuhalten oder das Radio anmachen wollte, und die andere, die an der Tür bleiben und unbedingt hören wollte, was Paul noch zu sagen hatte. Bei dieser Spaltung sollte es lange Zeit bleiben. Es sollte sogar zu einem langen Kampf zwischen der alten Paula und der neuen kommen, in dem die neue Paula gewinnen sollte, um unglücklich zu werden, und dann sollte die alte Paula gewinnen, um glücklich zu werden und um zu sterben.
»Paula«, hat Paul wieder angefangen, »mach dir doch nichts vor. Ich kenn dich doch. Du gehst doch ein bei dem Mann!« Pause. Keine Antwort. Da hat Paul mit einmal angefangen zu brüllen: »Der kann doch nicht mehr!« und gegen Paulas Tür zu trommeln. Paula fing hinter ihrer Tür an zu zittern, und meine Person ist auf der Treppe erschienen, um notfalls Schlimmes zu verhindern. »Und schlimm genug war der Satz«, laut Paul. »Weil er Saft diskriminierte, und vor allem, weil er Paula auf die gleiche Weise diskriminierte, indem er alles Menschliche aufs Sexuelle einengte, auf die Frage, potent oder nicht potent, leistungsfähig oder nicht leistungsfähig, weil er die Menschheit in zwei Gruppen einteilte: die Potenten zwischen sechzehn und fünfzig und alle anderen, die Kinder, Alten, Schwachen, Kranken, Behinderten, die Impotenten. Ein hartes, kaltes, unmenschliches Prinzip, nichtsdestoweniger weit ver-

breitet. Es steckte in mir, und es mußte an dem Tag raus. Daran hätte mich auch nicht das Aufkreuzen ganzer Haufen alter Leute mit Schippen und Handfegern gehindert.« Es war aber auch gut, weil es zu einem Satz führte, den Paul noch nie in seinem Leben gesagt hatte, auch nicht zu seiner Frau: »Ich liebe dich.«
In dem Moment hat meine Person das Treppenhaus wieder verlassen, und Paula hinter ihrer Tür ist das Herz stehengeblieben. Sie wartete, was nun kommen wird, und Paul stand draußen und wartete, daß Paula die Tür aufmacht. Jetzt hatte Paula endlich gehört, was sie von Paul so lange hatte hören wollen, und jetzt ging in ihrem Inneren etwas vor, was sie nie beschreiben konnte. Es war eine Art Aufruhr, aber nicht von der Art, die Bewegung macht, sondern die lähmt. Paula: »Äußerlich sah das so aus, ich stand da und sah meine Hand an und meinen Arm und wartete darauf, daß der Arm die Hand anhebt und auf die Klinke legt und daß die Hand die Klinke drückt und die Tür aufmacht.« All das passierte aber nicht. Paula war wie gelähmt. »Ich frage mich«, hat sie oft gesagt, »was passiert wäre, wenn Paul damals schon die Tür eingeschlagen hätte. Ich glaube, auch da wäre keine Bewegung in mich gekommen. Ich wäre steif wie ein Stock geblieben, was er auch immer gemacht hätte. Und mein Zustand war der, daß ich darüber völlig entsetzt war und gleichzeitig heilfroh und sich beides gleichzeitig gegeneinander aufhob. Ich war wie taub.« Sie wäre noch ewig auf der Stelle stehengeblieben, wenn das Mädchen nicht irgend etwas gesagt hätte. So fand sich Paula plötzlich in der Küche wieder, wie sie am Herd stand und brutzelte, ohne zu

wissen, was sie brutzelte und wie sie in die Küche gekommen war. Paul hat noch sehr lange vor der Tür gestanden, auch noch, als ihm längst Zweifel gekommen waren, ob Paula jemals hinter der Tür gewesen war und ob sie überhaupt irgend etwas gehört hatte von dem, was er gesagt, beziehungsweise gebrüllt hatte. Es war schon dunkel, als Paul endlich ging. Er war aber fest entschlossen, von jetzt an jeden Tag mindestens zweimal wiederzukommen und bei Paula zu klopfen. Er war mit seinem Fuß aber noch nicht auf der ersten Stufe abwärts, da kam Saft die Treppe herauf mit einem Blumenstrauß. Als er Paul sah, ist er förmlich an den Stufen kleben geblieben. Paul: »Dem ist nicht nur die Kinnlade, sondern auch der Strauß runtergefallen.« Daß Paul immer noch am Ort war, damit hatte er nicht gerechnet. Und als Paul das sah, ist ihm klar geworden, was er in Zukunft zu tun und zu lassen hatte. Er durfte einfach nicht mehr vom Fleck gehen, zu keiner Stunde. Er durfte Paula einfach nicht mehr aus den Augen lassen. Ihm ist klar geworden, daß Saft Paula »wirklichen Gotts wahrhaftig« haben wollte. Das war kein Spiel. Und Paul hat seinen Fuß wieder von der ersten Stufe abwärts zurückgezogen und sich wieder vor Paulas Tür aufgebaut und hingesetzt, und da ist er den ganzen Sommer über sitzengeblieben.

»IMMERHIN«, hat Paul später gesagt, »kann ich mir einbilden, dem Begriff sitzenbleiben endlich auch den positiven Inhalt gegeben zu haben, der ihm unter anderem zukommt.« Paul hat aber nicht wortwörtlich Tag und Nacht vor Paulas Tür gesessen. Nachts zum Beispiel lag er, anfangs auf den nackten Dielen, später auf einem Polster aus Zeitungen. Paul las jeden Tag seine drei vier Zeitungen, auf die er abonniert war, und wenn er sie durchgelesen hatte, legte er sie unter sich. Anfangs holte er sie sich noch aus dem eigenen Briefkasten, später brachte sie ihm die Postbotin direkt auf die Treppe. Auf die Art ist auf die Dauer eine wirklich passable Matratze zustande gekommen, die außerdem wärmte. Tagsüber, wenn Paula bei der Arbeit war, ist Paul in der ersten Zeit in seine Wohnung gegangen, um sich zu waschen, nach Post zu sehen und ein paar Worte mit seiner Frau zu wechseln, zum Beispiel über das Mittagessen oder über den Jungen. Dann ist er wieder auf die Straße gegangen, hat Paula in der Kaufhalle besucht, eine Kleinigkeit gekauft und dabei Paula begrüßt. Paula hat nie geantwortet, ihn nicht mal angesehen, nur kassiert. Aber daran stieß Paul sich nicht mehr, oder jedenfalls tat er so. Er brüllte nie wieder, war immer freundlich, auch zu ihren Kolleginnen. Anschließend machte er einen Vormittagsspaziergang, je nach Wetter, entweder in den Hain oder auf den Alex oder in ein Museum, und zu Mittag ist er wieder bei Paula gewesen, hat »Mahlzeit« gewünscht und ist selbst essen gegangen. Der Nachmittag ist dann ganz nach Paulas Unternehmungen verlaufen. Entweder ist ihr Paul gefolgt, wenn sie allein oder mit dem Mädchen spazierenging oder eine Besorgung machte, oder er bezog wieder seinen Posten vor ihrer Tür, wenn sie im Haus blieb. Bis Pauls Tagesablauf so geregelt war, ist es noch ein Stück Weg gewesen. Vor allem dauerte es seine Zeit, bis Paul mit sich selbst im reinen war, über das, was er da tat. Bis er »die Gelassenheit erworben hatte, die man nötig hat, wenn man den Weg von der Überanpassung, wie in meinem Fall, zur Nichtanpassung gehen will«. Das fing in der ersten Nacht damit an, daß er auf den nackten Dielen nicht liegen, also nicht schlafen konnte und daß er bald auch nicht mehr auf den Stufen sitzen konnte.

Paul: »Es war tatsächlich so, daß mein Arsch es war, der mich zunächst hochtrieb. So sehr war der an Schaumstoff, Porokrüll, Isotherm und dergleichen gewöhnt, daß er es keine paar Stunden auf einem ehrlichen, geraden Brett aushalten konnte.« Dann kamen die Gedanken an das, was ihm in der nächsten Zeit bevorstand, wahrscheinlich schon am nächsten Morgen, wenn seine Frau ihn fragen würde, wo er die Nacht gewesen ist. Dienstlich konnte er sie nicht verbracht haben. Er war nach wie vor krank geschrieben. Das war der zweite Punkt: Wie lange würde er krank machen können, ohne daß ihn die Ärztekommission vorladen würde, und wie lange würde das alles überhaupt dauern? Wie lange würde Paula es fertigbringen, nicht mit ihm zu reden? Eine Woche? Zwei Wochen? Einen Monat? Zwei Monate? Paul tappte da völlig im Dunkeln, zuletzt wortwörtlich. Als es ihn hochgetrieben hatte vor Sitzbeschwerden und Gedankenbeschwerden, ist er auf dem dunklen Treppenabsatz hin- und hergetappt. Alle zwei Minuten unsere Treppenbeleuchtung einzuschalten, ist ihm bald auf die Nerven gegangen. Später machte er sich über den Lichtkasten her und stellte die Beleuchtung auf Dauer ein, wenn er noch lesen wollte. Dann kam ihm der Gedanke an den »ungeheuren Aufriß«, den es in der Singer geben würde, wenn ein Mann nächtelang vor der Wohnung einer Frau auf der Treppe zubrachte. Und vor allem: Was sagt die Polizei dazu? »Ich hatte zwar keine Ahnung, was sie sagen konnte, aber irgendwas würde sie bestimmt sagen. Mindestens öffentliche Ruhestörung. Allein der Gedanke, etwas mit der Polizei zu tun zu kriegen, brachte mich fast um – wie jeden Angepaßten. Hätte ich ein Verkehrsdelikt begangen oder, sagen wir, im Suff irgendeine Schweinerei gemacht, hätte ich mit dem Schutz meiner Dienststelle rechnen können. Es hätte mir nicht gerade Pluspunkte eingebracht, aber doch auf keinen Fall irgendein Strafverfahren.« In diesem Fall aber hätte er nicht eine Sekunde mit irgendeinem Schutz rechnen können, hat Paul sich gesagt. Weiter: Wenn schon ein Aufriß in der Singer nicht zu vermeiden ist, wie sollte er dann auf die Singer einzugrenzen sein? Als er sich diese Frage stellte, an der seine Karriere hing, hat Paul seinen Posten verlassen. Das war schon weit nach Mitternacht. Er ist die dunkle Treppe abwärts getappt, bis an die Haustür und einen Schritt auf die Straße. Weiter konnte er aber nicht. Der Gedanke, daß Saft kommen könnte, wenn er noch keine zehn Meter von Paulas Haus weg wäre, stürzte sich auf ihn und ließ ihn nicht wieder los. Und wo der Gedanke an Saft war, da war auch der Gedanke an Saft und Paula in der Wohnung, und wo der Gedanke an Saft und Paula in Paulas Wohnung war, da war auch der Gedanke an Saft und Paula auf Paulas Bett und so weiter. Und dem war Paul nach wie vor nicht gewachsen. Paul: »Die Angst vor den Konflikten, die mir bevorstanden, war für zehn Minuten stärker gewesen als alles andere. Und nach dem Prinzip, daß sich ein Mensch gelegentlich doch die Situation wählt, die ihn weniger quält, stand ich nach zehn Minuten wieder vor Paulas Tür, beziehungsweise ich saß. Mein Arsch hat zwar sofort protestiert. Er schrie nach seinem Porokrüll.« Aber Paul hat den Aufstand brutal unterdrückt. Auch später kam ein Sitzkissen oder etwas in der Art nicht in Frage. Und so ist es gekommen, daß Paula, als sie am nächsten Morgen mit ihrem Mädchen aus der Wohnung gekommen ist, fast über Paul gestolpert wäre, der tief schlafend vor ihrer Tür lag.

PAULA HAT GESAGT: »Zuerst hab ich gedacht, Paul ist tot.« Und auch ihr Mädchen hat das gedacht und wollte losschreien. Aber in dem Moment fing Paul an zu schnarchen, und Paula hat ihr schnell den Mund zugehalten, und beide sind vorsichtig über Pauls lebendigen Leichnam hinweggestiegen, und Paula schloß leise, leise die Tür zu. Dann sind beide förmlich aus dem Haus geschlichen.
Später machte Paul eine sinnreiche Erfindung, die es Paula nicht mehr erlaubt hat, unbemerkt über ihn hinwegzusteigen, sondern die es ihm möglich machte, immer wenn Paula aus der Wohnung kam, frisch zu sein, sie freundlich zu begrüßen, ihr etwas Nettes über ihr Aussehen zu sagen, das Mädchen etwas zu fragen oder auch etwas über das Wetter zu sagen. Die sinnreiche Erfindung bestand in einem Wecker, den er immer auf eine halbe Stunde vor Paulas Ausgang stellte. Dann war er mit Sicherheit zehn Minuten bevor Paula kam wach. Denn Schlafschwierigkeiten hatte Paul bis zuletzt trotz der vielen Zeitungen unter sich.

Meistens ist er erst gegen Morgen vor Übermüdung eingeschlafen, was ihm aber nichts weiter ausmachte, weil die Tage erholsam verliefen.
Paula hat gesagt, als sie schließlich auf die Straße kam, sind ihr die Knie weich geworden. Ihr ist angst und bange geworden. Sie hat zwar gehofft, und zwar von Tag zu Tag mehr, daß Paul aufgibt und eines Morgens nicht mehr vor ihrer Tür liegt, aber tief innen ahnte sie, daß Paul sehr lange hart bleiben konnte. Paul: »Und immer härter wurde, was ich rein gesäßmäßig meine.« Paula hatte außerdem die Hoffnung, der Aufriß würde so groß werden, daß Paul ihn nicht überstand. Aber am meisten hatte sie Angst vor sich selbst. Davor, daß sie selbst nicht durchhält und anfängt, mit Paul zu reden. Und sie wußte, das erste Wort zu Paul wird der Anfang vom Ende ihrer sehr guten Vorsätze für ihr neues Leben sein. Und um sich dagegen hart zu machen, redete sie sich eine große Wut gegen Paul ein, weil er sie vor aller Welt in eine solche Situation bringt, und noch dazu in ihrer Lage, die schon schwierig genug war.
Paula ist in die Kaufhalle gegangen. Sie hat sich hinter die Kasse gesetzt und hat angefangen zu tippen, und immer wenn sie addieren mußte, haute sie mit der Faust auf den Knopf und dachte, das ist für Paul, den Hund! »Hund«, fand Paul, »war gar nicht so schlecht, sogar ziemlich treffend. Schließlich hab ich, wie es sich für einen Hund gehört, vor deiner Tür gelegen und sie treulich bewacht und bin dir auch immer treu gefolgt. Hund hätte mich nicht beleidigt.« Und bei alledem versuchte Paula, nicht an das zu denken, was Paul bevorstand, zum Beispiel seine Frau. Und wenn sie

doch daran denken mußte, dann dachte sie gleichzeitig: Geschieht ihm recht, dem Hund.
Paul hat von dem Moment an, als Paula aus dem Haus war, nur noch an seine Frau gedacht und was sie wohl sagen würde. »Der Witz war, daß sie gar nichts sagte.« – Paul. Sie war nicht in der Wohnung, als Paul kam. Auch gut, hat Paul sich gesagt: Noch eine, die nicht mit mir redet. Wo sie war, ist für Paul keine Frage gewesen. Bei ihren Eltern. Auf die Art brauchte Paul nicht irgendwelche Erklärungen auf irgendwelche Fragen abzugeben. Er hat sich gewaschen, etwas aus dem Kühlschrank gegessen und einen Plan gemacht. Er wollte zum Arzt gehen. Das vor allem mußte Paul regeln, wenn er »eine Massierung der Konflikte« vermeiden wollte, und das wollte Paul. Zugute ist ihm dabei gekommen, daß er ohnehin auf Rücken und Wirbelsäule behandelt wurde wegen Schmerzen, die er schon seit längerem hatte. Obwohl am Ende, laut Paul, genau das Gegenteil der Fall gewesen ist. Je mehr Nächte er auf der Treppe verbrachte, desto weniger wurden die Schmerzen in seiner Wirbelsäule. Was ihm nach wie vor weh tat, war sein Gesäß. Aber das gab Paul beim Arzt nicht zu. Er verlegte die Gesäßschmerzen einfach in die Wirbelsäule, wobei ihm geholfen hat, daß Rückenschmerzen nicht zu kontrollieren sind. Außerdem war er in einer Klinik in Behandlung, in die vorwiegend Leute wie er kamen, wo einer also wirklich auskuriert wurde, wenn es ging, weil es da in Pauls Dienststelle nicht um Unterbesetzung und Krankenstand ging. Sein Gesäß hat nicht weiter gegen die Fehlbehandlung protestiert. »Bei den Massagen, Bädern und Bestrahlungen fiel genug dafür ab.« – Paul. Unangenehmer für Paul

waren die Reckungen, dieses »zweiminütige Aufgehängtwerden, am Kinn«. Aber das nahm Paul in Kauf, er war auch daran gewöhnt. Seit seinem Studium in Rußland hatten sich diese Schmerzen in der Wirbelsäule eingestellt, und er mußte in regelmäßigen Abständen gereckt werden. Es ist aber keine wirkliche Besserung eingetreten. Die Abstände, in denen Paul aufgehängt wurde, sind immer kürzer geworden. Außerdem bekam er Massagen, verschiedene Bäder, Sauna und ausgedehnte Spaziergänge verschrieben. Wovon die Spaziergänge nicht erst verschrieben werden mußten. Und so ist Paul denn spazierengegangen. Einmal vormittags, dann hat er nachmittags seine Massagen und Bäder hinter sich gebracht, dann wieder nachmittags, dann hat er vormittags in der Sauna gesessen. In dieser Zeit ist Paul ein Berlin-Kenner geworden. Und kurz vor dem Ende von allem ist er selbst eine bekannte Figur unter den Berliner Spaziergängern gewesen, groß und schlank wie Paul ist, aber vor allem wegen seines Alters. Denn die meisten Spazier- und Fußgänger in Berlin sind Rentner. Paul: »Man macht sich keine Vorstellung, wieviel alte Leute wirklich in Berlin leben. Vor allem in den Stadtbezirken Mitte, Friedrichshain, Prenzlauer Berg, Weißensee, Lichtenberg, Pankow, Köpenick und Treptow. Man kann wirklich nicht sagen, daß die Berliner Fußgängerszene von der Jugend geprägt wird.« Paul war nahe daran, eine »komplette Beschreibung der Berliner Fußgängerwelt als solche« zu liefern, »inbegriffen ihre sozialen, psychologischen, geographischen, meteorologischen und generationsmäßigen Hintergründe«. Aber es gab genug Dinge, über die er nachdenken mußte, nachdem das Problem mit dem Arzt gelöst war. Paula war dabei sein geringstes Problem, wie er gesagt hat. Paula saß bis Feierabend an ihrer Kasse und war nach Feierabend unter seiner Obhut und nachts sowieso.

PAULS GROSSE PROBLEME waren seine Frau und sein Junge und die Singerstraße, also die Öffentlichkeit und damit seine Dienststelle. Die Frage war, was macht seine Frau, wenn sich herumspricht, wo Paul die Nächte verbringt. Sie würde sich scheiden lassen. Damit war Paul einverstanden.
Paul: »Auch daß der Junge diesen Schlag kaum verwinden würde, war mir klar. Das einzige, was mir wirklich zu schaffen machte, war, was meine Dienststelle dazu sagen würde. Über diesen Berg war ich noch lange nicht.« Und da ist etwas sehr Merkwürdiges geschehen in der Singerstraße, etwas, das vielleicht nur in der Singerstraße geschehen konnte. Binnen einer Woche wußte jeder, aber auch jeder, auch jedes Kind in der Singer, was sich in unserem Haus vor Paulas Tür abspielte und worum es ging. Und nach zwei Wochen hieß es in ganz Friedrichshain, in der Singer hält ein Mann eine Frau in ihrer Wohnung gefangen und läßt sie nicht eher raus, bis sie ihn heiratet. In Prenzlauer Berg hieß es schon, er hält sie gefangen, bis sie in die Scheidung einwilligt. Eine Woche später haben sie in Weißensee erzählt, in der Singer hat sich eine Familie in ihrer Wohnung verbarrikadiert ohne Essen, bis ihr Ausreiseantrag bewilligt wird. Da wurde die Singerstraße mit einmal belebt. Noch nie sind tagsüber soviel

Leute durch die Singerstraße gegangen, und keiner hatte es besonders eilig. Wie auf einem Boulevard. Alles schlenderte durch die Singer und starrte auf unsere Fassaden, als ob sie von historischem Wert wären. Eine Woche später hieß es überall, die Singer ist zum Polizeigebiet erklärt und ist abgesperrt worden. Keiner kommt durch, Anwohner nur mit Ausweis. Und obwohl sich in der ganzen Zeit kein Polizist mehr oder weniger als sonst in der Singer hat blicken lassen, ist die Straße leergefegt gewesen von Leuten, die da nicht hingehörten. Aber einen Monat nach Beginn von Pauls Belagerung hieß es in ganz Berlin, in der Singer haben Rentner ihr Haus besetzt, weil sie nicht wollen, daß es abgerissen wird, und weil sie in ihren gewohnten vier Wänden sterben wollen. Und um ihrer Forderung Nachdruck zu verleihen, haben sie die einzige junge Familie in ihrem Haus als Geisel genommen und bewachen sie Tag und Nacht, aber nicht, weil die Familie gegen die Rentner ist, sondern damit die Polizei die Familie nicht zwangsumsiedelt. Da ist die Singer wieder zum Boulevard geworden, für zwei Wochen. Als aber nichts weiter passiert ist und auch die alten Häuser in der Singer stehengeblieben sind, ist wieder Ruhe eingetreten, und erst da ist Paul über den Berg gewesen. Paul hat auf seinen vielen Gängen jedes Gerücht gehört und wie es sich entwickelte, und er rechnete jeden Tag damit, daß er von der Treppe gepflückt wird von den entsprechenden Organen. Aber das ist das Merkwürdige gewesen: Obwohl Berlin vor Gerüchten schwirrte über die Singer, ist keines davon zu den entsprechenden Stellen vorgedrungen. Alles ist unter den Leuten geblieben, als wäre das so verabredet gewesen. Auch unter den Leuten der Singer selbst gab es keine Verabredung, obwohl sehr viel über den Fall geredet worden ist. Es wurde auch spekuliert, aber alles mit großer Anteilnahme für Paulundpaula. Ein Teil der Leute war auf Paulas Seite. Das waren die, die sich ungefähr das Richtige über die Vorgeschichte von Paulundpaula zusammenreimten. Der andere Teil war für Paul. Sie fanden schon nach einer Woche Paul rührend und Paula zickig, und das waren zumeist die Frauen. Nicht wenige unter ihnen hätten Paul am liebsten allerlei Gutes angetan, ihm Decken und Kissen gebracht, ihn mit Essen und Trinken versorgt. Aber am allerliebsten hätten ihn die meisten wohl vor ihre eigene Tür geschleppt, um ihn schon nach einer Stunde oder einer Nacht hereinzulassen, darüber hat meine Person keinen Zweifel. Es hat aber in der ganzen Zeit nie jemand aus der Singer ohne triftigen Grund unser Haus betreten. Auch das gehört zu den Merkwürdigkeiten, denn auch darüber gab es keine Verabredung, und ein Posten etwa stand auch nicht vor unserem Haus. Im Gegenteil, es kam soweit, daß alle Einwohner noch einsamer wurden, weil sich selbst der seltene Besuch zurückgehalten hat. Keiner wollte in den Verdacht kommen, Paul auf der Treppe besichtigen zu wollen. Andererseits standen wir im Interesse der Öffentlichkeit, und jede kleinste Nachricht, und wenn sie nur Pauls Befinden betraf, ist auf starkes Interesse gestoßen. Wir hätten täglich ein Bulletin herausgeben können. Und wenn doch jemand unser Haus betreten hat, dann war es ein Ahnungsloser, keiner aus der Singer und keiner, der irgendeines der Gerüchte gehört hatte. Der wunderte sich dann nicht schlecht, wenn er Paul auf seinem Posten vor Paulas

Tür fand. Aber auch von denen hat keiner bei irgendeiner Stelle eine Meldung gemacht. Wohl vor allem deshalb nicht, weil Paulas Wohnungstür inzwischen Bände über das sprach, was da vorging. Paul hatte eines Tages den Einfall gehabt, sich bunte Kreiden zu kaufen und Paulas Tür von oben bis unten zu bemalen. Sein Hauptmotiv war ein Herz, das tropfte und in dem geschrieben stand Paul + Paula. Es gab aber auch Herzen, die lachten, Herzen, die tanzten, Herzen, die schliefen. Aber in der Mehrzahl waren die blutenden Herzen und die schrumpfenden, das waren kleine, unansehnliche gelbe Wesen, die kaum noch als Herzen zu erkennen waren, die nicht mehr bluten konnten, weil sie längst blutleer waren. Je länger Paul vor Paulas Tür lag, desto mehr kamen die kleinen gelben Herzen, und sie wurden immer kleiner, so daß Paula von Tag zu Tag sehen konnte, wie Paul innerlich zumute war, auch wenn er nach außen hin immer der gleiche war, freundlich, heiter und zuvorkommend. Paula hat immer gesagt, daß sie zuerst nicht weiter darauf geachtet hat. Sie hat zwar gesehen, daß ihre Tür immer bunter und immer herziger wurde, aber die kleinen gelben Herzen hat sie zunächst nicht beachtet. Erst als es immer mehr wurden, ist sie stutzig geworden. Und obwohl sie wußte, daß die ganze Herzenmalerei nur eine von Pauls Methoden war, mit ihr zu reden, sind ihr die kleinen gelben Herzen doch sehr ans eigene Herz gegangen. Auch wurde Paul immer besser im Herzenmalen. Sie wurden immer herzzerreißender und mitleiderregender. Paul: »Sie gefielen mir selbst nicht schlecht. Ich hab' auch viel Zeit darauf verwandt, bis ich im ersten Anlauf ein Herz so hinlegen konnte, wie ich wollte.« Er hatte sich sogar einen Schwamm zugelegt, damit er die mißlungenen Versuche auslöschen konnte. Dabei hatte das mit dem Kleinerwerden der Herzen laut Paul einen ganz anderen Grund. Paul hatte sich einfach im Durchhaltevermögen von Paula verschätzt. Er malte anfangs zu große Herzen, so daß später der Platz auf Paulas Tür knapp wurde. Erst als er merkte, daß die Herzen nicht ohne Einfluß auf Paula blieben, hat er damit gearbeitet und außerdem seine Taktik im Laufe der Zeit vervollkommnet. Zum Beispiel hat er immer dann, wenn Paula ihn irgendwann doch mit einem Blick angesehen hat und vielleicht sogar leicht gelächelt hat, ein Herz gemalt, das etwas gesünder war, mehr rot und etwas voller. Und wenn Paula dann am nächsten Tag wieder völlig eisern war, hat das neue Herz wieder sehr klein, gelb, schrumplig und rührend ausgesehen. Mit der Zeit bot Paulas Tür einen phantastischen Anblick. Denn außer den Herzen malte Paul auch verschiedene Erinnerungen an ihre gemeinsame Vergangenheit. Blumen, eine Geige, eine MP, eine Garage und ein Taxi. Paul: »Und nicht zu vergessen, ein Bett.« Nicht zu verhindern war aber, daß eines Tages in der Singer und Umgebung und bald in ganz Friedrichshain und Prenzlauer Berg an den Häuserwänden und auf dem Pflaster Herzen auftauchten mit Paulundpaula, die meistens bluteten, und zwar genau, wie Paul sie erfunden hatte: rot und blau. Die blaue Seite groß und rund, das war die Paulaseite. Die rote Seite kleiner und schlanker. Das war die Paulseite. Aus ihr tropfte Blut. Das haben die Kinder gemacht. Die haben dafür gesorgt, daß sich Pauls Herzen in ganz Berlin verbreiteten. Meine Person hat ein Paulundpaulaherz sogar noch in Bernau gesehen. Es sollen auch Herzen in anderen Städten gesehen worden sein. In Rostock sollen Jugendliche beim nächtlichen Malen blutender Herzen von der Polizei gestellt worden sein. Im Verhör sollen sie auf die Frage, was sie sich bei dieser Aktion dachten, geantwortet haben: »Nichts weiter, nur aus Trauer.« »Aus Trauer worüber?« »Nur so, einfach aus Trauer.« Das gebe es nicht, einfach Trauer. Trauern würde man immer um etwas Konkretes, und was das wäre? »Um nichts Konkretes«, haben die Jugendlichen da gesagt, »wir sind eben manchmal einfach traurig, und dann malen wir ein Herz an die Wand, das blutet, und wenn dann am nächsten Tag ein weiteres Herz daneben gemalt ist, dann freut man sich, daß es anderen auch so geht, und das hilft dann.« Darauf mußten sie angeben, von wem sie die Anregung dazu haben. Das haben sie nicht gewußt. Nur einer hat gesagt, er hat es von einem Seemann. Das wäre in der ganzen Welt neuerdings üblich, wenn einer traurig ist. Dem hat die Polizei nicht geglaubt. Sie hat gesagt, sie sollten doch ehrlich sein und zugeben, worüber sie trauern und womit sie nicht einverstanden sind. Ob vielleicht mit der Tatsache, daß sie nicht oder noch nicht Seeleute sind und viel auf Reisen und außer Landes, und wer von ihnen denn Seemann werden will? Alle haben gesagt, daß es nichts gibt, womit sie nicht einverstanden sind, und alle haben Seemann werden wollen. Daraufhin sind sie streng ermahnt worden, das Herzenmalen sein zu lassen, andernfalls sie mit Konsequenzen zu rechnen hätten. Ihre Namen sind festgehalten worden, ihre Eltern sind benachrichtigt worden, und später ist keiner von ihnen Seemann geworden.

Paul hat selbst ein und ein halbes Jahr später noch in Charlottenburg seine Herzen gesehen, und zwar frisch gemalt. Sie haben zwar nicht mehr geblutet und waren auch nicht mehr rot, aber sie hatten doch die von ihm erfundene schiefe Form. Das ist ein sehr, sehr merkwürdiges Erlebnis für Paul gewesen.
Paula hatte zunächst Paul in Verdacht, als die ersten Herzen in der Singer auftauchten. Aber als es immer mehr geworden sind, hat sie davon Abstand genommen. »Zum Schluß«, hat Paula gesagt, »bin ich mir vorgekommen, als wenn ich Spießruten laufe.« Sie ist sich auch deswegen so vorgekommen, weil die Gunst der Singerleute, mit der Zeit auch die der Männer, immer mehr auf Paul übergegangen ist, je länger er Paula belagerte und je länger Paula eisern blieb.
Mit der Zeit sind dann doch fast alle Leute aus der Singer in unser Haus gekommen, um Paulas Tür zu besichtigen. Selbstredend haben wir das nur zugelassen, wenn Paul nicht anwesend war. Paulas Tür ist auch mehrfach fotografiert worden. Was dann kam, war wohl unvermeidlich: die zweite Welle der Gerüchte. Sie gipfelte in der Meldung, in einem alten Haus in der Singerstraße ist eine Ausstellung oppositioneller Maler. Das führte dazu, daß wir binnen kurzem unser Haus verschließen mußten. Das führte zu Protesten in der Singer, aus Sorge, Paul könnte nicht mehr ins Haus. Daß wir die Hintertür offengelassen haben, hat nichts geholfen. So mußte Paul zur Selbsthilfe greifen. Auf seinen vielen Gängen durch die Stadt verbreitete er, daß die bewußte Ausstellung zwar in der Singerstraße ist, aber in der Singerstraße in Glienicke, also schon außerhalb Berlins, und daß es auch keine Ausstellung

von Bildern ist und schon gar nicht von oppositionellen Malern, sondern eine Aufklärungsausstellung der Medizinischen Akademie über Herzverpflanzungen und Herzkrankheiten. Da herrschte bald wieder Ruhe in der Singer, und wir konnten das Haus wieder offenhalten.

Die einzige von allen Singerleuten, die von Anfang bis Ende nicht in unserem Haus gewesen ist, war Pauls Frau. Pauls Frau ist aber vielleicht das größte Wunder in der Singer gewesen, jedenfalls für Paul. In der ersten Zeit ließ sie sich nicht sehen. Sie war mitsamt dem Jungen bei ihren Eltern. Aber eines Tages lag ein Zettel für Paul in seiner Wohnung mit: »Liber Paul«, und die Wohnung war bis aufs letzte geputzt. Als nächstes war ein Zettel da, daß »liber Paul« seine schmutzige Wäsche in der Wohnung »lasen« könnte, wenn er es »wolte«. Und eines Nachmittags stand sein Junge vor ihm, als Paul eben aus unserem Haus kam.

Paul hatte es sich später angewöhnt, gelegentlich einen kurzen Mittagsschlaf auf seinen Zeitungen vor Paulas Tür zu halten und überhaupt auch tagsüber gelegentlich und vor allem unregelmäßig da zu sein. Er tat das, nachdem er Saft einmal dabei überrascht hatte, wie er mit einem Schlüssel tagsüber versuchte, in Paulas Wohnung einzudringen. Den Schlüssel hatte er unter einem Vorwand von Paula erlistet. Ein Elektromonteur sollte kommen, und Saft hatte sich erboten, den Mann in die Wohnung zu lassen. Paula hatte ihm den Schlüssel gegeben. Auf die Art konnte sie Paul zeigen, daß sie so ganz wehrlos gegen seine Belagerung nicht war. Die neue Paula in Paula war oft sehr stark, und die alte Paula war oft sehr schwach. Aber da war noch eine dritte

Paula, und die sagte: eigentlich gar nicht so übel, nachts so ein Mann vor der Tür. Wer hat so was schon! Aber warum eigentlich nur nachts, ehj? »Ich hab' sie sofort in die Wüste verbannt.« – Paula. Aber dann hat Paula 3 eben doch gewonnen, und es hatte auch seinen Effekt: daß Paul nämlich in Zukunft auf der Hut war, und möglichst unregelmäßig auch tagsüber vor Paulas Tür gekommen ist. Viel wichtiger aber für die dritte Paula ist gewesen, daß Paul bei seinen Gängen oder wenn er in der Kneipe oder in der Sauna war, keine Ruhe mehr hatte, weil er immerfort an Paula denken mußte. »Und das«, hat Paul gesagt, »war nicht so schlecht gedacht, von Paula 3. Es klingt nicht nur banal, es *ist* banal, daß der Mensch sich an alles gewöhnt, eben auch an fortwährendes nächtliches Kampieren vor fremden Türen auf ein paar Zeitungen.« Und genau im richtigen Moment ist da Paula 3 aktiv geworden. Kurz bevor Paul soweit war, sich an diesen Zustand zu gewöhnen. Aus alldem hat Paul noch den Schluß gezogen, daß er in Zukunft auch tagsüber Absprachen zwischen Paula und Saft verhindern mußte. Das hat dazu geführt, daß Paul immer öfter in die Kaufhalle kam, um nach dem Rechten zu sehen. Er schwatzte mit Paulas Kolleginnen. Dann fing er an, sich hier und da nützlich zu machen. Er stapelte Leergut, reparierte eine Kasse, rückte Regale. Und zuletzt hat er sogar in Paulas alter Flaschenannahme ausgeholfen, alles ohne Geld, aus reiner Gefälligkeit und ohne daß Paula irgend etwas dagegen machen konnte. Außerdem haben ihre Kolleginnen Paul von Anfang an begünstigt. Sie waren nicht gegen Paula eingestellt. Sie haben sie sogar sehr gut verstanden und ihre Motive geachtet und Paula nicht verurteilt. Aber davon abgesehen, waren sie auf Pauls Seite. Sie gehörten, laut Paul, ganz entschieden zur Happy-End-Partei. Und Paul war ihnen sehr dankbar dafür. Schließlich hätten sie ihm auch in der landein, landaus verbreiteten Muffligkeit den Zugang zur Kaufhalle untersagen können. Paul: »Irgendeine Lex Konsum hätte sich sicher dafür gefunden. In einem stark zentralisierten Gemeinwesen, wie wir es nun mal darstellen, findet sich notwendigerweise immer eine Verordnung, die jede Unternehmung eines Bürgers für unstatthaft erklärt, für genehmigungspflichtig oder zuletzt für gesetzwidrig.« Demgemäß hatte Paul allerhand um die Ohren, mehr, als er sich anfangs hat träumen lassen. Da waren seine Massagen und Bäder. Sollte er sie versäumen, um Paula zu überwachen? Das ging nicht. Denn krank, auf jeden Fall krank geschrieben, mußte er bleiben. Also konnte er die Massagen nur auf das Notwendigste einschränken. Als Grund hat er angegeben, daß alle Behandlungen nicht viel Erfolg hatten. Gar keinen Erfolg konnte er nicht sagen, am Ende hätten sie ihn zur Kur geschickt. Paul: »Und in dieser Situation steht eines Tages mein Sohn vor mir.« Paul hat wörtlich so gedacht. Paul: »Der Vorgang ist ein schlagendes Beispiel dafür, wie unsereiner nicht nur die Formulierungen, sondern auch die Unsitten der Politiker übernimmt. Denn natürlich war mir der Junge unbequem und hinderlich, aber anstatt mir das einzugestehen und ihm zu sagen, wie die Dinge liegen, tat ich weder das eine noch das andere, sondern berief mich vor ihm und mir auf die Situation.« Der Junge hatte aber weiter keine Forderungen. Er stand einfach da, strahlte Paul an und sagte: »Tag, Papa.« Paul mochte den Jungen sehr. Und da das auch seine Frau wußte und Paul wußte, daß es seine Frau wußte, lag die Vermutung nahe, daß sie hinter allem stand, den Jungen vielleicht sogar geschickt hatte – was nicht ungeschickt gewesen wäre. Es stellte sich dann heraus, daß die Frau den Jungen keineswegs geschickt hatte, sondern ihn einfach hatte gehenlassen. Sie war zurückgekommen und wohnte mit dem Jungen wieder in ihrer Wohnung. Jeder in der Singer hat gewartet, was sie nun wohl unternehmen wird, ob sie sich wie alle an die ungeschriebenen Verabredungen halten oder ob sie Paul von Paulas Tür wegzerren wird oder ob sie sonst einen Skandal macht. Nichts von alledem hat sie getan. Sie fing an zu leben wie vorher, mischte sich unter die Leute, redete mit jedem, der mit ihr reden wollte, war schön wie eh und je und nahm zuletzt in ihrem Haus die Stellung als Hausmeisterin an. Das hieß, sie mußte die Treppen wischen und die Mülltonnen unter den Müllschlucker schieben, beziehungsweise wegziehen, wenn sie voll waren. Sie zog dabei aber nie eine Schürze oder einen Kittel an, sondern trug immer ihre schönsten Kleider. Trotzdem hat sie ihren Aufgang Tag für Tag in bester Ordnung gehabt und ihr Müllhaus auch. Allerdings hatten am Müllhaus die Müllkutscher einen großen Anteil. Was sie in jedem anderen Müllhaus ohne jedes Gewissen taten, nämlich die meist übervollen Mülltonnen mit der Hand glattzufegen und das Weggefegte liegenzulassen, das kam bei Pauls Frau nicht vor. Bei Pauls Frau, der schönen Hausmeisterin, sind sie sogar gesehen worden, wie sie überschüssigen Müll zusammenfegten und mitnahmen. Es ist auch beobachtet worden, wie Männer aus ihrem Haus direkt aus ihrem Dienstwagen heraus ins Müllhaus gegangen sind und ihr das Tonnenrücken aus der Hand genommen haben, mit Bemerkungen darüber, daß sie immer wieder staunen müßten, wieviel unzumutbare und menschenunwürdige Arbeiten es noch auf der Welt gibt, und daß sie gleich morgen ihren heißen Draht zum Rat des Stadtbezirks und zu den Genossen von der städtischen Müllabfuhr benutzen würden, um da Abhilfe zu schaffen. Paul: »Als mildernde Umstände für diese Humanisten wäre anzuerkennen, daß sich ihnen in wiederholten Fällen folgendes Bild geboten haben dürfte: Sie betreten das Haus, und als erstes sehen sie die süßesten Füße in den schicksten Schuhen, die schlanksten Waden, die herrlichsten Schenkel, jedenfalls zum Teil, und den phantastischsten Hintern, den sie nicht nur den ganzen Tag, sondern wahrscheinlich in ihrem ganzen Leben gesehen haben, und das alles gehört zu der schönsten Frau, die ihnen je unter die Augen gekommen ist, und die liegt da auf ihren süßen Knien und scheuert die Steinstufen. Wer da nicht zum Humanisten wird, dem ist ohnehin nicht mehr zu helfen. Spätestens dann, wenn sich die Frau erhebt und sich bescheiden an die Wand drückt, wenn er vorbeigeht, und ihm mit dem herrlichsten Lächeln einen Guten Abend wünscht.« Allerdings muß gesagt werden, daß sich Pauls Frau zum Treppenwischen immer die Zeit um Feierabend aussuchte, wenn am meisten Leben auf der Treppe war. »Das war ihre Schau.« Paul meinte das nicht abträglich. »So wie es meine Schau war, vor Paulas Tür zu liegen. Und genauso, wie ich mich den Leuten zeigte, wie ich war, genauso tat sie es. Der Unterschied war nur, daß ich einen Zweck verfolgte, ihr Zweck aber war die

Schau selbst. Das war ihre Begabung. Ihr Vater hatte es leider gewußt: Sie war zur Schaustellerin geboren.« Auch Paul selbst hatte schließlich nichts anderes von ihr gewollt, wie er selbst zugegeben hat, als die Schau. Paul: »Alle, die gedacht haben, sie spielt die schlecht behandelte Frau, die verzeiht, ihr Leben in die Hand nimmt, ihrem Mann großzügig den Willen läßt und noch stolz darauf ist, mit einem Mann verheiratet zu sein, der zu solcher Leidenschaft fähig ist, haben sich geirrt. Sie spielte keine Rolle. Ihr war wirklich so zumute, und sie zeigte es.« Und dafür hat Paul sie bewundert und auch bald wieder mit ihr geredet. In die Wohnung ist er aber nie mehr gegangen und sie nicht zu ihm auf die Treppe. Sie ist sehr rot geworden, wenn sie Paul gesehen hat. Trotzdem hat sie mit Paul so lange auf der Straße geredet, wie er wollte, und das hat sehr reizend ausgesehen. Als sie von jemand gefragt wurde, warum sie nicht zu Paul auf die Treppe geht und ihm ins Gewissen redet, hat sie ihn angeblitzt und gesagt, daß man so etwas mit Paul nicht machen kann und daß sie auch jedem anderen davon abrät. Im schönsten Kleid ist sie aber immer gewesen, weil sie in jeder Sekunde so schön wie möglich sein wollte, falls Paul zu ihr zurückkommt. Daraus hat sie kein Geheimnis gemacht. Aber Paul unter Druck zu setzen, kam für sie nicht in Frage. Auch einen anderen Mann zu erhören, hat sie ausgeschlagen, obwohl kein Mangel an Angeboten war.
»Sie tat alles, was sie tun mußte, und sie unterließ alles, was sie unterlassen mußte, um mich zurückzuholen, und es hätte auch geklappt. Ich hätte nur Paula nicht lieben dürfen, das war alles.« – Paul.

DAS ANSEHEN, das Pauls Frau in dieser Zeit in der Singer bekam, war groß. Zuletzt war es so, daß die gesamte Singer stolz darauf war, eine solche Frau wie Pauls Frau und einen solchen Mann wie Paul zu haben. Und Paul war stolz, in einer Straße wie der Singer zu leben. Und Paula war stolz, einen Mann wie Paul vor der Tür zu haben – jedenfalls Paula 1. Paula 2 war sauer, weil sie echt in ihren Plänen gehindert war, und Paula 3, das Aas, war der Meinung, hier ist jeder auf jeden stolz, aber keiner hat was davon. Paula hatte oft große Schwierigkeiten mit den drei Paulas. Es ist ihr mit der Zeit immer schwerer gefallen, den Überblick zu behalten. Paula 3 war der Meinung, wenn du Pauls Frau so weitermachen läßt, sind Pauls Tage vor deiner Tür gezählt, das steht doch wohl fest. Und Paula konnte sich dem nicht ganz verschließen. Pauls Frau sammelte Punkte. Sie sammelte sogar bei Paula Punkte. »Ich hab' die Frau bewundert. Und ob ich an ihrer Stelle so viel Größe gehabt hätte, Paul nicht von der Treppe zu ziehen, und wenn es an den Füßen gewesen wäre, das fragt sich noch sehr«, hat Paula gesagt. Paula 1 wollte Paul noch eine Weile vor ihrer Tür haben, denn das tat ihr gut, obwohl ihr das Herz blutete. Wenn Paula morgens über Paul wegstieg, falls er noch schlief, hätte sie ihn am liebsten gestreichelt. Aber dann ist Paula 3 gekommen und hat geflüstert: Es hat Zeiten gegeben, da war er morgens wach und hat dich begrüßt! Und Paula 2: Am besten, du tauschst deine Wohnung mit der Ladenwohnung unten, da muß Paul auf der Straße liegen, und das geht selbst in der Singer nicht. Oder noch besser, du ziehst gleich zu Saft, dann hat die liebe Seele Ruh'. So war Paula hin- und hergerissen und nicht fähig, etwas zu unternehmen.

SAFT ist es gewesen, der Bewegung in die Sache brachte. Eines Sonntagvormittags ist er vor Paulas Tür erschienen und hat bei Paula geklingelt. Eine phantastische Szene. Paul auf seinem Zeitungsbett beim zweiten Frühstück, sein Radio auf Treppenlautstärke, schon rasiert und eingestellt auf einen ruhigen Vormittag und einen längeren Nachmittagsspaziergang mit Paula und ihrem Mädchen in den Friedrichshain mit Bowling, Schach unter freiem Himmel oder Ponyreiten – und davor Saft, der seine Hand langsam in Richtung Türklingel ausstreckt. Aber Paul dachte nicht daran, Saft zu stören. Alles, was Paul in der Sache Paulundpaula tun konnte, hatte er getan, und Paula war eisern geblieben. So blieb Paul auf seinem Lager liegen und ließ Saft klingeln. Paula ist fast das Herz stehengeblieben, als es klingelte. Sie war mitten beim Saubermachen. Ihre Wohnung hat in dieser Zeit geblitzt wie noch nie. Weil sie nicht immerzu spazieren gehen wollte mit Paul im Gefolge und weil sie auch nicht rumsitzen wollte, putzte sie lieber die Zimmer. Und als es klingelte, und ihr das Herz stehenblieb, stand sie hoch oben auf der Leiter, um die Oberlichter zu putzen. Sie ist ins Schwanken gekommen und hat in die Luft gegriffen und zum Glück ist da der Fensterwirbel gewesen, an den sie sich klammern konnte. Es hatte seit Wochen nicht mehr bei ihr geklingelt, weil keiner sie besuchte. Daß es Saft sein könnte, daran dachte Paula im Traum nicht. Sie hatte Saft nicht abgeschrieben, aber sie wußte, daß Pauls Blockade sehr wirkungsvoll war. So hat Paula sich nichts anderes denken können, als daß es Paul ist, der klingelt. Das Mädchen hat genauso gedacht. Sie war in Sekunden an der Tür, um aufzumachen. Paula brüllte: »Nein!« Dann war sie still und dachte, Schicksal nimm deinen Lauf. Wenn es noch einmal klingelt, mach ich auf. Es hat ein zweites Mal geklingelt, und Paula hat aufgemacht. Die Kette ist aber vor der Tür geblieben. »Und«, hat Paul gesagt, »was wäre gewesen, wenn ich es gewesen wäre?« Paula: »Ich weiß nicht, aber irgendwas wäre gewesen.« So war es Saft, der vor Paulas Tür stand, den Lederhut in der Hand, Paul zu seinen Füßen. Es dauerte eine ganze Zeit, bis er ein Wort über die Lippen brachte, und als er dann auf Paula einredete, ließ er Paul nicht aus den Augen. Aber Paul lag ruhig da und lauschte auf Safts Rede. Paul: »Ruhig ist das falsche Wort. Still hab' ich dagelegen, ruhig keinesfalls.«

Saft wollte, daß Paula mit ihm und dem Mädchen in seinem Auto einen Ausflug macht, auf seine Datsche. »Ich bin ein einfacher Mann, nur acht Klassen. Ich hab' mich selber hochgearbeitet, ich kann mich nicht anders ausdrücken: Sie müssen vergessen, Frau Paula. Auch Ihren Ekel vor Autos. Glauben Sie mir.« Das war seine Rede. Es war so, daß Paula seit dem Tod ihres Jungen Autos nicht mehr ertragen konnte. Paula war aber so aufgeregt, daß sie von Safts Rede kaum etwas verstand und an ihren Ekel vor Autos nicht dachte. Sie war nur in Sorge, was Paul machen wird. Paul blieb ruhig, auch als Paula Saft gebeten hat, doch für einen Augenblick »näherzutreten«. Sie hat die Kette von der Tür genommen und immer gedacht: Jetzt schlägt Paul zu. Nicht in dem Sinne, daß Paul wirklich zuschlägt, aber doch mindestens sich vor der Tür aufbaut und alles weitere verhindert. Hat Paul aber nicht getan, und Saft ist zuerst über Paul weg und dann über Paulas Schwelle weg in Paulas Wohnung eingetreten. Noch da war Paula sicher, Paul stellt im letzten Moment seinen Fuß in die Tür. Aber auch das unterließ Paul. Echte Befürchtungen, daß Saft Paula an diesem Sonnabendvormittag wirklich nähertreten könnte, hatte Paul nicht. Aber wenn Paula das Kind auf die Straße geschickt hätte, dann hätte Paul in der Tat seinen Fuß in die Tür gesetzt.

Als Paula sich umgezogen hatte und mit Saft wieder über ihre Schwelle geschritten kam, war Paul nicht mehr da. Sein Lager war verwaist. Ihr erster Gedanke war, die Entscheidung ist gefallen. Paula 2 hat gesagt: Gottseidank. Paula 3: Siehste! Paula sind die Knie so weich geworden, daß sie Angst hatte, sie schafft die Treppe nicht. Und als sie mit Saft und ihrem Mädchen auf die Straße gekommen ist, da traf sie der Schlag. Paul saß ins Safts Auto. Wie Paul in das Auto gekommen ist, ist sein Geheimnis geblieben. »In Momenten höchster Verzweiflung ist der Mensch bekanntlich fähig, seine Kräfte und Fähigkeiten etwa mit vier zu multiplizieren.« Das ist alles, was Paul je dazu geäußert hat. Jemand will gesehen haben, daß Paul keine Sekunde gebraucht hat, um die Tür zu öffnen. Daraus wurde dann innerhalb von drei Tagen, die Tür ist von selbst aufgesprungen, als Paul auf das Auto zugegangen ist. Aber das wollte Paul in den Bereich der Legende verwiesen wissen. Nicht die Tür ist sein Problem gewesen. Sein Problem ist gewesen, daß er zwar Bewegung in der Sache haben wollte, aber er wollte auch die Bewegung unter Kontrolle haben. Bewegung hatte er in die Sache gebracht, als er Saft ungehindert in Paulas Wohnung ließ, aber eine Idee, wie er sie wieder unter Kontrolle bringen konnte, hatte er nicht. Paul war aber der Meinung, daß es keine andere Möglichkeit gibt, eine festgefahrene Sache wieder in Bewegung zu bringen, »als einerseits das Risiko einzugehen, die Sache vielleicht nicht unter Kontrolle halten zu können, andererseits sich aber darauf zu verlassen, daß eine Sache in Bewegung vom ersten Moment an viele Möglichkeiten mit sich bringt und daß unter dem Druck der Ereignisse immer auch Ideen entstehen«. Zuerst wollte Paul das Auto einfach stillegen. Er schätzte Saft als Autofahrer so ein, daß er die Kartoffel im Auspuff nicht entdeckt hätte. Aber es standen Paul feinere Methoden zu Gebote. Doch als er Safts Auto so von nahem sah, wußte er, daß dieser Tag mit Auto interessanter werden konnte als ohne Auto. Das Auto war ein Kombi. Es hatte eine Kupplung für einen Hänger. Diese Kupplung war laut Paul das einzige wirklich zweckmäßige und auch solide Zubehör an diesem Wagen. »Schon deswegen, weil sie jeden Aufprall von hinten erheblich mildert – für den Kupplungsbesitzer. Für den Auffahrenden weniger, da wirkt sie als eine Art defensiver Rammsporn. Sie ist überhaupt der Idealfall einer Defensivwaffe im Straßenverkehr, vor allem wenn sie einige zehn Zentimeter länger ist als zulässig. Von dieser Kupplung abgesehen, bot das Auto einen lückenlosen Überblick über das Angebot eines der überflüssigsten Märkte der Welt – des Autozubehörmarktes. Da waren fünfzehn zusätzliche Lichtquellen, sieben Spiegel, zehn Zusatzinstrumente, vom Drehzahlmesser bis zum Glatteisanzeiger, fünf Kopfstützen, vier Lautsprecherboxen, zwei Spoiler, zehn Schmutzfänger, auf den Schmutzfängern und an allen möglichen Stellen rund gerechnet zweihundert verschiedenfarbige Katzenaugen und sonstige Reflektoren. Nachts mußte der Karren wie ein Hochseedampfer aussehen, der über die Toppen geflaggt hat und mit Glühbirnen bestückt ist. Daß die Räder Kappen aus Edelmetall hatten, muß ich wohl nicht erwähnen. Ich nahm an, Platin. Auch daß die Sitze mit Indisch Lamm bezogen waren, verstand sich wohl von selbst, und daß der Wagenboden mit echt koreanischem Teppich ausgelegt war, und zwar lückenlos, war schon nicht mehr der Rede wert.« Wie der Wagenboden von unten belegt war, so weit hat Pauls Interesse nicht gereicht. Er hat angenommen, daß er mindestens dreifarbig lackiert war und zwar mit »Hammerschlaglack oder Glitzereffekt«. Hochinteressant sind laut Paul auch die verschiedenen Aufkleber gewesen. Es sind so viele gewesen, daß irgendein Ausblick nach hinten und den Seiten nicht mehr möglich gewesen sein soll, und nach vorn sollen eben noch zwei Sehschlitze vorhanden gewesen sein. Nach der Herkunft der Aufkleber mußte Saft jeden Winkel Europas einschließlich Islands befahren haben. Ein Blick auf den Kilometeranzeiger sagte allerdings, daß er dazu nur dreitausend Kilometer benötigt hatte. Und nach dem Motto, sage mir, *was* für ein Auto du fährst, und sage mir, *wie* du es fährst, und ich sage dir, wer du bist, hat Paul das Auto nicht lahmgelegt, sondern hat sich auf die Rückbank gesetzt. Er nahm an, daß auch Paula nicht verborgen blieb, mit wem sie sich da einließ, wenn sie sah, wie Saft fuhr. Ungewiß war nur, ob Saft und Paula überhaupt einsteigen würden, wenn sie Paul sahen. Und da ist etwas sehr Merkwürdiges vorgegangen. Alle in der Singer haben es gesehen. Jedenfalls alle, die zugesehen haben, und das waren sehr viele.

Es ist Paula gewesen, die ihr Mädchen an die Hand genommen hat und auf Safts Auto zugegangen ist. Paul sperrte sofort alle Türen auf, und Paula stieg ein. Das Mädchen aber hat sich von ihrer Hand losgemacht und ist zu Paul auf die Rückbank gestiegen. Das Mädchen hatte neben ihr nicht Platz, und außerdem war Paula am Ende ihrer Kräfte. Jeder Schritt hat sie eine ungeheure Anstrengung gekostet, weil die drei Paulas in ihr miteinander gestritten haben. Die eine sagte: Bleib stehen, die andere: Renn hin. Sieger war zuletzt Paula 3 mit: Mein Gott, hab dich nicht so, zwei Männer, das kann doch ganz lustig werden! Saft selbst stand da wie angeklebt. Wenn es nach ihm gegangen wäre, wäre der Ausflug ins Wasser gefallen. Er war der Situation nicht gewachsen. Aber als Paula losgegangen ist und sich in sein Auto gesetzt hat, ist ihm nichts weiter übriggeblieben, als seinerseits loszugehen und sich in sein Auto zu setzen. Und dann konnte es losgehen. Und es ist losgegangen, auf eine ungeahnte Art und Weise, die Pauls Erwartungen weit in den Schatten gestellt hat. Es fing an mit dem Start. Nachdem Saft den Motor dreimal abgewürgt hatte, riet Paul ihm, die Handbremse zu lösen. Und Saft konnte nicht anders, als dem zu folgen. Saft war zwar nach Paulas Vorbild entschlossen, so zu tun, als wäre Paul nicht da. Paul: »Aber eine angezogene Handbremse ist eine angezogene Handbremse. Dagegen hilft kein Ignorieren, sondern nur lösen.« Der Erfolg war, daß der nächste Start ein Kavalierstart war, mitten in den Verkehr, was zu zwei Notbremsungen führte, allerdings nicht bei Saft, sondern bei einem Bus, der von hinten kam, und einem Motorrad. Und wenn Paul vornehm genug gewesen war, nur leise und unaufdringlich zu sagen: »Es ist nur die Handbremse«, so will er jetzt Saft gelobt haben: »Gut so! Man soll gelegentlich durchaus die Reaktionsfähigkeit der anderen testen.« Und in diesem Stil ist es weitergegangen, sowohl bei Saft wie bei Paul. Saft ließ keinen möglichen Fehler aus und Paul keinen Kommentar. Paulas Mädchen hat sich amüsiert wie sonst nur auf dem Rummel. Am Ende der Fahrt sind fast alle erschöpft gewesen. Paula vor Verzweiflung und Haß auf Paul und auf sich und auf Saft. Saft vom Fahren. Das Mädchen, weil selbst das größte Vergnügen auf die Dauer langweilt. Nur Paul war obenauf, weil ihm noch nicht klar geworden war, daß sein Umgehen mit Saft bei Paula nichts bewirkte, außer Haß auf ihn. Und auch Paula 3 war obenauf. Sie hat Paula eingeflüstert: Es ist doch eine Schau, wie die beiden sich hochschaukeln, und alles wegen dir. Paula war eine Zeitlang der Meinung, Saft führt Paul an. Es sah laut Paula so aus, als wenn Saft seine Fehler bewußt machte, aber so geschickt, daß Paul sie für echte Fehler gehalten hat und Saft sie immer erst im letzten Moment ausbügeln konnte, aber das dann mit großem Geschick. Aber dann hat sie gesehen, wie Saft Blut und Wasser schwitzte, wie er sich nur noch am Lenkrad festhielt, und er tat ihr sehr leid, und sie nahm es Paul sehr übel, wie er Saft durch die Straßen hetzte. Zuletzt war es »grauenerregend«, und ihr ist alles egal gewesen, auch wenn sie allesamt durch Pauls Schuld unter den ersten besten Tieflader geraten wären. Das, hat sie gedacht, wäre vielleicht das allerbeste. Und Pauls Schuld wäre es tatsächlich gewesen, denn: »Saft konnte man an nichts mehr die Schuld geben.« – Paula. Paul hat Paula später völlig recht gegeben. »Wie ich«, hat er gesagt, »mit Saft umgesprungen bin, das hat schon etwas Faschistisches gehabt – oder wie soll man es bezeichnen, wenn man einen anderen bis zum Äußersten hetzt, nur weil derjenige nicht dasselbe kann wie man selbst? Wohlgemerkt: kann, und nicht: will. Saft wollte sehr wohl so reaktionsschnell, voraussehend und phantasievoll fahren, wie das unter Umständen nötig geworden ist. Aber er konnte nicht, er hatte nicht die Fähigkeit dazu, es war ihm nicht gegeben. Seine Schuld bestand höchstens, aber auch nur höchstens, darin, daß es ihm an Selbsteinschätzung fehlte, daß er sich überhaupt jemals hinter ein Lenkrad gesetzt hat. Selbst das«, sagt Paul, »fällt aber zu großen Teilen unter das Kapitel: Druck der Verhältnisse. Und so viel Größe, sich dem zu entziehen, ist nie weit verbreitet gewesen. Das hätte für Saft zum Beispiel bedeutet, sich trotz seines stolzen Kontos und trotz seiner Zugehörigkeit zu einer bestimmten Schicht aller Symbole dafür zu entschlagen, eben *nicht* Auto zu fahren und auch kein Haus zu bauen.«

Paul war noch nicht aus dem Auto gestiegen, da will er schon gesehen haben, daß Saft auch nicht bauen konnte. Oder nicht bauen lassen konnte. Denn ganz sicher, war Pauls Meinung, hat Saft an dem gesamten Bau nicht ein einziges Mal selbst Hand angelegt. »Wie sein Auto, war Safts Haus durch lauter Gefälligkeitsleistungen, also Gegenleistungen zustande gekommen. Dergleichen fängt dann mit dem Projekt an, erstellt als Gegenleistung für einen Satz Gürtelreifen von einem Bauingenieur und mit sehr viel Einfühlung in die Bedürfnisse des Bauherrn, ausgestattet mit allen Raffinessen der Branche, und endet mit dem Dach, gedeckt von einer Genossenschaft, als Gegenleistung für zwei Sätze Transporter-Reifen, ohne die es nicht mehr weitergegangen wäre – und das natürlich mit dem raren Schiefer oder, noch besser, mit den noch rareren glasierten Doppelrömern. Auch hier mit dem sicheren Verständnis für das Bedürfnis des Bauherrn nach nicht schlechthin einem Haus, sondern einem Haus, dem jedermann ansehen kann, daß der Besitzer in der Lage ist, alles, aber auch alles ranzuschaffen, was auf normalem Wege nicht oder nur sehr langwierig zu beschaffen ist. Und so geht es durch alle Gewerke, denn alle fahren Auto, und es endet im Grunde genommen nie. Vor solchen Häusern liegt immer Kies oder Kalk oder Rohre oder Holz, weil immer wieder ein Gewerk zugange ist, und wenn es nur ist, um den Bau auf den wirklich neuesten Stand der Technik oder Innenarchitektur zu bringen – also zum Beispiel auch den Keller zu parkettieren und eine Bierstube einzurichten oder die Bierstube gegebenenfalls wieder in eine Werkstatt umzubauen oder die erst letztes Jahr eingebaute Gasheizung rauszureißen und durch eine Ölheizung zu ersetzen, die für normale Sterbliche unerreichbar ist und von der keiner recht weiß, ob ihre Existenz nicht doch nur eine Legende ist.« Begünstigt wurde der ständige Wechsel der Gewerke bei Saft, laut Paul, noch dadurch, daß bei Saft immer Baufreiheit herrschte, weil Saft nicht in dem Haus wohnte. Für den Zweck hatte Saft seine Wohnung über seiner Werkstatt. Das ist Paul klar geworden, als Saft erst nach mehreren Versuchen die Zufahrt zu seinem Grundstück aufschließen konnte. So wenig war er darin geübt, oder so schwergängig war das Schloß. Paul: »Oder beides.« Außerdem ist Saft restlos am Ende gewesen. Er flog am ganzen Körper, und die Hände haben ihm gezittert. Damit hätte er kaum einen einfachen Riegel aufmachen können. Er tat Paula in der Seele leid. Leider konnte Paul sich nicht verkneifen, Saft sofort den Tip zu geben, eine UKW-Öffnungsanlage für seine Einfahrt zu beschaffen. »Dergleichen«, hat Paul noch hinzugefügt, »soll allerdings sehr teuer sein und im Lande nicht zu haben.« Paul hat nicht begriffen, daß er auf diese Art immer weiter an dem Ast gesägt hat, auf dem er bei Paula saß.

Paul hatte in der ganzen Zeit mit Paula, besonders in der Zeit vor ihrer Tür, sehr viel gelernt und auch viel gelesen. »Wenn ich mich selbst frage, dann habe ich vor allem gelernt, zu sein und nicht zu scheinen. Zweitens, Signale, die von anderen ausgehen, wenigstens zu empfangen. Und drittens, Signale, die von mir ausgehen, zu empfangen und zu entziffern.« Und für letzteres ist der

Tag mit Saft und Paula und dem Mädchen ein sehr entscheidender Tag gewesen. »Ich will nicht behaupten, daß ich noch am selben Tag begriffen hätte, daß meine Obenauf-Stimmung ein Signal war, geschweige denn, was es bedeutete«, hat Paul gesagt. Aber in den nächsten Tagen begriff er es. Nämlich: »Daß dieses absolute Obenaufsein ein Zeichen höchster Gefahr ist. Und das Gefühl, etwas oder jemanden absolut im Griff zu haben, als Zeichen dafür begriffen werden muß, daß man im Begriff ist, alles aus dem Griff zu verlieren.« Und »daß die Vorstellung, einen Menschen im Griff zu haben, etwas Schauerliches ist«.
Saft hatte das Haus seit Jahren nur für Paula gebaut. Er zeigte es Paula vom Dachboden bis zum Keller. Im Dachboden zwei Kinderzimmer und im Keller eine riesige Küche mit allen Raffinessen und zu ebener Erde ein gewaltiges Wohnzimmer mit Kamin und Terrasse. Daneben das Schlafzimmer für Saft und Paula, alles komplett eingerichtet, und Saft hat Paula alles zu Füßen gelegt. Zuletzt legte Saft seine Familienverhältnisse dar. Er hatte keine Kinder und keinen Anhang. Seinen Betrieb konnte er jederzeit schließen. Er war gesund und seiner Meinung nach konnten er und Paula noch allerhand vom Leben haben. Paul: »Und ich hab' mich hingestellt und hab' Paula erklärt, was sie auch ohne mich begriffen hatte: daß es sich um einen kompletten Antrag handelte, daß Saft sie in der Sekunde zur Alleinerbin gemacht hatte, daß sein Konto dick genug war, um sich zur Ruhe zu setzen und das Leben zu genießen. Zum Beispiel durch ausgedehnte Autoreisen. Und ich hab' auch gesagt, daß die Formulierung: ich bin gesund, in Heiratsanträgen von jeher bedeutete, man ist

potent und steht durchaus für etliche Beischläfe pro Woche.« So weit hat sich Paul hinreißen lassen.

PAULA: »In dem Moment ist Paul endgültig abgemeldet gewesen bei mir.« Saft dagegen machte großen Eindruck auf sie. Er rührte sie, und sie glaubte ihm, daß er das Haus nur für sie gebaut hatte. Es war tatsächlich kein Junggesellenhaus, sondern für eine Familie gebaut, und zwar mit *zwei* Kindern. Das war es, was Paula umgeworfen hat. Paula 1 schwieg. Paula 2 sagte: Greif zu! Und Paula 3: Fackel nicht lange, und zier dich nicht wie eine Jungfrau. Du bist keine mehr, und ein besseres Angebot ist nicht zu haben. Und wenn du Paul willst, kannst du ihn immer noch haben, später, oder irgendeinen anderen Paul. Pauls gibt's wie Sand am Meer. Das hat Paula aber weit von sich gewiesen. Wenn schon denn schon, ist ihre Devise gewesen. Sie wollte keine halben Sachen mehr machen. Daß sie Saft nicht trotzdem sofort an Ort und Stelle beim Wort genommen und ja gesagt hat, dafür gab es zwei gute Gründe. Erstens wollte sie denn doch nicht gleich in Safts Prachtvilla ja sagen. Und zweitens hat sie abwarten wollen, ob sich Paula 1 nicht doch noch zu Wort meldet. Saft drängte Paula nicht. Sein Angebot war auch nicht etwa befristet. Er gab ihr zu verstehen, daß er warten konnte, so wie schon seit Jahren. Dann hat er vorgeschlagen, zusammen baden zu gehen. Der See war ganz in der Nähe. Darauf machte Paul sofort wieder Bemerkungen. Eine über den Vorteil des Laufens, jedenfalls im Falle Saft, und die andere, ob es Saft denn

nicht reizen könnte, die Villa wieder abzureißen, um sie am Seeufer wieder aufzubauen, schon weil es bislang nur ganz bestimmte Leute geschafft haben, das Landesschutzgesetz zu unterlaufen: der sehr exklusive Club der Seeuferbebauer, und ob ihm denn die Zugehörigkeit dazu nichts sein könnte. Das sind wieder Minuspunkte für Paul gewesen. Er begriff immer noch nichts, obwohl es »massenweise Signale für das Sammeln von Minuspunkten gab«, und wenn es nur Paulas »Körpersprache« gewesen wäre, die Art, wie sie sich Saft zuwandte, wenn sie mit ihm sprach, und die Art, wie sie sich dicht bei Saft hielt, als sie alle zusammen zum See gewandert sind. Vorn Paul, das Mädchen auf seinen Schultern, und hinter ihnen Saft und Paula. Paul und das Mädchen sind zuerst am See gewesen, weit vor Saft und Paula. Er ging mit dem Mädchen auch gleich ins Wasser. Sie konnte zwar nicht schwimmen, aber mit Paul zusammen traute sie sich ins Tiefe. Dann fing Paul an, ihr Kopfsprünge beizubringen, immer von seinen Schultern ins Wasser, bis sie es konnte. Erst da sind Saft und Paula am See angekommen. Paula sah sofort, daß es für das Mädchen der schönste Tag seit langem war. Sie hat sofort nach innen gelauscht, aber Paula 1 schwieg nach wie vor. Paula 2 auch. Nur Paula 3 war zugange und stichelte: »Phantastisch sieht er schon aus, der Mann, speziell seine Dreieckshose sitzt sehr gut. Aber wie gesagt: eine Villa ist eine Villa, und ein gefliester Keller ist ein gefliester Keller, und wenn Paul nicht immer noch zu haben ist, will ich nicht Paula 3 heißen.« Paula ist rot geworden.
In dem Moment kam das Mädchen aus dem Wasser gerannt. Sie war begeistert. »Mama, ich kann Köpper!«

Paula trocken: »Du lern erst mal schwimmen.« Aber gerührt war sie doch. Dann fing Saft an, darüber zu reden, wie sportlich er in seiner Jugend gewesen ist, zum Beispiel im Tennis. Später fehlte ihm die Zeit. Eins war nur möglich, Sport oder das Geschäft. Und da hat er sich für das Geschäft entschieden. Das war Angeberei, vor Paul, der sich im See wie ein Delphin tummelte. Saft hat es auch gleich zugegeben und ehrlich gesagt, daß er keineswegs ein As im Tennis gewesen ist. In dem Moment ist Paul im Wasser verschwunden. Paula ist das Herz stehengeblieben. Sie wußte, daß Paul tatsächlich krank war, an der Wirbelsäule. Und dann ist Paul ganz in Ufernähe aufgetaucht und aus dem Wasser gekommen, ruhig, als wenn er nicht dreißig Meter getaucht wäre, ohne Luft zu holen. »Du hast ausgesehen wie ein Gott«, hat Paula immer gesagt. Pauls Haut soll geglitzert haben und geglänzt, und seine Brust soll schön geatmet haben. Und Paul: »Ich wußte das und dachte, in drei Sekunden schlage ich Saft hoffnungslos in die Flucht und aus dem Felde.« Er ließ sich Zeit und ging in aller Ruhe auf die beiden zu. Auch Saft wußte, daß im nächsten Moment die Entscheidung fiel. Er hat schnell gesagt, daß im nächsten Jahr sein eigener Swimming-pool fertig sein wird mit einem richtigen Sprungturm für das Mädchen, damit es weiter Kopfsprünge trainieren kann. Aber er ist noch nicht ganz fertig gewesen damit, da hat er es schon zurückgenommen und gesagt: »Ich kann es aber auch bleiben lassen. Sieht so nach Angabe aus.« Als Paul so in seiner ganzen Pracht auf Paula zugekommen ist, ist ihr schwarz vor Augen geworden. Und als es wieder hell geworden ist, hat sie sich zu Saft sagen hören: »Kann ich dich mal um

deinen Kamm bitten, wenn du einen bei dir hast?« Sie wollte dem Mädchen die nassen Haare kämmen. Paul: »Einen besseren Satz hättest du dir nicht ausdenken können: dich, deinen, du, dir. Vier Pronomen der zweiten Person auf einen Streich.« Paula: »Nichts mit ausdenken. Der war einfach da.« – Paul hielt den Satz für vorgefertigt, und zwar ganz sicher auf dem Weg zum See allein mit Saft. Diese Erkenntnis hat Paul wie ein Blitz getroffen. Er ist vor Saft und Paula in den Sand gefallen, und das soll keine Schau gewesen sein.
Er hat noch da gelegen, als Paula und Saft und das Mädchen lange weggewesen sind. »Ein Mann im Vollbesitz seiner Kräfte, niedergestreckt von vier lumpigen Worten, dich, deinen, du, dir.« – Paul.

ERST ALS die Sonne weg war, ist er aufgestanden, weil ihm kalt geworden ist. Bis dahin hat er sich gefühlt, als wenn er nichts mehr fühlen könnte. Aber wie sich zeigte, nur die Seele, nicht der Körper und der Kopf. Er hat ohne Probleme die nächste S-Bahn gefunden, ist zurück in die Stadt gefahren, ist in die Singer gegangen, hat seine Sachen vor Paulas Tür weggeräumt und sie in seine Garage getragen. Es waren im Laufe der Zeit so viele geworden, daß er den Weg zweimal machen mußte, schon wegen der vielen Zeitungen. Die kamen in einen großen Müllbehälter. Wenn er sich früher seinen Abzug vorgestellt hat, dann nur so, daß ihm dabei die Tränen in den Mund laufen würden. Aber davon konnte keine Rede sein. Er war »kalt wie eine Hundeschnauze«. Sein Gefühlsleben war stillgelegt. Er hat sich bewußt den Satz vorgesagt: Keine Paula mehr, endgültig keine Paula mehr, für immer und ewig keine Paula mehr, und nichts gefühlt dabei. »Da war kein Kloß im Hals. Kein Herzklopfen, keine Tränen.« Das war laut Paul das allerschlimmste. Aber noch schlimmer soll gewesen sein, daß Paul sich gleichzeitig sehr befreit vorkam, und das kam daher, daß er plötzlich für nichts mehr verantwortlich war, auch nicht mehr für sich selbst. Damals will Paul begriffen haben, daß »Freiheit nichts weiter ist als die völlige Abwesenheit von Verantwortlichkeit für sich selbst, geschweige denn für andere«. Er hat sich damals frei gefühlt wie nie zuvor. Paul: »Ich kann nicht behaupten, daß dieser Zustand besonders quälend gewesen wäre.« Pauls Freiheit war aber damit verbunden, daß er zu nichts fähig war. Er hätte alles getan, was ihm von irgend jemand gesagt worden wäre, von wem auch immer. Da aber kein Mensch da war, der ihm irgend etwas sagte, tat er nichts. Er war nur noch fähig, sich in seiner Garage auf seine Liege fallenzulassen und da liegenzubleiben. Sie ist wie immer, wenn sie benutzt wurde, zusammengeklappt. Aber Paul ist nicht in der Lage gewesen, sie wieder aufzustellen. Nur als er nicht einschlafen konnte, hat er zu einer Flasche Wodka gegriffen, die da noch aus alten Zeiten stand, und nicht nur die eine. Da Alkohol auch nähren kann, hielt Paul es gut eine Woche aus. Als man ihn gefunden hat, war er trotz Alkohol erheblich vom Fleisch gefallen und hatte einen Vollbart. Er konnte das Sonnenlicht nicht mehr vertragen und begriff zunächst nicht, wer da vor ihm stand und was er von ihm wollte. Es war Pauls alter Freund, sein Kumpel. Paul hat sich zusammengekrümmt und den

Kopf an seinem Bauch vergraben, als die Garagentür aufging. Paul: »Wenn es so berichtet wird, dann wird es wohl so gewesen sein.« Er selbst hatte keine Erinnerung mehr an diese Tage in der Garage und auch kaum an die Tage danach. Er zog daraus die Schlußfolgerung, daß Eindrücke, Erlebnisse und so weiter, an denen kein Gefühl beteiligt ist, offensichtlich keine Erinnerung hinterlassen. Paula später: »Du warst einfach todunglücklich und die ganze Zeit völlig blau, mein Herz.« Und Paul: »So kann man's auch sagen.«

Paula hat ihn sehr bedauert. Sie fühlte sich schuldig, als sie hörte, wie sie Paul aus seiner Garage geholt haben. Ihre Wut auf Paul war schon in dem Moment verraucht, als Paul sein Lager vor ihrer Tür räumte. Sie hat gesagt, der erste Schritt vor die Tür, dahin, wo Paul gelegen hatte, ist wie ein Schritt ins Leere gewesen. Sie ist gestolpert, so wie man im Dunkeln über eine Treppenstufe stolpern kann, mit der man rechnet, die man aber schon hinter sich hat.
Von dem Moment an ist Paula nur noch tieftraurig gewesen, wie auch meine Person und unser ganzes Haus. Der ganzen Singer ist es so gegangen. Die allgemeine Stimmung hat sich nun endgültig gegen Paula gerichtet. Zwar hat niemand etwas zu Paula gesagt, aber Paula hat es an der Art gespürt, wie man sie grüßte oder wie man sie ansah. Auch die Frauen in der Kaufhalle waren verändert. Nicht, daß sie Paula etwa kritisiert hätten. Sie haben kein Wort gesagt. Sie waren nur trauriger als Paula selbst. Und das war schlimmer als

alle Worte. Aber der Effekt bei Paula war, daß sie sich auf die Hinterbeine stellte, nun gerade. Sie ging hocherhobenen Kopfes auf die Straße, lächelte und tat alles, was man tut, wenn man der Welt zeigen will, daß man zufrieden ist, und nicht nur zufrieden, sondern sehr zufrieden, und daß man nicht nur glücklich, sondern sehr glücklich ist. Die meiste Hilfe dabei kam von Saft. Ein Wink von Paula, und Saft ließ Werkstatt Werkstatt sein und war zur Stelle. Er fuhr Paula die fünfhundert Meter zur Kaufhalle. Er fuhr Paulas Mädchen zur Schule. Er holte Paula mit dem Wagen wieder ab. Er ließ aber auch seinen Wagen stehen, wenn Paula es wollte, und brachte sie zu Fuß bis vor ihre Tür und nicht nur bis vor ihre Tür, sondern bis in die Wohnung, und das im Angesicht der ganzen Singer. Es ist ein Anblick zum Steinerweichen gewesen. Aber jeder, der fremd in der Singer war, hat die drei für den Inbegriff der glücklichen Familie halten müssen.
Paula legte großen Wert darauf, sich so oft wie möglich mit Saft und dem Kind auf der Straße sehen zu lassen. Einer der drei ist dabei sehr glücklich und mehr als das gewesen. Saft wußte kaum, wie ihm geschah. Die Woche, in der das alles vor sich gegangen ist, ist die schönste in seinem Leben gewesen. Der Mann ist in der kurzen Zeit ein anderer Mensch geworden. Er wußte sich nicht zu lassen vor Glück. Er hatte jeden Tag Blumen für Paula, und er kaufte ihr, was sie wollte, und auch, was sie nicht wollte. Paula legte trotzdem großen Wert darauf, daß er es kaufte, nur damit die Pakete, die vor der ganzen Singer aus dem Wagen geholt werden konnten, möglichst groß waren und schwer. Zum Beispiel eine neue Nähmaschine und einen Farbfernseher.

Aber Saft hat nicht nur etwas für Paula getan. In dieser Zeit konnte jeder alles von ihm haben. Seit Jahren fehlte in unserer Haustür die Glasscheibe. Die Treppen waren brüchig. Wir hatten nur noch die Reste einer Dachrinne, und das Dach selbst war fast noch so wie nach dem großen Angriff, als die Hälfte der Singer in Schutt und Asche gesunken ist. Ein Wort von Paula, und praktisch über Nacht wimmelte unser Haus von Handwerkern. Und die Klempner waren noch zugange, als die Dinge um Paulundpaula längst eine glückliche Wendung genommen hatten und von Saft keine Rede mehr war. Und das alles erledigte Saft ohne viel Aufhebens, ohne großen Dank zu erwarten oder sich in die Brust zu werfen. Er ist förmlich über sich selbst hinausgewachsen. Es sah aus, als ob er ein Stück größer geworden wäre, wenn er so neben Paula ging. Und das, obwohl er Paula zuliebe auf seinen Lederhut verzichtete. Sie verzichtete ihrerseits auf hohe Absätze, und sie paßte sich überhaupt innerhalb von zwei Tagen völlig an. Sie verzichtete fast auf alle Schminke, ging zur Dauerwelle, trug plötzlich Ringe und Halskette und hängte sich den Schrank voller Jackenkleider und trug sie auch. Paul, der in seiner Garage von alldem nichts gesehen hat, hat sich noch nachträglich amüsiert – aber nur so lange, bis ihm einfiel, wohin diese »Schau« geführt hat. Paula wurde mit Saft intim.

NICHTS HAT Paula gezwungen, Paul nachträglich davon in Kenntnis zu setzen. Auch nicht die Tatsache, daß praktisch alles, was Paul, Paula und Saft anging,

jeden in der Singer interessierte und daß jeder früher oder später so gut wie alles erfahren hat über die drei. Und erst recht, wer bei wem welche Nacht gewesen ist. Paul war der Meinung: »Ein Mann und eine Frau nachts in einer Wohnung, das muß noch gar nichts heißen. Das weiß die Welt. Da kann man alles leugnen. Und im Fall, man verfolgt mit der Wahrheit nicht irgendeinen Zweck, und im Fall, die Sache selbst hat für einen selbst keinerlei Bedeutung gehabt, sollte man leugnen. Dann sollte man schwindeln und lügen und heucheln und keine Angst haben, die unwahrscheinlichsten Geschichten zu erzählen, wenn man scharf befragt wird, weil man nie weiß, was man mit der Wahrheit anrichtet.«
Und Paul hat Paula nie scharf befragt. Paula ist es gewesen, die von sich aus und aus heiterem Himmel und ohne Not alles erzählt hat. Es ist gleich in der zweiten Nacht gewesen, die sie wieder mit Paul verbrachte, und es ist aus purem Überschwang gewesen, weil es ihr mit Paul so gut ging. Dabei ist ihr entgangen, wie Paul in derselben Sekunde zu Eis geworden ist. Sie hat ihm sogar noch lang und breit darüber erzählt, warum es ihr mit ihm im Bett so gut geht. Nicht nur, weil sie ihn liebt und Saft nicht, sondern auch, weil Paul eine ganz bestimmte körperliche Voraussetzung hatte, die Saft zwar nicht völlig fehlte, aber doch so sehr, daß man sie »vergessen konnte«. Laut Paul hat sich Paula noch weit deutlicher ausgedrückt. Paul lag, als Paula mit ihren Ausführungen am Ende war, »bis über die Haarspitzen vereist in einer tiefen Gletscherspalte«. Paula begriff das erst, als es zu spät war. Sie hat die ganze Nacht gebraucht, um Paul wieder aufzutauen. Paul war der Meinung, daß damals mehrere Tausend

seiner Nervenzellen abgestorben sind. Paula ist nie wieder auf Saft und sich zu sprechen gekommen. Aus Mitleid, aber auch weil sie zu Tode erschrocken gewesen ist, obwohl sie bei sich der Meinung gewesen ist, daß Paul zu zimperlich war.

Paul hat das nicht ausgeschlossen, auch wenn es ihm nicht geholfen hat. Er hat nie gedacht, daß so eine Sache einen Menschen derart quälen kann. Seitdem sagte er jedem, der es hören wollte, daß es in allen solchen oder ähnlichen Fällen erlaubt ist zu lügen, zu heucheln, zu erfinden, falsche Zeugen anzurufen, Briefe zu fälschen, Briefe zu unterschlagen und zu jeder noch so unwahrscheinlich klingenden Ausrede zu greifen. Das nicht gewußt und sich danach gerichtet zu haben, war es, was Paul Paula als einziges vorgeworfen hat. Nicht, daß sie mit Saft intim gewesen war. Er wußte, daß da auch viel Trotz bei Paula im Spiel gewesen ist und Selbstsuggestion und einfach Notwendigkeit. Sie mußte sich mit Saft einrichten, und dazu gehörte auch das Bett. Mit Selbstsuggestion meinte Paul, daß es Paula nicht genügte, nur den Leuten gegenüber die glückliche und zufriedene Frau zu spielen, sondern auch sich selbst gegenüber. Wie lange das gut gegangen wäre, war laut Paul ein anderes Ding. »Das Patent ist jedenfalls sehr verbreitet, muß also durchaus brauchbar sein. Es ist auch vergleichsweise leicht zu handhaben. Es kommt zunächst vor allem darauf an, allen anderen glaubhaft zu machen, daß es einem gut und besser geht. Als Einzelmensch kann man sich da zum Beispiel ein neues Kleid kaufen oder einen neuen Hut und die Sachen vorführen und dazu lächeln. Und auf die Frage: Wie geht's? kann man mit voller Kraft antworten:

Einfach prachtvoll, ich hab mir heute einen neuen Hut gekauft. Und ein ganzes Land kann sich, wenn es darauf ankommt, neue Straßen bauen oder ganze neue Städte mit Palästen und Fußgängerzonen, kann sich neue Automobile beschaffen, die die neuen Straßen verschönern. Und die Zeitungen läßt man schreiben: Uns geht es gut, das sieht man doch. Wir haben gerade eine neue Stadt fertig! Man muß das alles nur einigermaßen oft wiederholen, je öfter, desto besser, und es wird Erfolg haben, sogar auf die Dauer. Sobald die anderen einem glauben, ist man sehr geneigt, sich selbst zu glauben, und das ist schließlich der Zweck. Und früher oder später glauben einem die anderen. Sie tun es einfach deshalb, weil es sie so sehr auch wieder nicht interessiert, wie es einem geht, und sie sagen sich: Der muß selber am besten wissen, wie es ihm geht. Fehlen die Mittel, sich jeden Tag einen neuen Hut zu kaufen oder jedes Jahr eine neue Stadt zu bauen, kann man sich damit helfen, daß man sagt: Ich habe mir gestern einen neuen Hut gekauft, mir geht es gut. Man kann auch noch sagen: Ich habe mir vorige Woche einen neuen Hut gekauft, du kannst dir vorstellen, wie gut es mir geht. Nach zwei Wochen geht das mit dem Hut zwar nicht mehr so recht und mehr als zehn, fünfzehn Jahre Effekt gibt eine neue Stadt für ein Land auch nicht her. Wenn dann immer noch die Mittel fehlen, hilft sehr, daß man sagt, nächstes Jahr kaufe ich mir wieder einen neuen Hut, besser kann es mir doch gar nicht gehen. Denn neu ist neu und neu ist Glück, wer wollte daran zweifeln. Wenn sich aber doch eine Stimme meldet, die daran zweifelt, dann wird es schwierig. Dann hat sie zunächst keine Chance, weil der Zweifel eine unsichere

Sache ist. Der Zweifel scheint nichts zu bieten, je radikaler er ist, desto weniger. Es geht noch an, so lange man es nur mit dem kleinen Zweifel zu tun hat, dem an einzelnen Punkten seines Lebens. Der läßt sich beschwichtigen, zerreden, vertrösten, verdrängen oder notfalls bestechen. Aber der große, grundsätzliche, radikale Zweifel, der sagt: Dies und jenes ist grundsätzlich aus der Ordnung, der ist nur schwer zu bewältigen. Selbst ganze Länder finden nicht immer Wege, mit all ihren Zweiflern fertig zu werden. Aber der arme einzelne: Ihm bleiben nur zwei Möglichkeiten. Die Konsequenz zu ziehen, was schwer, unbequem und unsicher ist. Oder den Zweifel abzuwürgen, wofür er einen hohen Preis zahlt, und vor allem, er zahlt ihn selber, nicht irgendwann eine andere Generation.«

Paula war fest entschlossen, allen Zweifel abzuwürgen, und sie ist nach Pauls Meinung sehr konsequent gewesen. Saft machte Paula einen regelrechten Heiratsantrag, und Paula nahm ihn regelrecht an und setzte sich sofort hin und fing an, ihr Hochzeitskleid zu nähen. Denn so wie Safts Beziehungen waren, bekam er innerhalb einer Woche einen Hochzeitstermin. Bei ihm wäre es auch über Nacht gegangen, aber das wollte Paula nicht. Paula brauchte eine Woche für die Vorbereitungen, siehe Kleid. Und sie hat auch wirklich eine geschlagene Woche an ihrem Kleid genäht. Sie wurde und wurde nicht fertig. Nähen ist ihr sonst immer sehr leicht von der Hand gegangen. Aber mit ihrem Hochzeitskleid ist sie nicht fertig geworden. Und das, ob-

wohl ihr Saft am zweiten Tag schon eine elektrische Nähmaschine in die Wohnung stellte. Paula hatte das Kleid zwar mehrmals fertig, aber es paßte nie. Auch das ist ihr zum ersten Mal passiert. Die Kleider, die sie sich sonst genäht hatte, paßten immer auf Anhieb. Nur mit diesem Kleid ist sie nicht fertig geworden. Und Paula hat weiter genäht und getrennt und genäht und getrennt und erklärt, daß zu ihren Vorstellungen von ihrer Hochzeit gehört, daß sie in einem selbstgenähten weißen Brautkleid mit Schleier an ihrem Hochzeitstag aus der Singer auszieht, und so war es auch vereinbart. Morgens wollte sie mit Saft und ihrem Mädchen in dem weißen Kleid zum Standesamt gehen. Dann wollten sie zu dritt in einem kleinen Lokal an der Stadtgrenze, dessen Chef ein Kunde von Saft war, »fürstlich« essen, und dann wollten sie zurück in die Singer und für die ganze Singer, für jeden, der kommen wollte, ein Festessen geben, und am Schluß wollte Paula nur mit einem Koffer voll Wäsche in Safts Wagen steigen und für immer in seine Villa fahren. Mehr als den Koffer wollte sie aus ihrem alten Leben nicht mitnehmen. Was noch in der Wohnung war, wollte sie der Singer überlassen. Jeder, der wollte, sollte sich nehmen, was er brauchte. Es sollte ein einziger großer Kehraus werden.
Wir haben uns nicht gewundert, daß die Nachricht davon in ganz Berlin die Runde machte und wieder sehr viel Leben in die Singer gekommen ist. Sehr viele Wagen mit CD-Zeichen sind plötzlich dagewesen und sehr viele Taxis haben alle möglichen Leute gebracht. Und dann haben wir erfahren, daß es in Berlin hieß, der staatliche Kunsthandel veranstaltet an einem bestimmten Tag in den alten Häusern der Singer eine einzige

große Auktion alter Möbel, allerdings nur für geladene Käufer. Die Leute klingelten tagelang an unseren Türen, und keiner wollte uns glauben, daß es sich dabei um ein Gerücht handelte. Es sind erhebliche Summen geboten worden für die Nennung des Termins und noch mehr für einen Blick auf die angebotenen Möbel und am allermeisten für Reservierungen – und oft in Devisen. Und die Sache ist nicht besser davon geworden, daß einige Singerleute so tüchtig waren, ihre alten Möbel, die sie über die beiden Kriege gerettet hatten, für viel Geld anzubieten. Auch bei Paula haben sie geklingelt, und Paula hat ihnen ihren Hochzeitstag genannt und gesagt, daß sich jeder aus ihrer Wohnung alles holen konnte, was er wollte, als wenn bei ihr viel Wertvolles zu holen gewesen wäre.
Es ist weder zu der Hochzeit gekommen noch zu dem großen Kehraus. Das Kleid paßte nach wie vor nicht. Der Hochzeitstag mußte verschoben werden, und so ist es gekommen, daß Paula noch in der Singer war, als Paul in seiner Garage gefunden wurde, halbtot vom Wodka und stinkend.
Paul lag nur da, schlief und lebte von Schnaps. Nicht einen Schritt war er aus der Garage gegangen. Zum Beispiel war er nicht bei seinem Arzt gewesen. Folglich ist sein Krankenschein nicht verlängert worden, und folglich ist das in seiner Dienststelle aufgefallen, und man hat ihn gesucht, zuerst bei seiner Frau. Pauls Frau plauderte alles aus, vom ersten bis zum letzten, ohne sich aber über Paul zu beschweren. Sie selbst war sehr beunruhigt über Pauls Verschwinden. Pauls Garage war ihr nicht eingefallen. Sie haben angefangen, in der Singer herumzufragen. Es hat sich nicht um Polizei

gehandelt, sondern um zwei von Pauls Kollegen. Der eine war sein Kumpel, aber der andere war ein Fiesling, und schon sehr lange auf Pauls Stellung scharf. Ihm hatte Paul es auch zu verdanken, daß er im selben Zustand, in dem sie ihn gefunden haben, in seine Dienststelle gebracht wurde. Dagegen konnte auch Pauls Kumpel nichts machen. Auf den Gedanken an die Garage ist aber Pauls Kumpel gekommen. Vermutet hat er Paul da von Anfang an, wollte aber Paul allein auffinden. Es ist ihm nicht gelungen, weil der Fiesling ihn nie allein ließ. Er ist ihm nicht von der Pelle gegangen. Er zog die Suche nach Paul regelrecht militärisch auf, mit Wachdienst und Ablösung. Aber er selber ließ sich nie ablösen. Pauls Kumpel hat gesagt, der Mann war so von Ehrgeiz zerfressen, daß er keinen Schlaf brauchte. So sind die beiden mehrere Tage und Nächte in der Singer gewesen. Tags haben sie Leute befragt, sogar Kinder, und nachts sind sie auf und ab patrouilliert. Pauls Kumpel konnte sich nur mit Medikamenten wachhalten und mit dem Gedanken, daß er Paul nicht verraten durfte. Mit der Zeit hat er sich aber ernste Sorgen um Paul gemacht und auch gespürt, daß er nicht mehr lange durchhalten würde. Er hat den Fiesling verflucht. Er hat immer gehofft, der Mann würde einen schwachen Moment haben und wenigstens für fünf Minuten einschlafen, aber nichts war. Er versuchte es mit Tricks. Er stellte sich schlafend, weil er dachte, der Mann schläft mit, aber umsonst. Ganz zuletzt dachte er daran, dem Fiesling eins über den Schädel zu hauen und zur Garage zu gehen, um wenigstens zu sehen, ob Paul wirklich da war. Den Mord wollte er dann damit erklären, daß er aufgrund der langen Wachen nicht mehr im

Vollbesitz seiner geistigen Kräfte gewesen ist. Paul hat den Fiesling in gewisser Weise sogar für sein Stehvermögen bewundert. Paul: »Der Mann witterte die Chance seines Lebens, und er war fest entschlossen, sie zu packen. Der muß förmlich gerochen haben, daß du geahnt hast, wo ich sein könnte. Der hat mehr dich bewacht als mich.« Pauls Kumpel, als er nicht mehr konnte, wurde weich und hat so getan, als wenn ihm im letzten Moment die Garage einfällt. Damit war der Fiesling Sieger. Nach Pauls Meinung muß es für den Mann der größte Tag seines Lebens gewesen sein, wie er das Garagentor aufgerissen hat und Paul da liegen sah. »Er muß sich vorgekommen sein, wie ein Engel des Lichts, ein Hüter alles Reinen und Sauberen und Richtigen und Guten und Korrekten.« Der erste Satz, den der Mann gesagt hat, ist gewesen: »Das spricht doch Bände hier.« Und dann gleich: »Jetzt hast du eine geschlagene Woche unentschuldigt gefehlt. Und das in deiner Position.« »Das war überflüssig. Wir wußten, daß man sich dergleichen und alles andere in meiner Position nicht leisten konnte und daß meine Position einmal meine Position gewesen war.« – Paul. Dann ist er dienstlich und offiziell geworden und hat darauf bestanden, Paul in die Dienststelle zu bringen, so wie er war, ungewaschen und unrasiert. »Von ihm aus gesehen«, hat Paul gesagt, »mit vollem Recht. Er konnte sich unmöglich die Schau entgehen lassen, mich so, wie ich war, vorzuführen.« Paul ist das alles völlig gleichgültig gewesen. So gleichgültig, daß er zwar nicht freiwillig aufstand, sich aber auch nicht wehrte, als ihn die beiden aufgehoben und ihn aus der Garage in den Dienstwagen gebracht haben. Es hat Paul auch nicht

interessiert, daß alles angesichts der ganzen Singer geschehen ist.
Auf die Art hat Paula von allem erfahren, ohne daß sie zu den Augenzeugen gehörte. Gesehen hat Paula Paul erst einen Tag später, wie er frisch rasiert, mit gekürzten Haaren, Hut, Schlips und neuem Anzug, mit zwanzig Rosen, einer Flasche Sekt und einem nagelneuen Fahrrad in sein Haus gegangen ist. Sie ist zufällig allein gewesen und hat zufällig am Fenster gestanden. Armer Paul, hat sie gedacht. Und: Arme Paula. Dann ist sie wieder an ihr Kleid gegangen und plötzlich hat es gepaßt. Sie konnte es zuerst nicht glauben. Sie hat meine Person gerufen. Aber da war nichts zu sagen. Das Kleid hat gepaßt wie angegossen. Da wußte Paula, daß nun alles vorbei war, und zwar endgültig, und die Tränen sind ihr gekommen, seit langer Zeit zum erstenmal wieder. Sie hat sich aufs Bett gelegt, so wie sie war, in ihrem Hochzeitskleid und geschluchzt und geweint, wie meine Person noch nie einen Menschen hat schluchzen und weinen gesehen. Es sind die Tränen gewesen, die sie seit Monaten nicht geweint hatte, seit dem Tod ihres Jungen nicht. Am Ende ist ihr Bett naß gewesen wie ein Schwamm. Meine Person sollte Saft mitteilen, daß Paula nun zur Hochzeit bereit war. Paula selbst wollte Saft nicht sehen, weil Saft sie nicht sehen sollte, so geschwollen vom Weinen. Auch wollte sie diese letzte Nacht noch allein verbringen.

Paul konnte später nur sehr wenig über diese Zeit erzählen. Er war zu nichts fähig. Alles, was er tun sollte, mußte ihm gesagt werden, und das meiste davon mußte sein Kumpel für ihn tun. Er kaufte für Paul das Fahrrad als Geschenk für den Jungen, die Blumen und den Sekt für Pauls Frau. Er kaufte ihm einen neuen Anzug und ging mit Paul zum Friseur. Und es mußte so aussehen, als hätte Paul alles selbst gemacht. Sonst hätte Paul es mit der Psychiatrie zu tun bekommen. Das hätte Paul zwar in seinem damaligen Zustand kaltgelassen, wie ihn alles kaltließ, aber er ist seinem Kumpel im nachhinein doch sehr dankbar gewesen, daß er ihn davor bewahrt hat. »Es gibt Anzeichen«, war Pauls Meinung, »daß mit der Psychiatrie heutzutage nicht zu spaßen ist.« Dem Fiesling war zu verdanken, daß Pauls Dienststelle lückenlose Berichte über den Sommer vorgelegen haben, als Paul angeblich krank gewesen war. Fast nichts fehlte da. Sogar Fotos haben vorgelegen, zum Beispiel von Paulas Wohnungstür mit den Herzen, auch von der Garage innen und ihrem Aussehen. Der Mann hatte laut Paul ganze Arbeit geleistet. Er soll sogar klug genug gewesen sein, seine Gespräche mit Pauls Frau korrekt wiederzugeben. Also nicht zu unterschlagen, daß sie ihrem Paul überhaupt nichts Böses nachsagte, sondern daß sie ihm nur das Allerbeste wünschte und daß er ihr nur leid tat. Das ergab weitere Minuspunkte für Paul. Am Ende des Verfahrens hatte Paul nur noch Minuspunkte. Nach dem wenigen, was Paul darüber erzählt hat, muß es tatsächlich ein regelrechtes Verfahren wie vor Gericht gegen ihn gegeben haben, mit einer Art Richter, das war Pauls Chef, einem Ankläger, das war der Fiesling, und einem Verteidiger, das war Pauls Kumpel. Aber obwohl es dreißig und mehr Gründe gab, ihm fristlos zu kündigen und seine

Personalakte gründlich zu verderben, ist es doch nur dabei geblieben, daß er die längste Zeit persönlicher Referent war. Er ist so etwas wie Oberpförtner geworden. Laut Paul ein »probates Verfahren«, wenn man sich eines Mannes sicher sein will. »Ein Mann auf Bewährung ist in gewisser Weise ein sichererer Mann als einer ohne Bewährung.« Außerdem wurde Paul beauflagt, sich wieder mit seiner Frau zu versöhnen und sich zukünftig vorbildlich um ihr Wohlergehen zu kümmern. Paul hörte alles mit an und stimmte allem zu, ohne etwas zu begreifen. Er ist immer noch wie im Schlaf gewesen. Alles hat er wie ein Schlafwandler getan, genauso sicher, so daß jemand, der ihn nicht kannte, ihn für völlig normal halten mußte. Trotzdem hat ihn sein Kumpel vorsichtshalber nicht allein gelassen. Er ließ Paul nur mit großen Sorgen die letzten Schritte über die Singer bis zu seiner Haustür allein gehen. Er konnte die ganze Nacht nicht ruhig schlafen, weil er immerzu daran denken mußte, ob Paul wirklich laut Programm lief oder ob nicht irgend etwas das Programm störte oder auslöschte und Paul aufwachte und dann alles über den Haufen warf. So wie ein Schlafwandler aufwacht, wenn er in eine Schüssel mit kaltem Wasser tritt. Und so ist es auch gekommen.
Seine Frau war nicht allein, als Paul mit den Geschenken vor der Tür stand. Das hat Paul sofort registriert. Der Mann hatte, bevor er sich eiligst irgendwo in der Wohnung verkroch, seine Mütze auf dem Kleiderständer liegenlassen. Unter normalen Umständen hätte das Paul sofort zum Aufwachen bringen müssen. Aber in Pauls Programm für diesen Tag kam ein anderer Mann nicht vor. Im Programm für diesen Tag stand nur:

Versöhnung mit der Frau. Seine Frau ist wie immer sehr schön gewesen, aber sie war auch sehr verwirrt. Zwar hatte Pauls Kumpel sie auf Paul vorbereitet und ihr genau gesagt, wie sie sich benehmen sollte, und sie wollte sich auch daran halten. Aber den Fall, daß fünf Minuten vor Paul ihr Freund auf ihrer Matte stehen würde, den hatte Pauls Kumpel nicht vorhersehen können. Und er konnte auch nicht ahnen, daß dem Mann die fünf Minuten genügen würden, ihr den lange aufgeschobenen Heiratsantrag zu machen.
Das erste, was Paul machte, war, eine Flasche Sekt zu öffnen, wie es in seinem Programm stand. Paul hob sein Glas, und auch sie nahm ihr Glas und hat ihn angelächelt und gesagt: »Aber das ist doch nicht nötig, Paul.« Paul: »Ich bin dir eine Erklärung schuldig.« So hatte es ihm sein Kumpel eingebleut. Sie: »Aber das ist doch nicht nötig, Paul.« Paul hatte den Verdacht, sein Kumpel hätte ihr diesen Satz ebenfalls eingebleut. Sie sollte sich auf jeden Fall mit Paul versöhnen. Dazu war sie auch bereit. So ist es weitergegangen. Paul: »Wir alle haben unsere Schwächen, und die muß man verzeihen.« Sie: »Das ist doch nicht nötig, Paul.« Und auch als Paul mit den eingebleuten Sätzen am Ende war und ihr die Hand geküßt hat, ist ihr nichts weiter eingefallen als: »Das ist doch nicht nötig, Paul.« Sie hat schön wie nie gelächelt, und Paul wäre ihr sicher um den Hals gefallen und hätte sich ins Bett ziehen lassen, wenn da nicht noch der Mann in der Wohnung gewesen wäre und der Junge und wenn es nicht noch so früh am Tage gewesen wäre. So ist es quälend still geworden, und Paul und die Frau haben nichts weiter zu sagen gewußt. Stille konnte Pauls Frau am allerwenigsten gebrauchen, weil

ihr Freund so nicht aus der Wohnung schleichen konnte. Paul: »So gerissen, den Fernseher anzumachen, ist sie nicht gewesen. Sie war dumm, aber nicht gleichzeitig gerissen.« Sie saß nur da und zitterte. Der Junge ist ins Zimmer gekommen und hat angefangen, vom Sommer zu erzählen. Dem ist nun wieder Paul nicht gewachsen gewesen. Auf alles, was der Junge sagte, konnte er immer nur sagen: »Das ist aber schön, mein Junge.« Nachdem er das zwanzigmal gehört hatte, hat der Junge den Fernseher in Betrieb gesetzt. Paul ist sehr froh gewesen, daß er nichts mehr sagen mußte. Der Junge ist froh gewesen, daß er fernsehen durfte. Die Frau ist froh gewesen, daß nichts passiert ist. Nur für den Mann irgendwo in der Wohnung muß es eine wahre Folter gewesen sein. So ist es endlich dunkel geworden. Der Junge ist ins Bett geschickt worden, und dann sind Paul und die Frau ins Schlafzimmer gegangen. Das ist um die gleiche Zeit gewesen, als Paula sich entschlossen hat, das Licht auszumachen und ein neues Kopfkissen zu nehmen. Ihre Tränen flossen immer noch, und das erste Kopfkissen ist wie ein Schwamm so naß gewesen. Paul konnte sehen, wie das Licht in ihrem Schlafzimmer ausgegangen ist, und die bewußte Filmschleife mit Paula und Saft in Paulas Bett setzte sich sofort in Bewegung. Paul zog sich aus und stieg in seinen Pyjama, der an seinem alten Platz im Schrank gelegen hat. Als Paul mit seinem Pyjama fertig gewesen ist, lag seine Frau schon in einem schwarzen Negligé auf dem Bett und sah so hinreißend aus wie nur je. Paul legte sich zu ihr, und vielleicht wäre alles anders gekommen, wenn die Frau in dem Moment nicht den Mund aufgemacht hätte und nicht gesagt hätte, was sie

immer schon in dem Moment gesagt hatte und was Paul immer schon auf die Nerven gegangen war: »Nadumeinkleinerdummerdu!«
Da hakte es bei Paul aus oder laut Paul: »Es hakte ein.« Da ist er wieder aufgewacht und zu Bewußtsein gekommen, und von derselben Sekunde an wußte er, was zu tun war. Es kam ihm zu Bewußtsein, in welcher Situation er war, und die Frau und der Mann im Kleiderschrank. Paul fing an zu lachen, und dann brüllte er vor Lachen, daß es in der ganzen Singer zu hören war und verschiedene Fenster aufgingen. Er hat den Schrank aufgemacht und den Tanzlehrer an die Luft geholt, denn kein anderer war es. Der Mann soll halbtot gewesen sein vor Luftmangel und vor Angst. Paul war sehr freundlich. Er setzte ihn vorsichtig auf das Bett neben seine Frau. Dann griff er sich seine Sachen und ging aus dem Zimmer. Zu den beiden hat er noch gesagt: »Das machen wir ganz anders, Freunde. Ganz anders.« Es ist gesagt worden, Paul ist danach auf der Singer erschienen in einem Anzug, der geschimmert haben soll wie eine Rüstung, mit einem Hut auf dem Kopf wie ein Reiter und einem strahlend weißen Seidenhemd mit Rüschen und Falbeln und in der Hand ein glänzendes Beil. Mit dem Beil soll er dann unsere Haustür aufgesprengt haben, und zwar mit einem Schlag. Mit dem zweiten Schlag soll er dann Paulas Wohnungstür gesprengt haben, soll bei Paula eingedrungen sein, soll sie so wie sie war auf die Arme genommen haben und mit ihr fortgegangen sein, und keiner soll sie je wieder gesehen haben, aber sie sollen glücklich und zufrieden leben zusammen mit den beiden Kindern, und jedes Jahr sollen sie ein neues Kind adoptieren, weil Paula

keine Kinder mehr kriegen kann. Manche haben gesagt, daß sie außer Landes gegangen sein sollen und mit all den Kindern in Schweden leben, in einem großen alten Schloß, das sie sich ausgebaut haben. Andere haben gesagt, nicht in Schweden, sondern in der Schweiz. Von alldem ist aber nur eines wahr und nicht Legende, daß Paul wirklich geradenwegs aus seinem Schlafzimmer in unser Haus gegangen ist. Bekleidet war er aber mit seinen normalen Sachen. Die Haustür brauchte er nicht zu sprengen, weil sie seit dreißig Jahren nicht abzuschließen ist. Und das Beil hat er von meiner Person erhalten, auf seine Anfrage hin. Wahr ist auch, daß er Paulas Wohnungstür eingeschlagen hat. Aber von einem einzigen Schlag konnte keine Rede sein. Die Tür war noch sehr solide und aus vollem Holz. Paul mußte mehrfach zuschlagen und das Beil auch als Brecheisen benutzen, bis er ein genügend großes Loch hatte, um einzusteigen. Das dauerte so lange, daß sich unser ganzes Haus auf der Treppe versammeln konnte. Einer hatte sogar Zeit genug, seine alte Kamera und Blitzlicht zu holen und alles zu fotografieren. Niemand von uns ist gegen Paul eingeschritten. Die meisten haben ihn sogar ermutigt und ihm Ratschläge gegeben, wie die Tür am besten zu sprengen war. Alle waren gespannt, wie die Sache ausgeht. Bei jedem Schlag hat Paul gerufen: »Paula, ich komme.« Und: »Saft, gehen Sie hinter der Tür weg und verhalten Sie sich ruhig. Ich will bloß Paula holen.« Er setzte voraus, daß Saft bei Paula war. Alle haben gesehen, daß Pauls Spaß an der Sache groß war. Er ist sehr heiter und keineswegs wütend oder verbissen gewesen. Meine Person ist nach den ersten Schlägen sogar der Meinung gewesen, daß sich Paul länger mit der Tür aufhielt, als nötig gewesen wäre. Paul gab es später auch zu. »Ich habe es genossen. Ich bin mir vorgekommen wie ein Mensch, der sehr lange Zeit Kompromiß um Kompromiß geschlossen hat und der nun endlich seinem Feind Auge in Auge gegenübersteht und ihm mit jedem Schlag zu verstehen gibt, daß es mit den Kompromissen vorbei ist, daß nun endlich klare Verhältnisse geschaffen werden.« Und Pauls Feind war die Tür, das einzige, was ihn noch von Paula trennte, wie er dachte. In Wahrheit war da noch eine zweite Tür. Die Tür zu Paulas Zimmer. Paula hat gesagt, sie ist schon beim ersten Schlag aus dem Bett gesprungen, und sie wußte auch sofort, daß es Paul war. Trotzdem wollte sie sich bis zum letzten verteidigen. Sie verrammelte ihre Tür mit allem, was ihr in die Hände fiel. Paula: »Ich dachte, daß ich mir das schuldig war.« So fand Paul sie, als er ins Zimmer getreten ist. Denn da gab es noch eine zweite Tür, die zum Kinderzimmer, und dieser Weg ist Paul von Paulas Mädchen gewiesen worden. Paul ließ das Beil fallen und ging auf Paula zu. Das Wasser ist Paula immer noch aus den Augen gelaufen, und als Paul vor ihr stand, fing sie an, ihn zu ohrfeigen, mit aller Kraft, die sie hatte, und so lange, wie sie konnte. Paul hat stillgehalten und hat sie immer nur angesehen. Und als Paula die Arme lahm geworden sind, hat er Paula in die Arme genommen, und Paula hat nichts dagegen machen können und auch nicht wollen. Sie ließ sich küssen und hat Paul geküßt. Soviel Kraft hatte sie aber noch, daß sie Pauls Hemd auf dem Rücken zerrissen hat, als sie ihn umarmte. Dann sind Paulundpaula ins Bett gesunken, und wir alle sind auf Zehenspitzen aus dem

Zimmer und aus der Wohnung gegangen und haben Paulundpaula allein gelassen. Meiner Person und mehreren von uns sind die Tränen gekommen.

SPÄTER hieß es, Paulundpaula sind für eine Woche und drei Tage nicht aus dem Bett gekommen und sind zuletzt völlig erschöpft gewesen vor lauter Liebe, so daß sie dem Hungertod nahe gewesen sein sollen, weil sie neben allem anderen auch das Essen vergessen haben. Das gehört zu den Legenden, die sich von Anfang an um Paulundpaula gerankt haben. In Wahrheit sind Paulundpaula am nächsten Morgen zur gleichen Zeit aufgestanden, wie immer. Paula ist in ihre Kaufhalle gegangen an ihre Kasse, und Paul ist zu seiner Frau gegangen. Wahr ist, daß beide nicht sehr viel Schlaf gehabt haben in dieser Nacht und dementsprechend blaß gewesen sind. Aber nicht nur blaß. Beide haben übereinstimmend gesagt, daß sie an diesem Tag besonders gefährdete Verkehrsteilnehmer gewesen sind und schon im eigenen Interesse hätten im Bett bleiben sollen. Beide haben sehr viel Luft unter den Füßen gehabt und sind mehr geschwebt als gegangen.
In Paulas Kasse ist am Abend ein Manko von mehreren zehn Mark gewesen, was ihr noch nie passiert war. Paula bezahlte das Geld ohne weiteres aus ihrer eigenen Tasche und fand, daß sie noch billig weggekommen war. Das Manko hätte sich ihrer Meinung nach an diesem Tag ebensogut um die hundert bewegen können. Und daß es nicht noch größer gewesen ist, verdankte sie nur den Leuten, die ihr zurückgegeben ha-

ben, was sie zuviel herausgegeben hatte. Noch Tage später sind Leute gekommen und haben gesagt: »Paula, du hast mir neulich drei Mark oder fünf Mark zuviel rausgegeben.« Zuletzt fehlte Paula keine Mark mehr. Dabei wäre Paula kein Preis zu hoch gewesen für die Nacht mit Paul. Sie hat völlig ungeniert gesagt, daß sie Paul noch bis Mittag in sich fühlte. Paula: »Und dann bediene einer noch die Kasse.« Außerdem war sie sich sicher, daß sie ein Kind empfangen hatte.

Paul ist nur zwei Stunden später zum Dienst gekommen. Die zwei Stunden brauchte er, um seine Sachen über die Straße in Paulas Wohnung zu räumen und sich von seiner Frau zu verabschieden. Paulundpaula hatten das zwar nicht besprochen, aber als Paula abends nach Hause kam, fand sie es ganz in der Ordnung, Paul vorzufinden. Spätestens am Abend dieses Tages wußte jeder in der Singer, wie es mit Paulundpaula ausgegangen war. Auch Saft wußte alles, noch bevor Paula bei ihm gewesen ist. Und Paula kam noch am selben Tag zu Saft, gleich nach Ladenschluß. So ist Paula gewesen.
Saft trug alles mit Fassung, so wie er immer alle Geschichten von Paula mit Fassung getragen hatte. Jedenfalls soll das der Eindruck gewesen sein, den er auf Paula gemacht hat. Aber noch in derselben Woche verkaufte er seine Werkstatt einer Genossenschaft und zog allein in seine Villa. In der Singer hat er sich seither nie wieder blicken lassen.
Pauls Stimmung war so, daß er sein letztes Hemd verschenkt hätte, so einverstanden ist er mit sich und der

Welt gewesen. Zum Beispiel machte es ihm großen Spaß, seiner Frau die komplette Wohnungseinrichtung zu überlassen. Sie und ihr Freund haben sich gefreut wie die Kinder, aber auch darüber, daß sie nun vor aller Welt zusammensein konnten. Und der Mann hat sich zusätzlich gefreut, daß er nunmehr von Paul nichts Abträgliches mehr für seinen Körper zu befürchten hatte, auf den er angewiesen war, wie er gesagt hat, als Meister im Turniertanz. Als solcher gab er sich Paul zu erkennen, als Paul kam, um seine Sachen zu holen. Sie haben zu dritt gefrühstückt, der Mann, Pauls Frau und Paul, und zuletzt half der Mann, die Sachen in Paulas Wohnung zu schaffen. Er wollte Pauls Frau mit in seinen Tanzklub nehmen, als seine neue Partnerin, um auch sie zu Meisterehren zu führen. Paul hat ihnen viel Glück gewünscht. Paul: »Ich hätte an jenem Tag und zu dieser Zeit jedermann jedes Glück gewünscht, ausgenommen ein paar ganz schlimmen Typen auf der Welt. Aber im Fall meiner Frau war ich außerdem überzeugt, daß sie in dem Mann tatsächlich den richtigen Partner hatte, daß sich die beiden im wahrsten Sinne des Wortes gesucht und gefunden hatten.« Es ist aber so gewesen, daß Pauls Frau Paul bei allem spüren ließ, daß ihre Tür für Paul jederzeit offen war, so sehr war Paul zu ihrem Helden geworden. Das wußte auch der Mann und hat es akzeptiert. »Was ihm um so leichter gefallen ist, als mir auf drei Meilen anzusehen war, daß mich von allen Türen der Welt nur eine interessierte: Paulas.«

So haben Paulundpaula angefangen, miteinander zu leben. Sie sind von Stund an unzertrennlich gewesen. Den Fall, daß entweder Paul oder Paula allein auf der Singer oder sonstwo in Berlin zu sehen waren, gab es nicht. Es gab keinen Gang, den sie nicht gemeinsam erledigten. Das Bild, wie Paulundpaula zusammen aus dem Haus auf die Straße traten und meistens Hand in Hand oder Arm in Arm, hätte mit der Zeit zum Wahrzeichen der Singer werden können. Die ganze Singer lächelte, wenn Paulundpaula auf die Straße kamen, und alle sind gespannt gewesen, wie lang diesmal der Weg sein würde, den sie unmöglich getrennt zurücklegen konnten. Und alle haben den Kopf geschüttelt, wenn es wieder nur die drei Schritte bis zum Bäcker waren, aber alle haben Paulundpaula ihr Glück gegönnt. Viele haben zwar vermutet, das ständige Zusammengehen von Paulundpaula gibt sich mit der Zeit. Sie haben sich aber getäuscht. Paulundpaula sind bis zuletzt unzertrennlich gewesen. Wir haben uns gewundert, daß es in Berlin nicht spätestens nach zwei Wochen hieß, in der Singer sind vor lauter Glück und Liebe zwei Leute zusammengewachsen. Es ist möglicherweise nur deshalb nicht dazu gekommen, weil keiner genau wußte, *wie* unzertrennlich Paulundpaula gewesen sind. Es ist außer Paulas Mädchen wohl nur meine Person gewesen, die alles wußte. Paulundpaula waren auch in ihrer Wohnung unzertrennlich. Sie haben auch da jeden Schritt gemeinsam getan. Sie sind zusammen in die Küche gegangen, um Salz zu holen oder Milch. Sie sind zusammen zum Regal gegangen, um ein Buch zu nehmen. Sie haben sich zusammen gewaschen, und Paula hat ungeniert gesagt, daß es für den einen noch lange kein Grund

gewesen ist, auf den Korridor zu gehen, wenn der andere das Klo benutzen mußte. Es konnte nicht lange dauern, bis beide sehr unzufrieden damit waren, daß sie zu ungleicher Zeit anfangen mußten zu arbeiten. Paul um halb acht und Paula erst gegen neun. Eine Zeitlang haben sie sich damit geholfen, daß Paula zusammen mit Paul aus dem Haus ging. Das hieß aber, daß Paula sich zwei Stunden in der Kaufhalle langweilte und doch nicht zur gleichen Zeit wie Paul nach Hause kam. Also setzte Paul seinen Arbeitsanfang einfach um zwei Stunden später an. Er war der Meinung, daß es nichts ausmacht, ob einer von halb acht bis halb vier nichts tut oder von zehn bis sieben.
Es gab für Paul zwar ein festliegendes und streng zu befolgendes Schema von Tätigkeiten, aber mit Arbeit hatte das nichts zu tun. Paul: »Oder will jemand behaupten, es ist eine sinnvolle Tätigkeit, Leute zu beaufsichtigen, wie sie andere Leute daran hindern, ein Gebäude zu betreten?«
Pauls eigenmächtige Veränderung seiner Arbeitszeit wäre laut Paul unter normalen Umständen kein Problem gewesen. »Fast jeder in so einer Dienststelle ist im Erfinden von Sonderregelungen für die eigene Person geübt.« Aber die Umstände waren nicht normal. Paul war »eine markierte Person« und stand unter Bewährung. So brauchte Paul nicht lange auf Stunk zu warten. Ein so verschworener Haufen war seine »Wach- und Schließgesellschaft« nicht, daß nicht schon nach einer Woche einer davon Pauls Eigenmächtigkeit an die große Glocke gehängt hätte. Das hatte Pauls weitere Zurückstufung zum einfachen Wach- und Schließmann zur Folge. Tiefer kann man, laut Paul, in so einer

Dienststelle nicht sinken. Das ganze soll der letzte Test gewesen sein, ob Paul nicht doch noch zur Vernunft kommen wollte. Paul: »Aber Vernunft stand seit einiger Zeit nicht mehr so recht auf meinem Programm.« Auf Pauls Programm hat Paula gestanden, sonst nichts. So ist Paul in seiner Dienstauffassung auch weiterhin sehr lax geblieben. Er stellte seine »persönlichen Interessen vor die Interessen seiner Dienststelle«. Damit wollte er nicht seine Kündigung provozieren. Laut Paul wird man in einer Dienststelle dieser Art nicht gekündigt, und man kann auch nicht kündigen. Es gibt da nur zwei Wege: Die Delegierung zu einer Schule und die anschließende Versetzung in eine andere Dienststelle oder die einfache Versetzung. Von den beiden Wegen entsprach Pauls Zweck nur der letztere. Gleichzeitig soll die einfache Versetzung das schwierigste sein, denn es handelte sich nicht um eine Versetzung im selben Bereich, sondern in einen anderen Bereich, in den von Paula. Die Regel und das ungeschriebene Gesetz heißt laut Paul: »Einmal in einem Bereich – immer in einem Bereich.« Paul: »Jeder Interessierte kann das in der Presse verfolgen. Die Leute, die für die einzelnen Bereiche in der Presse zu Wort kommen, sind über Jahrzehnte hin die gleichen, sei es nun Land- und Forstwirtschaft oder Schwerindustrie oder Kultur. Sie wechseln zwar gelegentlich – aber nie den Bereich, nur die Funktion. Dies geschieht meist im Zusammenhang mit dem Wechsel eines Kurses. Und es ist nur die Spitze des Eisbergs. In der darunter liegenden unsichtbaren Masse geht es ebenso zu, allerdings mit gewissen Erleichterungen, weil eben alles im Unsichtbaren vor sich geht. Es gibt aber auch Leute, die jeden Kurswechsel überstehen, und das nicht nur im selben Bereich, sondern auch in der gleichen Funktion. Das spricht weder gegen noch für sie. Es ist einfach so.«

Zuletzt hat Paul erreicht, was er wollte.

Auf seinen ersten Antrag hin gab es eine Aussprache. Auf seinen zweiten zwei und auf seinen dritten drei Aussprachen und so weiter. Er ist bis zum fünften Antrag gekommen. Dem sechsten hat er dann den Bericht über die Scheidung von seiner Frau beigegeben und konnte plötzlich von heute auf morgen gehen, ohne jede Aussprache, sang- und klanglos. Paul war auch weder auf Sang noch auf Klang scharf. Er ist auf Paula scharf gewesen, das war alles. Paul hat gemeint, die Nachricht von seiner Scheidung muß zuletzt wie das Signal für seine endgültige Unverbesserlichkeit gegolten haben, und vor allem die Tatsache, daß er die Scheidung eingeleitet hatte, ohne vorher um eine Aussprache zu bitten. Innerhalb einer Stunde hatte Paul keinen Dienstausweis mehr, dafür seine Papiere, drückte seinem Kumpel die Hand und stand auf der Straße.

PAULS SCHEIDUNG gehört zu den schönsten Scheidungen, die es je gegeben hat. Es ist nur gelächelt worden. Pauls Frau lächelte, weil sie nun ihren Tanzmeister bekam. Der Tanzmeister lächelte, weil er Pauls schöne Frau bekam. Paul lächelte, weil er aus allem raus war. Auch Pauls Junge ist nicht weiter traurig gewesen, weil Paul schließlich nicht in eine andere Stadt, nicht mal in eine andere Straße gezogen ist. Später ist es so gekom-

men, daß er sich mit Paulas Mädchen angefreundet und viel Zeit bei Paulundpaula verbracht hat. Und Paula lächelte, weil sie seit einiger Zeit ohnedies nur noch lächelte. Paula hatte eigentlich bei der Verhandlung nichts zu tun. Aber konnte sie Paul allein lassen? Und das Gericht lächelte, weil alle lächelten.
Danach sind alle zusammen in ein Restaurant gegangen. Sie haben getafelt mit allem Drum und Dran, und Pauls Frau gab ungeniert zu verstehen, daß trotz Scheidung Paul ein für allemal ihr Mann sei, was alle akzeptiert haben, auch Paula. Paula bewunderte Pauls Frau nach wie vor wegen ihrer Schönheit. Und Paula ist es auch gewesen, die Pauls Frau und den Tanzmeister tanzen sehen wollte. Sie haben sich auch nicht lange bitten lassen, auch wenn sie ihrer Meinung nach noch weit von der einmal zu erreichenden Bestform entfernt waren. Sie haben im Einvernehmen mit der Restaurantkapelle einen Fandango vorgeführt. Der Restaurantleiter hat zwar zugestimmt, aber nur mit süßsaurer Miene. Seine große Sorge war, daß sein Haus in den Ruf kommen könnte, »eine Plattform zum Feiern von Scheidungen und anderen negativen Erscheinungen« zu sein. Gleich nach dem Fandango machte er unter seinen Gästen eine Umfrage nach einem eventuellen Geburtstagskind oder einem Silbernen Hochzeitspaar. Beides war nicht zu finden. Zwei Leute waren auf den Tag vier Jahre verheiratet. Die sind bereit gewesen, für sich einen Tanz zu bestellen und dem Restaurantchef zu helfen, den eventuell entstandenen negativen Eindruck auszugleichen oder zu verwischen. Das half dem Mann aber alles nichts. Das Restaurant ist drei Tage später wegen Renovierung geschlossen worden. Es ist später

in Form dreier kleiner Restaurants wieder eröffnet worden, einer Grillstube, einer Kutscherkneipe und einer Teestube. In keinem der drei gab es mehr eine Kapelle und auch keine Tanzfläche. Und Tische mit mehr als vier Personen gab es auch nicht, und die strenge Anweisung an das Personal lautete: Das Zusammenstellen von Tischen zwecks Bildung größerer Publikumsgruppen ist höflich aber bestimmt zu unterbinden. Es soll auch ein großes Schild ausgehangen haben: Das Zusammenstellen von einzelnen Tischen muß aus technischen Gründen unterbleiben. Der Rstrltr. u. d. Ltr. Hdl. u. Vrsrg.

Zu der Zeit ist Paul selbst längst im Bereich Hdl. u. Vrsrg. tätig gewesen. Nachdem ihm der Absprung aus dem einen Bereich gelungen war, ist ihm auch die Landung im neuen gelungen, weil er den richtigen Mann kannte. Er fing direkt in Paulas Kaufhalle als Transportarbeiter an, nahm Ware ab und verlud Leergut. Es ist eine große Erleichterung für die Frauen gewesen. Paul war der einzige Mann in der Kaufhalle. Sein Lohn war nur ein Viertel dessen, was er als persönlicher Referent gehabt hatte. Es sind ihm auch Leiterposten angeboten worden mit entsprechend mehr Gehalt. Paul ist aber nicht auf irgendeinen Posten scharf gewesen, sondern auf Paula, Paula tags und Paula nachts. Das war es, was er wollte, und das war es, was er endlich hatte.

PAULA HAT Paul sofort gesagt, daß sie ein Kind kriegen wird, auch ohne daß irgendein Test gemacht wurde. Auch Paul hielt jeden Test für überflüssig. Er freute sich auf das Kind wie Paula, und beide haben es gewollt. Paul wußte alles, was Paulas Professor zu diesem Thema gesagt hatte. Trotzdem haben beide das Kind gewollt. Paula ist sofort zum Professor gegangen. Der Professor wollte sie von dem Kind abbringen, wie es seine Pflicht war. Er ist sehr deutlich geworden. Er hat ihr erklärt, daß kein Mensch immer alles haben kann, was er will. Aber nach Philosophie war Paula nicht zumute. Sie wollte nur wissen, wie groß die Chance war, die der Professor ihr gab, trotz allem mit dem Kind durchzukommen. Da ist der Professor deutlich geworden: »Du verblutest mir auf dem Tisch, Paula.« Paula: »In jedem Fall?« Und der Professor: »Das kann man so nicht sagen.« Da hat Paula sofort gesagt: »Dann krieg ich es.«
Der Professor war später im Zweifel, ob er nicht einen großen Fehler gemacht hatte und ob er nicht besser hart geblieben wäre, ihr auch nicht die geringste Chance einzuräumen. Aber er war in dieser Sekunde nicht in der Lage dazu. Die Chancen für Paula und das Kind sind wirklich gering gewesen, aber immerhin waren sie vorhanden. Paula hat den Professor beeindruckt wie selten eine Frau. Auch weil ihm Frauen tagtäglich die Tür einliefen wegen Schwangerschaftsunterbrechungen. Er ist deswegen nicht gegen diese Frauen gewesen. Er war ein Befürworter der Pille und der Schwangerschaftsunterbrechungen. Er hat sich nicht als lieber Gott gefühlt, der sich ein Urteil darüber erlaubt, ob eine Frau ein Kind wollen oder nicht wollen

soll. Es war nach seiner Meinung eine Frage der Selbstbestimmung. Und als er gesehen hat, wie entschlossen Paula war, wollte er alles in seiner Macht Stehende tun, um ihr zu helfen.

Paul hat immer bestritten, daß er deswegen jede Stunde Tag und Nacht mit Paula zusammensein wollte, weil er wußte, wie gering Paulas Chancen waren. Warum er nicht versucht hat, Paula von ihrem Vorhaben abzubringen? Ihm ist nichts eingefallen, was Paula wirklich beeindruckt hätte. Alles, was er dazu hätte sagen können, war nach seinen Worten drei Klassen kleiner als Paulas Entschluß. Ohne diesen Entschluß wäre Paula nicht Paula gewesen. Und Paul konnte nicht mit Paula leben, ohne mit Paula zu leben. Dementsprechend hat er sich verhalten. Trotzdem war er oft nahe daran, Paula alles auszureden. Paul: »Und eine ganze Hand voller Gründe wäre mir eingefallen, sie wären jedem eingefallen. Zum Beispiel, daß kein Mensch immer alles haben kann.« Aber Paul war nicht mehr der Mensch, der solche Sätze sagen konnte.
Paulundpaula haben nie viel über dieses Thema gesprochen. Es gab auch nicht sehr viel dazu zu sagen. Paul: »Eigentlich nur ja oder nein. Und es war ja gesagt worden.« Und so haben Paulundpaula alles getan, was getan werden mußte, als Paulas Zeit herankam. Sie haben die Wohnung renoviert und haben alles beschafft, was beschafft werden mußte. Sie haben übrigens nichts geborgt oder gebraucht genommen. Sie haben alles neu angeschafft. Auch sonst hat Paula sich

auf die Geburt vorbereitet, als wäre alles normal. Sie ließ ihren Bauch wachsen und nähte sich jeden Monat, später fast jeden Tag, ein neues Kleid. Die Kleider sind von Mal zu Mal schöner geworden. Sie sind immer bunter und auch phantastischer geworden. Paula nahm nur ganz leichte, schwebende Stoffe, die aber drei- und vierfach. Manche Kleider haben ausgesehen wie gemalt, und Paula sah jeden Tag wieder neu aus, als wenn sie zu einem Fest geht. Die Kleider trug sie nicht nur in der Wohnung, sondern auch, wenn sie mit Paul zusammen in die Kaufhalle ging. Sie saß mit diesen Kleidern hinter der Kasse. Paula »thront«, hieß es. Auf die Art ist Paulundpaulas Kaufhalle wieder zu neuem Ruhm in Berlin gekommen. Der Zulauf aus Prenzlauer Berg und Mitte war erheblich. Die Leute sind gepilgert gekommen, um Paula in ihren Kleidern zu sehen und zu bewundern. Es lag aber nicht nur an Paula und ihren Kleidern, daß die Leute gekommen sind.
Paulundpaula haben noch nicht lange zusammen in der Kaufhalle gearbeitet, da hat sich allerhand getan. Es fing an mit der Sauberkeit. Plötzlich lag im ganzen Laden kein Stück Papier mehr auf dem Boden. Die Waren lagen blitzblank in den Regalen. Die großen Scheiben waren immer geputzt. Man konnte tatsächlich hindurchsehen. Plötzlich sind auch alle Einkaufswagen in Ordnung gewesen. Ihre Räder haben sich gedreht, so daß man sie nicht mehr hinter sich herschleifen mußte, und sie haben sich gedreht, ohne zu kreischen. Die Frauen an den Kassen und die Kunden haben aufgeatmet. Eines Tages sind sogar wieder alle Eingangstüren offen gewesen. Paul war schon immer für großzügige Eingänge gewesen; vor allem bei öffentlichen Gebäu-

den. Eine Reihe von Türen, möglichst aus Glas, das war nach seiner Meinung entgegenkommend und freundlich gedacht von den Architekten. Sobald die Gebäude aber ihren Nutzern übergeben werden, war Pauls Beobachtung, ist von zwölf oder sechs oder vier Türen nur noch eine halbe offen, und auch die nicht so, daß man sie auf den ersten Blick als offen erkennen kann. Meist ist man gezwungen, die gesamte Türfront abzulaufen, um die einzige halbe offene Tür zu finden. So ist es, nach Paul, bei der Post, bei Ministerien, Warenhäusern, Theatern, Museen und Kinos. »Bei Kinos habe ich sogar noch Verständnis dafür. Ich als Kinoleiter hätte sicher auch Komplexe, jeden Abend alles in allem drei Mark fünfzig einnehmend, alle meine Türen aufzureißen. Aber überall sonst *wollen* die Leute doch reingehen – oder sollen sie nicht?«
Paul ist nicht hinter die Ursachen der Türschließerei gekommen. Er hatte es sich aber im Laufe der Zeit zur Gewohnheit gemacht, wenn er durch eine dieser halb offenen Türen ging, den zweiten Flügel zu entriegeln. Und Paul nahm sich vor, wenn er jemals im Leben die Verfügungsgewalt über Türen haben sollte, dann sollten sie immer offen sein, und zwar alle.
In der Kaufhalle hat er es verwirklicht. Auch alle anderen Neuerungen waren auf ihn zurückzuführen. Paul war zwar nur Transportarbeiter, aber er stand sich bald sehr gut mit allen Frauen und mit der Chefin. Sie war froh, daß Paul alles in die Hand nahm, was sie schleifen lassen mußte, weil sie alle Hände voll mit den Abrechnungen zu tun hatte und dem Ausfüllen der Statistiken und den Arbeitsbesprechungen beim Ltr. Hdl. u. Vrsrg. oder, wie Paul ihn nannte, Liter Händel und Wirsing.

Nach den Türen waren Pauls nächstes Unternehmen die Einkaufswagen mit den kreischenden Rädern, und dann hat er sich um Fensterputzer gekümmert. Pauls Hauptbeschäftigung aber war die Annahme von Waren. Das in den Griff zu kriegen, war für Paul am schwierigsten. Ohne Paulas Hilfe hätte er keine Chance gehabt. Denn es gab praktisch kein Mittel, die Fahrer der Lieferwagen zur Pünktlichkeit zu bewegen und zur Lieferung von wirklich frischen Waren – jedenfalls soweit die Fahrer dafür verantwortlich waren. Ihre Fahrzeuge zum Beispiel sind fast alle so gut wie schrottreif gewesen. Was da auf den Hof fuhr war laut Paul mitleiderregend. Im Grunde konnten sich die Männer jeden Tag weigern, auch nur noch einen Meter mit diesen Autos zu fahren. Sie sollen es auch manchmal getan haben. Es ist ihr persönliches Risiko gewesen, sich in diese Autos zu setzen. Es hing zum Beispiel auch von ihren Beziehungen zu den Kaufhallenbesatzungen ab, ob sie noch zwei Kilometer gefahren sind oder lieber gleich in die Werkstatt, wo die »Karren« dann fürs erste stillgelegt worden sind. Die Fahrer waren auch berechtigt, angegangene Waren abzulehnen, und ob sie es taten und welche Waren sie wo abluden, auch das hing von den besagten Beziehungen ab. Folglich versuchte Paul diese Beziehungen zu pflegen, nichts weiter. Das war Pauls »Hauptkettenglied«. Dazu mußte er sich viel einfallen lassen. Eine Voraussetzung ist ein pieksauberer, von allem Gerümpel freier Hof gewesen, auf dem man auch einen Lkw mit Hänger wenden konnte. Jeder Fahrer sollte sofort sehen: Hier wird auf deine Bedürfnisse Rücksicht genommen. Einen LKW mit Hänger rückwärts durch eine normale Einfahrt fädeln, geht, laut

Paul, sehr auf die Nerven, wenn ein Fahrer es noch dazu zwanzigmal am Tag tun soll.
»Da hält er dann doch lieber am Straßenrand und karrt seine Waren in den Laden. Das aber bedeutet für ihn laufen, und das kränkt ihn in seiner Fahrerseele. Denn er ist schließlich kein Läufer, sondern ein Fahrer, und jeder Schritt muß ihm zuwider sein.« Dementsprechend richtete Paul alles so ein, daß den Fahrern und Beifahrern jeder Schritt erspart worden ist.
Paul ist so weit gegangen, die Wagen selbst auszuladen, während den Fahrern ein Frühstück in ihre Kabine gereicht worden ist. Und das von Paula in ihren phantastischen Gewändern, in ihrer immer strahlenden Laune. Dabei ist der Extraaufwand für alle nicht groß gewesen, weil auf Pauls Anregung ohnehin jeden Tag eine kleine Mahlzeit gekocht wurde, um den Frauen das Leben zu erleichtern. Paul war meistens selbst der Koch. Heißen Kaffee gab es den ganzen Tag über. Während die Fahrer pausierten, machte Paul sogar diesen oder jenen Handschlag an den Wagen. Dabei ist er nicht so weit gegangen, Lampen und Scheiben zu putzen. Aber einen hinkenden Scheibenwischermotor brachte er wieder in Gang oder einen Blinkgeber. Später stellte er auch Zündungen ein. In einem Schrank hatte er zuletzt ein kleines Lager von Kleinteilen, die jeder Fahrer gebrauchen konnte. Bestechungen nahm Paul aber nicht vor. So ist es gekommen, daß bei Paulundpaula gelegentlich Waren abgeladen worden sind, die zu den Mangelartikeln gehörten. Es hat sich sehr schnell herumgesprochen, was bei Paulundpaula los war. Die Leute haben gesagt: Dies und das gibt es nicht? – Gehen wir zu Paulundpaula. Oder: Dies und

das gibt es nicht mal bei Paulundpaula. Also lassen wir es bleiben. Es hieß: Bei Paulundpaula gibt es alles, und die Kaufhalle war zum Brechen voll. Aber auch, als es sich herumgesprochen hatte, daß es bei Paulundpaula keineswegs alles gab, ist es voll geblieben. Für Paul war das ein Beweis dafür, daß es im Handel – Paul: »Handel in Anführungsstrichen« – auch noch andere Attraktionen gibt, als alles haben zu können, was es gibt. Sondern daß man auch fett werden kann von dem, was es gibt. Paul: »Davon möchte es dann allerdings alles sein und nicht nur ein Drittel oder ein Viertel. Und es möchte auch in würdiger Form angeboten werden, also staubfrei, übersichtlich, und der abgetaute Schlamm in den Kühltruhen darf nicht nur nicht zwei Zentimeter hoch stehen, sondern es darf überhaupt keine Rede von Schlamm sein.« »Soll ich vielleicht jeden Apfel einzeln putzen«, hat die eine Verkäuferin gefragt. Paul konnte darüber nicht verfügen. Paul war nicht der Chef. Aber wenn er Zeit hatte, stellte er sich hin und putzte die Äpfel. Er besprengte auch regelmäßig das Gemüse, und er hat es gewaschen und nicht, wie es vom Wagen kam, in die Regale gelegt.
Paul war der Meinung, daß der Abschied vom alten Handel auch den Abschied von den Gebräuchen des alten Handels nach sich ziehen mußte. Auch, daß es kein Mittel gibt, sie wieder zum Leben zu erwecken. Da hilft auch nicht, daß man bei Worten wie Gewinn, Markt, Vertrag bleibt. Man kann einen Menschen, laut Paul, nicht davon überzeugen, »Äpfel zu putzen, wenn es ihm in jeder Weise gleichgültig sein kann, ob und wieviel davon verkauft werden.« Paul war folgender Ansicht: »Wenn ich schon auf einem Markt handeln

soll, der keiner ist, und wenn ich schon mit meinen ›Kunden‹ nicht mehr reden kann, weil ich entweder nur Waren in die Regale staple oder hinter der Kasse sitze, dann kann ich das trotzdem so tun, als wäre ich wirklich an den Leuten interessiert und daran, daß sie bei mir kaufen. Das kostet einige Phantasie. Es ist aber auch nicht ohne Gewinn. Ich hab' das Haus voller zufriedener und daher freundlicher ›Kunden‹, und das macht wieder mich zufrieden und freundlich, und das ist auf die Dauer besser als das Gegenteil.« Kunde setzte Paul in Anführungsstriche, weil er vermutet hat, daß das Wort ursprünglich von Kunde wie Nachricht kommt, und ein Kunde einer ist, mit dem auch immer eine Kunde kommt, von fernen Katastrophen, Krieg, Frieden und den Preisen auf anderen Märkten. »Was für Kunde kommt aber heute noch vom Kunden?« hat er gefragt. »Er kommt, packt seinen Kram in den Korb, bezahlt und geht. Die Bezeichnung individueller Bedarfsträger«, hat Paul gesagt, »wäre da viel zutreffender und ist sicher auch schon erfunden worden, wie gesellschaftlicher Bedarfsträger für Betrieb, Milchfett für Sahne, Erdstofftransport für Kiesfuhre.«
Und in dem Sinne sind die Leute bei Paulundpaula wieder Kunden geworden. Sie haben miteinander geredet, und sie haben mit Paulundpaula geredet und mit den anderen Frauen. Es hat viel Lob gegeben für Paulundpaula. Vor allem für die alten Leute sind Paulundpaula ein wahres Mekka gewesen. Sie haben dort ihresgleichen getroffen, und sie haben ausführlich miteinander reden können und weniger das Gefühl gehabt, nur geduldet und gelitten zu sein. Es dauerte auch nicht lange, da stellte Paul für sie Stühle auf und dazu Grün-

pflanzen und zuletzt sogar zwei mannshohe Palmen in Kübeln. Sätze wie: »Haben wir nicht.« »Keine Ahnung, wann geliefert wird.« »Wir können daran nichts ändern.« »Mehr als bestellen können wir auch nicht«, hat es nicht mehr gegeben. Kinder sind bevorzugt worden, weil Pauls Meinung sich durchgesetzt hat, daß sie tatsächlich weniger Zeit haben als Erwachsene, und nicht nur scheinbar, wie es immer heißt. Reinfälle haben Paulundpaula auch erlebt. Es ist ihnen nicht gelungen, beim »Liter Händel und Wirsing« durchzusetzen, daß die Kunden an einer kleinen Theke zwischendurch einen Kaffee trinken konnten. Und sie haben es auch nicht geschafft, bei der Polizei durchzusetzen, daß das Parkverbot direkt vor ihrer Kaufhalle aufgehoben wurde. Paulas Idee, den Autofahrern zu erlauben, mit den Einkaufswagen bis direkt an ihre Autos zu fahren und dort umzuladen, ließ sich dadurch nicht verwirklichen. Trotzdem hat es nicht lange gedauert, da hieß es in ganz Berlin, wenn irgendwas gut klappte, das klappt wie bei Paulundpaula. Es dauerte auch nicht lange, da sind die ersten Leute gekommen und haben Paulundpaula abwerben wollen. Es ist so gewesen, daß ihnen wahre Wunder zugetraut worden sind. Aber Paulundpaula sind ihrer Kaufhalle treu geblieben und ihrer alten Gegend.

Paulundpaula sind in der Zeit viel unter die Leute gegangen. Für die Leute in der Singergegend waren ihre Ausgänge etwas wie Kino. Sie gingen immer den gleichen Weg. Die Singer vor bis zur Frucht, heute

Kommune. Dann die Frucht hoch bis zur Allee, über die Allee weg und die Frieden hoch bis Leninplatz, früher Frankfurter Platz, und dann rein in den Hain. Paula in einem ihrer Gewänder und Paul immer in einem olivgrünen Pullover, der ihm zwei Nummern zu groß war, und in blauen Hosen. Paul hatte sich eines Tages sechs solcher Hosen gekauft und dazu sechs olivgrüne Pullover. So fühlte er sich am wohlsten. Die Pullover hat er zwei Nummern zu groß genommen, weil einer allein im Sommer luftig war, und im Winter konnte er zwei übereinandertragen. Die Haare ließ er sich wieder wachsen. Den Tag über in der Kaufhalle waren sie in einem Netz, der Hygiene wegen. Paul sah schön aus, auf seine Art so schön wie Paula in ihren Gewändern. Paula hatte jeden Tag ein anderes Gewand. Und es ist vorgekommen, daß sie sich noch abends hinsetzte und ein neues schneiderte für den nächsten Tag, weil laut Wetterbericht ein Wetter kommen sollte, für das Paula noch kein Gewand hatte. Dabei ist es ihr nicht um wärmer oder kälter, naß oder trocken gegangen. Paula hat Farben nach Wetter gehabt. Es gab grünes, blaues, violettes, hellgraues, beiges oder rosa Wetter für Paula. Und dazu mußte sie ein passendes Gewand haben, sonst fühlte sie sich nicht wohl. Je näher Paulas Niederkunft kam, desto farbempfindlicher ist sie geworden. Sie spürte die Farben auf der Haut. Sie hatte auch einen Widerwillen gegen bestimmte Farben, der ihr selbst unangenehm wurde. Aber sie konnte nichts dagegen machen. Und wenn zum Beispiel rotes oder blaues, graugrünes oder braunes Wetter herrschte, dann ist sie nicht mehr auf die Straße gegangen. Sie zog die Vorhänge zu. Nur so

konnte sie es aushalten. Olivgrün, wie Pauls Pullover, konnte sie gut vertragen. Diese Sache mit den Farben ist die einzige gewesen, in der Paula während der Schwangerschaft empfindlich war. Sie konnte alles essen, alles anfassen, alles hören und alles machen, was sie auch sonst gemacht hat. Sie machte es laut Paul nur schöner und auch langsamer. Trotzdem schaffte sie nicht weniger als zuvor. Das lag daran, daß Paula alle überflüssigen Bewegungen wegließ. Paul ist sich neben Paula zapplig und nervös vorgekommen. »Paula ist nicht mehr gelaufen, sie ist gewandelt«, hat er gesagt. »Paula setzte sich nicht mehr hin, sie ließ sich nieder. Sie stand auch nicht mehr auf, sie erhob sich. Sie lag nicht, sie ruhte, sie redete nicht, sie sprach.« Man konnte Paula auch nicht mehr hübsch, nett, adrett oder etwas in der Art nennen, sondern nur noch schön. Paula fand sich selber schön. »Es gibt nichts Schöneres als das«, hat sie gesagt. Und wenn Paulundpaula abends oder nachmittags in den Hain gegangen sind, haben die Leute in den Fenstern gelegen oder sie sind mitten auf der Straße stehengeblieben. Paulundpaula sind auch photographiert worden, von Touristen und Ausländern. Wenn sie durch die Frucht zur Allee hochgegangen sind, haben zuletzt mehr Leute zugesehen als beim großen Wachaufzug Unter den Linden. Sie lächelten Paulundpaula zu und grüßten sie, und viele haben sich nach Paulas Befinden erkundigt. Oft sind Kinder ein Stück mit ihnen gegangen. Sie sind sehr stolz gewesen, wenn sie an Paulas Hand gehen durften. So sind Paulundpaula oft mit einem ganzen Schwarm in den Hain gekommen.
Damals ist auch das Paulundpaulaspiel ein Stück länger

geworden. Die Kinder in der Singergegend hatten das Paulundpaulaspiel schon lange erfunden. In dem Spiel ist alles von Paulundpaula vorgekommen. Paul lag vor Paulas Tür, mußte Paula immer festhalten, wenn sie über ihn wegstieg. Paul prügelte sich mit Saft, und Paul war immer der Sieger. Wenn Saft stärker war und Paul nicht gewinnen ließ, war er ein Spielverderber. Jeder Junge wollte am liebsten Paul sein und jedes Mädchen Paula. Beliebt war aber auch die Rolle von Pauls Frau, weil sie sehr schön sein durfte. Dann gab es noch den Tanzmeister. Der wurde in eine Kiste gesperrt und mußte zusehen, wie Paul und seine Frau sich vergnügten. Zuletzt mußte Paul immer Paulas Tür einschlagen und durfte Paula küssen. Dann kam dic Polizci und nahm Paul fest. Damit war Schluß. Aber als die Mädchen dann Paula in ihren Gewändern gesehen haben und mit ihrem dicken Bauch, haben sie ein anderes Ende erfunden. Sie haben sich in alte Gardinen gehüllt und sich ein Kissen darunter gestopft, und Paul mußte mit Paula eine große Runde drehen, die anderen Kinder hinterher. Die Polizei mußte zusehen und durfte Paul nicht anfassen, weil er an Paulas Hand war und Paula unter Schutz stand. Das Spiel hat aber meistens mit Zank geendet, weil die Polizisten sich meistens doch an Paul vergriffen haben. Sie waren der Meinung, sie dürften jeden verhaften, und je nachdem, wer stärker gewesen ist, ist Paul verhaftet worden oder Paul und Paula und alle anderen haben gewonnen oder Paul ist verschwunden gewesen und keiner konnte sagen, wohin.

Eines Tages ist es soweit gewesen, daß der Geldkasten von Paulas Kasse nicht mehr aufspringen konnte. Paulas Bauch war im Wege. Und wenn sie ihren Stuhl zurücksetzte, kam sie mit den Armen nicht mehr an die Tasten. Paula mußte nun, ob sie wollte oder nicht, ihren Urlaub antreten. Sie wollte nicht. Sie fühlte sich sehr wohl und sehr arbeitsfähig. Sie wollte bei Paul sein und nicht den ganzen Tag über allein mit sich.
Die Frauen in der Kaufhalle hatten zwar das vollste Verständnis für Paula, aber sie haben nicht zugelassen, daß Paula auch nur einen Tag länger hinter ihrer Kasse blieb. Auch Paul konnte dagegen nichts tun, obwohl er der Meinung war, daß es falsch war, auch wenn die Frauen es nur gut meinten. Paul war der Meinung, daß ein Mensch unter Umständen am besten selbst weiß, was für ihn gut ist, und daß man ihn, selbst wenn es nicht gut zu sein scheint, »tun lassen muß, was er zu tun für gut befindet«. Trotzdem konnte Paula keiner daran hindern, ihre meiste Zeit in der Kaufhalle zu verbringen. Sie kochte Kaffee, schwatzte mit Paul, mit den Frauen, mit den Fahrern und nahm die Telefonate entgegen. Auch stand Paula die ganze Zeit unter ärztlicher Aufsicht, obwohl sie nicht jede Woche zu ihrem Professor in die Sprechstunde gegangen ist. Aber fast immer, wenn Paulundpaula in den Hain gingen, haben sie sich dort mit dem Professor getroffen. Der Professor pflegte gegen Abend durch den Hain zu gehen und mit Paulundpaula über Gott und die Welt zu reden. Dabei ist nie ein medizinisches Wort gefallen und auch keines über die Geburt. Trotzdem ist nach Pauls Meinung alles Wichtige besprochen worden. Er hatte den Verdacht, daß der Professor und Paula einen Code

benutzten, um ihn zu schonen. Das hätte Paula ähnlich gesehen.
Auch der Tag der Geburt stand für Paula und den Professor fest. Der Tag der Empfängnis war allen bekannt und weder Paula noch der Professor hatten irgendeinen Zweifel daran, daß die Geburt genau zweihundertachtzig Tage danach stattfinden würde und keine Stunde früher und keine Stunde später. Und so ist es eingetroffen.
Genau auf die Stunde neun Monate, nachdem Paul Paulas Tür eingeschlagen hatte, hat Paula nach einem kleinen Koffer mit ihren Sachen gegriffen und gesagt: »Gehn wir.« Sie war in einem Gewand, das sie für diesen Tag entworfen hatte. Die Frauen in der Kaufhalle hatten es schon am Morgen bestaunt. Alle gaben sich große Mühe, Paula nicht merken zu lassen, daß sie die ganze Zeit nur an eins dachten: daß sie Paula vielleicht zum letztenmal sahen. Sie haben sich so große Mühe gegeben, daß sie alle zusammengebrochen sind, als Paula losgegangen ist. Der Betrieb in der Kaufhalle ist für lange Zeit zum Erliegen gekommen, ohne daß irgendein Kunde sich beschwerte. Alle wußten, was auf dem Spiel stand. Und auch als die Frauen sich wieder hinter ihre Kassen setzten, hatten sie bis zum Feierabend noch nasse Gesichter. Paul fand es nicht gut, daß die Frauen sich die Tränen verbissen hatten, solange Paula da war. Er war der Meinung, daß man vor einer Frau wie Paula Mitleid und Angst nicht verbergen mußte. Dementsprechend verhielt sich Paul, als Paula nach ihrem Koffer gegriffen hat. Er fing an zu zittern, und er tat nichts, um sein Zittern zu unterdrücken. Er hat gezittert wie nie in seinem Leben, daß ihm der kalte

Schweiß den Rücken abwärts gelaufen ist. So sind sie zu dritt aus der Wohnung gegangen, Paul, Paula und Paulas Mädchen. Es hat keine Wohnung im ganzen Haus gegeben, deren Tür in dem Moment nicht offenstand. Und als Paulundpaula auf die Straße gekommen sind, gab es in der ganzen Singer kaum ein Fenster, das nicht besetzt gewesen wäre. Genauso ist es in der Frucht und der Palisaden gewesen, bis hin zum Hain. Es ist für Paulundpaula keine Frage gewesen, daß sie den Weg zu Fuß gegangen sind. Paulas Wehen haben erst eingesetzt, als sie die Klinik betreten hat. Später hieß es: Die Glocken der Auferstehungskirche haben geläutet, als Paulundpaula vorbeigegangen sind. Es ist auch gesagt worden, die Uhr ist auf halb elf stehengeblieben und seitdem keine Minute weitergegangen. Auch soll Paulas Professor sie schon auf der Straße erwartet haben. Davon ist nur wahr, daß der Professor Paula erwartet hat, als wären sie fest verabredet gewesen. Der Professor und Paula lächelten sich an, sind aber beide tiefernst gewesen. Von dem Moment an wollte Paul nur noch eines: daß alles ein Traum sein sollte oder daß er selbst an Paulas Stelle treten könnte.
Paul und Paulas Tochter haben ein leeres Krankenzimmer mit zwei Betten für sich bekommen.
In der Sekunde, als Paula den Koffer mit ihren Sachen aus der Hand gelegt hat, haben bei Paula die Wehen eingesetzt. Auch sie fing jetzt an zu zittern. Zitternd haben sich Paulundpaula umarmt, und Paulas Tochter hat sich an beide gedrückt. Der Professor brachte Paula gleich in den Operationssaal. Paul und das Mädchen haben sich in ihrem Zimmer auf die Betten gelegt. Paul konnte nur noch den einen Gedanken denken, daß er

Paula vielleicht zum letztenmal bei Bewußtsein gesehen hatte. Als der Gedanke so stark geworden war, daß Paul ihn nicht mehr ertragen konnte, ist die Tür aufgegangen und eine Schwester hatte Paulas Kind im Arm. Es war ein kräftiger Junge, blond, wie er geblieben ist. Paul hat gesagt, daß er das Kind kaum wahrgenommen hat. Er wußte, daß der große Kampf um Paula jetzt erst anfing. Er hat sich wieder auf sein Bett gelegt, und dann ist Paulas Tochter gekommen und hat sich fest an ihn gedrückt. Sie haben sich in die Arme genommen und sich gewärmt, und das hat beiden geholfen.
Paula hat es nicht geholfen.

GEGEN MORGEN ist der Professor zu Paul ins Zimmer gekommen. Er ist hohlwangig gewesen und hatte rote Augen. Da wußte Paul, daß alles vorbei war. Er nahm das Mädchen an die Hand und folgte dem Professor in das Zimmer, in dem Paula lag. Paula ist bei Bewußtsein gewesen. Sie ist sehr schön gewesen. Sie ist so weiß wie das Bettzeug gewesen. Links und rechts von ihrem Bett stand ein Stuhl. Paul und das Mädchen haben sich gesetzt, und jeder hat eine Hand von Paula genommen. Der Professor ist bei ihnen geblieben. Paula sah jeden von ihnen sehr lange an. Dann sah sie nur noch geradeaus. Sie hat nichts gesagt, auch Paul nicht. Paul wußte, daß Paula die Kraft zum Sprechen gehabt hat. Es hat aber nichts zu sagen gegeben. Paul und das Mädchen haben Paulas Hände so lange gehalten, bis sie kalt gewesen sind. Dann erst gaben sie Paula ihre

Hände zurück. Sie sind denselben Weg zurückgegangen, den sie mit Paula gekommen waren. Sie sind Hand in Hand gegangen. Es ist sehr früh am Morgen gewesen. Sie haben keinen Menschen getroffen. Um die Zeit ist es in der Singer immer sehr still gewesen. Aber an keinem Morgen war es in der Singer so still wie an dem Morgen, als Paul und das Mädchen in die Singer eingebogen sind. Es war, als hätten alle Leute den Atem angehalten. Als Paul die Wohnungstür aufgeschlossen hat, ist er gleich hinter der Tür zusammengebrochen. Wir haben Paul auf das Bett gelegt und ihn versorgt. Keiner aus dem Haus hat gefehlt. Die meisten hatten nasse Gesichter. Paul hat später gesagt, daß es Paulas Duft war, der noch in der Wohnung gewesen ist, der ihn umgeworfen hat.

So BEGANN der zweite Teil von Pauls sogenanntem Leben, wie er selbst es nannte. Denn von Leben in dem Sinne konnte Pauls Meinung nach keine Rede mehr sein, eigentlich nur noch von Überleben. Als Paul wieder bei Bewußtsein war, hatte er weiße Haare. Das Mädchen hat es ihm gesagt. Paul glaubte es ihr, ohne in den Spiegel zu sehen. Es waren aber nicht alle seine Haare weiß. Es ist eine Strähne über dem linken Ohr gewesen und hier und da einige Spitzen. Es ist aber ein Irrtum, daß seine Haare weiß geworden sind, als er nicht bei Bewußtsein war. Sie sind an Paulas Bett weiß geworden. Meine Person konnte die weiße Strähne schon sehen, als Paul und das Mädchen am frühen Morgen in die Singer eingebogen sind.

Paul war zu Bewußtsein gekommen, aber er ist nicht aufgestanden. Er ist liegengeblieben. Keiner wußte, ob er nicht aufstehen konnte oder ob er nur nicht wollte. Auch Paul nicht. Und keiner fragte ihn danach. Paul sah nicht so aus, als wenn er auf diese Frage geantwortet hätte. Paul: »Es bestand keine Notwendigkeit aufzustehen, folglich bin ich liegengeblieben.« Er aß in der Zeit nichts, trank nicht und redete nicht. Er ist sehr eigen gewesen, und er ist auch sehr eigen geblieben. Im zweiten Teil seines Lebens kam es zum Beispiel nicht selten vor, daß Paul tagelang schwieg. Er ist deswegen nicht schwierig gewesen. Er ist freundlich gewesen, er hörte zu, aber er schwieg.

Pauls Frau ist gekommen, um an seinem Bett zu weinen. Sie gab Paul aber auch zu verstehen, daß er jeden Tag zu ihr zurückkommen könnte, oder sie zu ihm, ganz wie Paul wollte, schon der Kinder wegen. Sie bot ihm an, alles für ihn zu erledigen, was zu erledigen war. Aber alles, was tagtäglich zu erledigen war, hat das Mädchen erledigt, und alles, was Paulas Beerdigung betraf, hat meine Person erledigt. Paul gab sehr genaue Anweisungen: keine Totenfeier, keine Beisetzung, keine Blumen, keine Anzeige, keine Gäste. Er wollte auch den Platz nicht wissen, an dem Paulas Urne beigesetzt werden sollte. Er ließ den Sarg kaufen für die Verbrennung, das war alles. So hatte er Paula verstanden. Paul ist der Meinung gewesen, daß ihn keine Macht der Welt zwingen konnte, »ekelerregende Gebräuche gelegentlich von Beerdigungen« über sich ergehen zu lassen, die nur eins besagen, daß es »kein Verhältnis zum Tod gibt«, daß »offensichtlich keiner in der Lage ist, den Tod zu bewältigen«, daß alle »nur damit beschäftigt sind, zu leben und sich selbst für unsterblich zu halten und den Tod für einen Störfaktor, für den man leider keinen so recht verantwortlich machen kann«.

Am Tag, an dem Paulas Urne beigesetzt werden sollte, hat sich Paul erhoben. Er ließ das Mädchen nicht zur Schule gehen. Er ist mit ihr ins Krankenhaus gegangen und hat sich das Kind aushändigen lassen. Er gab ihm denselben Namen, wie ihn Paula ihrem ersten Sohn gegeben hatte. Der Junge lächelte ihn und das Mädchen an, als sie ihn in Empfang nahmen. Er ist vom ersten Tag an das friedlichste und freundlichste Kind gewesen, das man sich denken kann, und so ist es geblieben. Der Kinderwagen ist ein Wagen gewesen, den Paul aus mehreren alten Wagen nach seinen eigenen Vorstellungen gebaut hat. Bei seinem Wagen verzichtete Paul zum 4Beispiel auf die hohen Räder. Er nahm kleine Räder, dafür aber hohe Bordwände. Als der Junge stehen konnte, mußte Paul ihn nicht anbinden. Um dem Kind mehr Sicht in der »Liegephase« zu geben, konstruierte Paul einen Einlegeboden, der verstellbar war. Der Wagen hatte auch nur drei Räder und ließ sich besser rangieren. Paul ist mit dem Wagen immer aufgefallen. Nicht selten haben Leute sich den Wagen genauer angesehen und gefragt, wo man so einen Wagen beziehen oder ob Paul nicht für sie den gleichen Wagen bauen kann. Aber abgesehen von dem Wagen, ist Paul auch so aufgefallen, wenn er unterwegs war, als Mann mit Kinderwagen. Und Paul war viel unterwegs. Er ist gleich am ersten Tag mit dem Jungen im Wagen und dem Mädchen zu Fuß nach Baumschulenweg gepilgert und ist mit ihnen auf den Rasen im Urnenhain gegangen, unter dem an irgendeiner Stelle die Urne von Paula liegt und auch die von Paulas erstem Sohn. Das Mädchen und Paul haben gewußt, warum sie das taten, sonst keiner. Sie legten den Jungen ins Gras und sich dazu. Fast im selben Moment kam ein Mann vom Friedhof auf sie zu. Paul konnte sich erinnern, daß in seiner Rede die Worte Pietät, heilige Ruhe, deutsche Friedhofsordnung, Ausweis und Polizei vorgekommen sind. Paul hat ihn nur stumm angesehen, sich aber nicht von der Stelle gerührt, und der Mann hörte auf zu zetern. Paul konnte die Flasche nehmen und sie dem Jungen geben. Es ist mit Sicherheit Pauls Art gewesen, die den Mann zum Schweigen gebracht hat. Paul konnte einen Blick haben, der manche zwang, hinter sich zu sehen, als wenn Paul durch sie hindurch sehen könnte und hinter ihnen ihren Geist. In Wahrheit war Paul nur oft sehr abwesend. Er selbst wußte nichts davon. Er wußte nur, daß er mit seinen Gedanken oft bei Paula war. Dann soll es so gewesen sein, als wenn Paula anwesend war.

AM HÄUFIGSTEN war Paula in der Wohnung anwesend. Paul hat in der Wohnung nichts verändert. Er tat das nicht bewußt. Es bestand keine Notwendigkeit, etwas zu verändern. Das Bett von Paulas Sohn stand noch da,

wo es immer gestanden hatte. Selbst das Bettzeug ist noch im Bett gewesen. Paul brauchte den Jungen nur in die Kissen zu legen. Auch Paulas Sachen sind an derselben Stelle geblieben, zum Beispiel ihre vielen Gewänder. An den Gewändern lag es, daß Paulas Duft nach wie vor in der Wohnung war. Warum Paula nach wie vor da war, hat Paul nicht gewußt. Für ihn war es eine Tatsache, und das genügte ihm. Er konnte mit Paula über alles sprechen, worüber zu sprechen war. Zum Beispiel, wie er den Jungen versorgen und großziehen sollte. Paul fragte Paula, wie er ihn wickeln sollte und wie er ihn in der Badewanne halten sollte, damit er kein Wasser schluckte. Wie er zu ernähren war, darüber ist sich Paul mit Paula von vornherein einig gewesen. Er bekam immer dann die Flasche, wenn er sie wollte, auch wenn es mitten in der Nacht war. Das machte mal Paul, mal das Mädchen. Das erledigten sie fast im Schlaf. Der Junge dankte es ihnen damit, daß er schon nach drei Tagen die Nacht durchschlief.
Es ist aber nicht so gewesen, daß Paul seine Gespräche mit Paula laut führte wie ein Selbstgespräch, obwohl auch das vorgekommen ist. In der Regel hat Paul stumm gefragt, und Paula hat stumm geantwortet. Eines ließ sich aber kaum vermeiden, daß Paul ab und zu lächelte oder laut lachte. Und da er mit Paula nicht nur allein und in geschlossenen Räumen redete, haben andere ihn beobachtet, und es dauerte nicht lange, und die ganze Singer war der Meinung, daß Paul Paulas Tod im Kopf nicht überstanden hat. In Wahrheit war es nichts weiter, als daß Paul stark auf Paula konzentriert war.

PAULS ABWESENHEIT wurde immer häufiger, und das hatte seinen besonderen Grund. Als er sich eines Tages sehr stark auf Paula konzentrierte, war sie die erste, die etwas zu ihm sagte, also ohne auf eine Frage von Paul zu warten, und das machte Paul sehr glücklich. Und je öfter und je länger er sich auf Paula konzentrierte, desto öfter und länger ist Paula bei ihm gewesen und hat mit ihm gesprochen. Und eines Nachts ist es soweit gewesen, und Paula ist zu Paul gekommen, in sein Bett und hat ihn geliebt wie all die Monate vor ihrem Tod.
Von dem Tag an war Paul kaum noch ansprechbar – ausgenommen von den Kindern und meiner Person. Was alle anderen von ihm wollten, hat ihn nur gestört, und was sie von ihm dachten, interessierte ihn nicht. Alle anderen in der Singer dachten, daß Paul nun endgültig nicht mehr zu helfen war.
Er hat allen leid getan. Es gab genug Frauen, die Paula noch im nachhinein um so viel Liebe beneidet haben. Und es waren auch genug da, die Paul immer noch mit Kußhand genommen hätten, wenn Paul einen Sinn für sie gehabt hätte. Obwohl Paul doch mehr gesehen und gewußt hat, als man annehmen konnte. Schon deswegen, weil Paula ihn auf vieles aufmerksam gemacht haben soll. »Die«, soll sie zum Beispiel gesagt haben, »könntest du sofort haben, und mit der da ließe sich auch reden.« Paul wies aber jeden Gedanken an eine andere Frau weit von sich. Er ist so glücklich gewesen, wie er den Umständen nach sein konnte. An ein Ende dieses Zustandes hat er nicht gedacht.

SCHWIERIG schien Pauls Leben zu werden, als er wieder anfangen mußte zu arbeiten. Keiner war sich sicher, wie Paul die Situation meistern würde. Der erste Punkt war, was mit dem Jungen werden sollte, wer ihn versorgen sollte. Daß Paul sich von dem Jungen trennen konnte, auch nur für Stunden, war undenkbar. Keiner konnte sich das vorstellen, und keiner wagte es, ihm das vorzuschlagen, einschließlich meiner Person. Und Paul machte nicht den Eindruck, als wenn er darüber nachdachte. Es war mühsam genug, ihm klarzumachen, daß er wieder arbeiten mußte. Die Frauen in der Kaufhalle haben schon auf ihn gewartet. Paul fehlte ihnen wie das tägliche Brot. Sie wußten zwar alles über Pauls Zustand, aber sie glaubten, sie selbst oder die Arbeit könnten Paul helfen.
Als Paul mit dem Wagen vor der Tür stand, sind sie sehr entzückt über das Kind gewesen, aber auch kopflos, als ihnen klar geworden ist, daß Paul nicht vorhatte, sich von dem Jungen zu trennen. Paul schob den Wagen samt Kind in seinen Raum, gab ihm die Flasche und wickelte ihn auf seinem Schreibtisch. Dann machte er einen Rundgang durch die Kaufhalle. Eine von den Eingangstüren war wieder zu, was sich keiner erklären konnte. Aber den Grünpflanzen und den Palmen ging es gut. Die Frauen haben ihn mit den Augen verfolgt und gesehen, wie er auf seinem Gang immer mal wieder mit Paula sprach oder einfach nur auf Paula lauschte. Sie waren unsicher, was die Kunden zu Paul sagen würden. Es sind fast nur Stammkunden dagewesen,

alles Leute aus der Gegend, die schon lange über Paul Bescheid wußten. Die Leute haben getan, als wenn sie Pauls Eigenheiten nicht bemerkten. Manche sprachen ihn auch an, und manche haben auch eine Antwort erhalten, wenn Paul Zeit hatte. Paul fing an zu begreifen, daß er mit einem Zustand wie seinem gar nicht schlecht leben konnte. Er begriff, daß er nur das zu sich durchdringen lassen mußte, was er wollte. Abgesehen von den Dingen, die von sich aus nicht zu ihm durchgedrungen sind. Die Kaufhallenchefin ist zu Paul gekommen und hat ihm auf langen Umwegen klarzumachen versucht, daß der Junge in der Kaufhalle kein Dauerzustand sein kann. Sie konnte sich nicht vorstellen, daß der zuständige Liter Händel und Wirsing sein Amen dazu geben würde. Paul sah sie nur groß an und war sehr abwesend. Und ebenso machte er es, als sie es zwei Tage später und dann noch einmal versuchte. Und dann ist plötzlich der zuständige Liter Händel und Wirsing selbst in der Kaufhalle erschienen, mitsamt einer Delegation der Mongolei, um seinen besten Laden vorzuführen. »Um einen Einblick in die alltägliche Handelstätigkeit zu geben.« Da wußte sich die Chefin nicht anders zu helfen, als sich den Jungen zu greifen und ihn als ihren eigenen auszugeben. Der Erfolg war groß. Die Mongolen waren sehr erfreut und beeindruckt von soviel Kinderfreundlichkeit im Handel, und der Liter Händel ist erfreut gewesen, daß die Mongolen so erfreut gewesen sind. Aber die Chefin hatte noch im nachhinein Schweißausbrüche und verlangte ohne alle Umschweife von Paul, daß der Junge in die Krippe kommt. Aber da ist es schon zu spät gewesen. Da haben die anderen Frauen protestiert. Sie wollten den Jungen nicht mehr missen, und damit hat der Junge seinen Platz gehabt, und Paul ist aller Sorgen ledig gewesen. Es zeigte sich, daß nichts dagegen sprach, daß der Junge anwesend war. Pauls Meinung dazu war, daß sich offensichtlich viele Probleme lösen lassen, wenn es jedem gelingt, soviel Aufmerksamkeit auf sich zu lenken, wie es ihm als armem Irren gelungen ist. Eine vollwertige Arbeitskraft ist Paul aber trotzdem nicht mehr gewesen.

Paul mußte einen Teil der Arbeitszeit für Paula verwenden. Wie er gesagt hat, verlangte Paula seine ständige Aufmerksamkeit, und es ist Paul sehr schwergefallen, wieder in Kontakt mit ihr zu kommen, wenn er sie eine Weile aus den Augen ließ. Immer dann sah er, daß ein Leben ohne Paula eigentlich nur noch ein Überleben war, und davor graute ihm. Aber am meisten graute ihm davor, daß Paula eines Tages nicht mehr da sein würde, »endgültig nicht mehr zu sprechen«, nämlich dann, wenn er sich von anderen Dingen ablenken ließ, zum Beispiel von Arbeit. Er ist der festen Meinung gewesen, daß dies Paulas endgültiger Tod gewesen wäre, und daran wollte er nicht schuld sein, schon um seiner selbst willen nicht. Er ist auch des festen Glaubens gewesen, daß er nach einer Nacht ohne Paula eines Tages selbst nicht mehr aufwachen könnte und die Kinder sich selbst überlassen wären. Das ist noch nicht alles gewesen. Paul hatte eine große Hoffnung und eine große Idee: daß es ihm eines Tages gelingen würde, Paula wirklich wieder zum Leben zu erwecken, in Fleisch und Blut. Davon wußte niemand etwas außer meiner Person, der er es mitgeteilt hat. Erst sehr viel später gab Paul zu, daß dies von all seinen fixen Ideen die fixeste gewesen ist. Aber bis dahin sind Dinge geschehen, die für Paul und uns alle wie Wunder gewesen sind.

In der Kaufhalle suchte sich Paul eine Arbeit, die ihm erlaubte, sich völlig auf Paula zu konzentrieren. Er putzte nur noch die Waren in den Regalen. Das hat seinen Kopf nicht weiter angestrengt, und nötig ist es außerdem gewesen, und dem Ruf der Kaufhalle konnte es nur nutzen. Zwar konnte Paul sich nun nicht mehr um die Lieferautos und die Fahrer kümmern, und dementsprechend schlecht sah es bald mit der Belieferung aus. Aber was in den Regalen stand, und wenn es nur das Notwendigste und immer das gleiche war, ist so sauber gewesen und staubfrei und stand so in Reih und Glied wie nirgendwo.
Außer Vorteilen hatte Pauls Zustand aber auch sehr viele Gefahren, mehr Gefahren sogar als Vorteile. Paul wußte es nur nicht. Wir alle haben gezittert, wenn Paul die Kinder nahm und mit ihnen losgegangen ist. Wir sind nie sicher gewesen, ob wir ihn wiedersehen würden oder nicht. Jeder wußte, wenn irgendeine der zuständigen Stellen Pauls Zustand erfährt, wird sie ihn nicht mehr an die Kinder lassen, jedenfalls nicht als Erziehungsberechtigten. Die Gefahr lag aber nicht bei den Singerleuten oder den Leuten aus Friedrichshain oder Prenzlauer Berg. Die haben wie immer alles über Paulundpaula für sich behalten. Die Gefahr lag bei Paul selbst. Er ist zum Beispiel mit den Kindern bei Rot über die Straße gegangen – allerdings nur, wenn wirklich

weit und breit kein Auto zu sehen war. Jeder Zusammenstoß mit dem erstbesten Polizisten konnte zur Katastrophe führen. Paul wäre weitergegangen, ohne sich Gedanken darüber zu machen, daß es kaum etwas Schlimmeres gibt als einen Polizisten, der sich übersehen fühlt. Noch schlimmer konnte die Sache ausgehen, wenn Paul ans Abgeben von Erklärungen kam. Paul hätte ohne weiteres erklärt, daß er es für absurd hält, nicht über eine Straße zu gehen, nur weil da eine rote Lampe leuchtet. Und für noch absurder, wenn hüben und drüben je fünfzig meist mündige Leute stehen, von einem Fuß auf den anderen treten, sich aber trotzdem nicht vom Fleck bewegen. Ganz abgesehen von dem Zeitverlust. Bei nur einer Warteminute hüben und drüben sind das hundert Minuten, hundert Lebensminuten. Und das nur an einer Kreuzung in einer Stadt. Wer das verantworten will? Da hätte in der Luft gelegen: »Zeigen Sie mal Ihren Ausweis!« Und was dann gekommen wäre, konnte leicht damit ausgehen, daß man Paul für unzurechnungsfähig erklärte. Deswegen hat meine Person Paul so oft begleitet wie möglich.
In der Kaufhalle fing Paul an, den Leuten, meist alten Leuten, Rentnern, die Einkaufskörbe voll zu packen, und wenn sie gesagt haben: »Das können wir doch nie im Leben bezahlen«, dann hat Paul gesagt: »Das hat schon seine Richtigkeit.« Und die Frauen an der Kasse spielten mit, um Paul zu decken. Sie haben den Kaffee, Wein und was Paul sonst noch verteilte, nicht berechnet.
Der Chefin haben sie nichts gesagt. Am Ende ist auch alles auf eins herausgekommen – und die Rechnung hat trotzdem gestimmt, weil es in der Kaufhalle praktisch

keine Diebstähle mehr gegeben hat, seit Paul ständig zwischen den Regalen war, und weil die meisten Leute hinter Pauls Rücken seine Gaben wieder aus ihren Körben herausgenommen haben.
Paul vergriff sich auch nach wie vor an Türen, die geschlossen waren und die seiner Meinung nach offen sein sollten. Er ist nicht in dem Sinne auf Jagd nach geschlossenen Türen gegangen, aber wenn er welche entdeckte, machte er sie auf, da konnte kommen, was wollte. In der Gegend um die Singer hatte Paul sich schon durchgesetzt. Da gab es keine Kaufhalle, keine Post und sonst kein öffentliches Gebäude mehr, in dem nicht alle Türen offen waren.
Eines Tages ist Paul, die Kinder bei sich, an seine ehemalige Dienststelle gekommen. Die Türen waren wie immer geschlossen. Es waren etwa sechs mit Doppelflügeln. Zu einem Handgemenge ist es nur deshalb nicht gekommen, weil der Fiesling zufällig in der Nähe war. Der Mann hat Paul an den Türen arbeiten lassen, hat niemand zu Hilfe gerufen, hat sich Paul aber sehr genau angesehen. Paul ist abgezogen, als alle Türen offen waren. Er dachte, daß sie zehn Minuten später wieder zu sein würden, und er war entschlossen, das zu überprüfen. Das hat er in der Zeit danach zweimal getan und zweimal die Türen wieder geöffnet. Dann sind Ereignisse eingetreten, die Paul gehindert haben, sich weiter darum zu kümmern.

WIR ALLE haben mit Angst und Schrecken dem Tag entgegengesehen, an dem unsere Häuser geräumt wer-

den mußten, der Sprengungen wegen. Die Häuser sind der letzte Rest der alten Singer gewesen, und die meisten von uns sind in der Singer geboren worden oder da groß geworden. Auf fast alle wartete das Altersheim. Aber das größte Problem von allen war Paul mit den Kindern. Keiner konnte sich darüber im unklaren sein, daß Paul sich mit Händen und Füßen an Paulas Wohnung klammern wird und daß ihn keine zehn Pferde aus dem Haus bringen werden. Alle wußten aber auch, daß Paul es hier nicht mit zehn Pferden, sondern mit dem Staatsapparat zu tun kriegen würde, unter Umständen mit sehr viel Staatsapparat. Kein Mensch brauchte viel Phantasie, um sich vorzustellen, daß Pauls wahrer Zustand bei der Gelegenheit an den Tag kam. Keiner wußte, wie das zu verhindern war.
Der endgültige Abrißtag stand fest, aber niemand hat sich getraut, Paul etwas zu sagen. Wir waren uns einig, mit Paul nicht eher zu reden als unbedingt nötig. Helfen konnten wir ihm nicht, aber wir konnten verhindern, daß Paul sich lange vorher mit den Kindern in der Wohnung verbarrikadierte. Das war das mindeste, womit bei Paul zu rechnen war. Das mindeste wäre Polizei gewesen, Lautsprecherwagen, Absperrungen und Feuerwehrleitern auf der einen Seite und Paul, die Kinder auf der anderen, runtergelassene Jalousien, ein Wasserreservoir in der Badewanne und Lebensmittelvorräte in der Speisekammer. Und am Ende die Katastrophe. Paul in Herzberge und die Kinder in der Königsheide. Aber zu alldem ist es nicht gekommen, und gesorgt dafür hat Paula.

Paul stand eines Tages wie immer zwischen seinen Regalen und konzentrierte sich auf Paula, und plötzlich ist Paula in der Kaufhalle gewesen, bei den Kassen, und hat Paul angesehen. Die Frauen an den Kassen haben sie als erste bemerkt. Ihnen ist fast das Herz stillgestanden vor Schreck. Sie hörten auf zu kassieren, und da hat auch Paul Paula gesehen.

Er ist wie vom Blitz getroffen gewesen. Das Glas, das er in der Hand hielt, fiel ihm runter und ist zu Bruch gegangen. Er ging auf Paula zu, wie von einem Magneten gezogen. Aber als er auf halbem Wege gewesen ist, war Paula verschwunden. Andere Leute haben sich zwischen ihn und Paula geschoben, und als sie sich verlaufen hatten, war Paula nicht mehr zu sehen. Paul rannte sofort los, bis vor die Kaufhalle, die Straße rauf und runter, aber von Paula war keine Spur mehr. Paul war völlig verzweifelt. Er war sich nicht sicher, ob Paula nur eine Halluzination gewesen war. Paul befragte die Frauen an der Kasse. Sie waren wie er noch völlig außer Fassung. Sie waren sich selbst nicht einig, ob sie wirklich Paula gesehen haben, oder nur eine Frau, die so ähnlich aussah wie Paula oder nur so wie Paula angezogen war oder ob sie auch eine Halluzination gehabt hatten. Jede von ihnen war anderer Meinung. Für Paul gab den Ausschlag, was die eine von ihnen gesehen haben wollte. Paula sollte die Kaufhalle verlassen haben und in ein Auto gestiegen sein. Dieser Vorfall ist für Paul der Beweis für Paulas Wiedergeburt gewesen. Alle Reden über Doppelgängerin, Irrtum, Täuschung konnten ihn nicht beeindrucken. Auch nicht, daß die Frau keins von Paulas Gewändern oder ihren sonstigen Kleidern getragen hatte, und auch

nicht, daß sie in ein fremdes Auto gestiegen war. Die anderen Kleider und das fremde Auto sind Paul geradezu die Garantie für Paulas Existenz gewesen. Paula in einem ihrer Gewänder oder Paula in Safts Auto, das hätte er eher für eine Halluzination gehalten. Gedanken darüber, wie Paula in fremde Kleider und ein fremdes Auto gekommen ist, hat Paul sich nicht gemacht. Er dachte nur noch eines: Paula ist wieder da – in welchen Kleidern und in welchen Autos, Flugzeugen, Raketen oder fliegenden Untertassen auch immer. Und damit war eingetreten, wofür Paul nur noch gelebt hatte.
Am selben Tag noch ist Paul lange vor Feierabend nach Hause gegangen. Er legte sich ins Bett, und er ließ Paulas Tochter auch wissen, warum: um sich auf Paula zu konzentrieren, die wieder lebte und wieder zu ihnen kommen wollte. Drei Tage verbrachte Paul im Bett, aber Paula ließ sich nicht sehen, und Paul kam auch sonst nicht in Kontakt mit ihr, auch nicht nachts. Trotzdem war Paul nicht enttäuscht. Es hat ihn nur noch in seiner Gewißheit bestärkt, daß Paula wieder am Leben ist. Er zog den Schluß, daß er folglich mit Paula nur auf natürliche Weise in Kontakt kommen konnte. Er wußte nur nicht, ob er nun von sich aus auf die Suche nach Paula gehen sollte oder ob er warten sollte, bis Paula sich blicken ließ. Zuletzt ging er wieder an den Ort zurück, an dem ihm Paula erschienen war – in die Kaufhalle. Er war zu der festen Meinung gekommen, Paula würde sich nie wieder oder in der Kaufhalle zeigen. So kam es, daß Paul für die Frauen in der Kaufhalle zu einem Problem wurde. Paul war fast nicht mehr anzusprechen. Er gab auch das Putzen der Gläser und Regale auf. Die Grünpflanzen und die Palmen

interessierten ihn nicht mehr, und auch um den Jungen mußten sich die Frauen kümmern. Paul hat nur noch tatenlos und geistesabwesend zwischen den Regalen gestanden und gewartet. Es ist niemandem gelungen, Paul auf dem Hof oder irgendwo hinter den Kulissen zu beschäftigen. So haben sich die Frauen nicht anders zu helfen gewußt, als Paul den weißen Kittel zu lassen und ihm einen großen Besen in die Hand zu geben. Daran sollte sich Paul festhalten. Den Kunden gegenüber war seine Anwesenheit gerechtfertigt und vor allem gegenüber allen Delegationen und dem Liter Händel und Wirsing. Und mit der Zeit fing Paul auch wirklich an zu fegen, allerdings nur in der Nähe der Kassen und hinter der großen Fensterfront. Da konnte er sehen und gesehen werden.

In diese Zeit ist der Tag gefallen, dem wir alle mit großer Angst entgegengesehen haben. Das Haus war zu räumen. Wir alle haben den Atem angehalten. Aber Paul ist nur unwirsch gewesen über die Ablenkung. Er wollte nur eins – die Sache so schnell wie möglich hinter sich bringen. Die neue Wohnung war und ist in einem Stadtviertel, das noch keinen Namen hat. Sie hat drei Zimmer. Sie liegt hoch oben in einem Haus, das sich bis heute Scheibe Süd nennt. Die Fenster gehen auf einen Hof, auf dem Meter für Meter Autos stehen, und damals schon standen. Der Hof hat heute noch viele Berge, vom Ausheben der Fundamente für die Scheibe Süd und die anderen drei Scheiben, Nord, Ost und West. Der Hof ist sehr ruhig, bis auf eine Stunde morgens, wenn alle Autos

starten, nachmittags, wenn die Kinder aus der Schule kommen und in den Bergen und Tälern toben, und abends, wenn die Autos zurückkommen. In Scheibe Süd sind alle aus der Singer untergekommen, die in Neubauten gekommen sind, darunter meine Person.
Paul nahm die Kinder und Paulas alte Möbel und alten Hausrat, stopfte alles in die neue Wohnung und ist wieder in die Kaufhalle gelaufen. Er wollte keinen Tag versäumen.
Meiner Person ist ein Stein vom Herzen gefallen. Paul hat sogar eine Menge Hausrat von Paula aus dem Fenster geworfen, als ihm der Umzug zu lange dauerte. Paulas Schneiderpuppe, Schüsseln, Geschirr. Viele von uns sind noch einmal in die Singer gekommen, an dem Tag, als gesprengt wurde, als von der alten Singer endgültig kein Stein mehr auf dem anderen geblieben ist. Auch da fehlte Paul.
Paul konzentrierte sich ganz auf seinen Besen, das heißt auf Paula. »Keine Kaufhalle in ganz Berlin ist damals so viel und dabei so schlecht gefegt gewesen.« – Paul. Alle gewöhnten sich an Paul mit seinem Besen. Er ist im wahrsten Sinne des Wortes zu einer stehenden Einrichtung geworden. Oder, wie Paul gesagt hat, »zu einer im Wege stehenden«. Mit der Zeit haben sich die Frauen fast mehr als Paul gewünscht, daß Paula wirklich wiederkommt. Sie haben sich die Augen ausgesehen nach Paula, um sie im Fall der Fälle nicht zu verpassen. Sie haben dann aber aufgegeben und die Hoffnung verloren. Sie versuchten es Paul schonend beizubringen, daß mit Paula nicht mehr zu rechnen und daß alles nur ein Irrtum gewesen war. Paul ließ sich auch darauf ein. In Wahrheit wollte er nur seine Ruhe haben. Und seinen

Besen hat er sich nicht entwinden lassen. Eines Tages haben die Frauen den Besen versteckt. Da machte Paul einen Aufstand, daß sie ihm den Besen sofort wieder in die Hand gedrückt und versprochen haben, nie wieder auf diese Idee zu kommen. Paul traute ihnen aber nicht. Seit dem Tag nahm er seinen Besen mit nach Hause. Später hat er sich an den Kopf gefaßt deswegen, hat aber gesagt: »Wenn alle, die eine fixe Idee haben, mit einem Besen rumlaufen, würde die Besenindustrie zur strukturbestimmenden Industrie werden.«
Das war die Zeit, als Paul sich zum vierten Mal mit den Türen seiner ehemaligen Dienststelle angelegt hat. Er ist dabei nicht einem bestimmten Plan gefolgt. Zu der Zeit hatte Paul keine Pläne – außer dem einen. Er kam dort vorbei, den Jungen in seinem Wagen bei sich. Er sah die sechs geschlossenen Türen, machte sie auf, ohne daran gehindert zu werden, und ging weiter. Das ist an einem Freitag gewesen. Am Montag darauf ist Paula in der Kaufhalle erschienen. Paul hielt sich wie jeden Tag an seinem Besen fest, da stand Paula plötzlich vor ihm und sah ihn an. Sie waren nur durch die großen Scheiben getrennt. Pauls erster Gedanke ist gewesen, auf Paula zuzustürzen und sie in die Arme zu nehmen. Sein zweiter Gedanke war, sie zu übersehen und sich langsam an den Ausgang heranzufegen. Aber als Paul endlich auf der Straße war, war Paula nicht mehr an der Stelle, wo sie gestanden hatte. Aber diesmal konnte Paul sie mit eigenen Augen in das Auto steigen sehen und auch sehen, daß sie es nicht besonders eilig hatte. Paul ist wie eine Salzsäule stehengeblieben, bis das Auto nicht mehr zu sehen war. Sein Herz hat ihm im ganzen Körper geschlagen. Es stellte sich heraus, daß

Paula schon eine gewisse Zeit dagewesen war und Paul beobachtet hatte. Die Frauen haben sie nur nicht als Paula erkannt, weil sie nicht mehr an Pauls fixe Idee glaubten. Dann waren sie aber mit Paul glücklich und auch sehr verwirrt, weil sie nun wußten, daß sie in einer Geschichte steckten, die im normalen Leben nicht vorkommt, oder wenn doch, dann nur alle paar Jahrhunderte, wie Paul ihnen klarmachte. Jetzt gab es für Paul kein Halten mehr. Er hat scharf und kriminalistisch nachgedacht, und schon nach einer Woche wußte er, wie er es anstellen mußte, um Paula wiederzusehen. Er hat immer wieder rekonstruiert, was vorgefallen war, bevor Paula sich das erstemal und das zweitemal gezeigt hat. Zuletzt war ihm klar, daß es immer dann gewesen war, wenn er sich mit den Türen seiner ehemaligen Dienststelle angelegt hatte. Was das eine mit dem anderen zu tun hatte, ist ihm nicht klargewesen. Er ist nur sofort nach seiner Erkenntnis zu seiner Dienststelle gerannt. Die Türen waren zu. Paul riß sie auf, wieder hinderte ihn niemand, und Paul ging in aller Ruhe nach Hause. Ruhig ist er aber nur äußerlich gewesen. Er hat jeden Moment damit gerechnet, Paula zu sehen. Die Rechnung ist am selben Tag nicht mehr aufgegangen, aber am nächsten Tag ist es soweit gewesen.

DIESMAL ließ sich Paula ansprechen. Sie kam geradenwegs in die Kaufhalle. Die Frauen sind vor Schreck fast gestorben. Aber Paul ist ihr mit Abstand an den Regalen entlang gefolgt und weit hinten, wo sie Paul nicht so leicht entkommen konnte, hat er sie gestellt und sie

angeredet. Es war nur ein Wort: »Paula.« Sonst nichts. In der Kaufhalle ist es still geworden wie in einer Kirche. Dann hat Paula geredet. Sie hat gesagt: »Mein Name ist Laura.« Ihre Stimme ist Paulas Stimme gewesen. Es gab keinen Zweifel mehr für Paul, daß wirklich und wahrhaftig Paula vor ihm stand. Paul ist nicht fähig gewesen, mehr zu sagen als: »Ich bin Paul.« Er mußte zusehen, vor Glück nicht umzufallen. Sie hat Paul sehr fest und sehr ruhig und sehr genau in die Augen gesehen, und Paul ist zu dem Schluß gekommen, daß Paula sich ihm zwar zu erkennen geben wollte, darum auch der Name Laura. Da war gegenüber Paula nur ein Buchstabe verändert und einer stand an einer anderen Stelle. Aber sie wollte nicht bei ihrem alten Namen genannt sein. In dieser Sekunde ist viel über Pauls weiteres Leben entschieden worden. Dann wollte sie gehen, aber Paul hielt sie fest. Er hat ihr gesagt, daß der Junge in der Kaufhalle ist. Da ist sie sehr blaß geworden und sehr unruhig und konnte Paul nicht mehr ansehen. Sie hat gesagt: »Jetzt nicht.« Sie ist losgegangen. Paul ist ihr gefolgt. Er wollte sich nur mit ihr verabreden, für welchen Tag auch immer, aber je eher, desto besser. Er dachte an den Friedrichshain oder die Möwe. Beides wollte sie nicht. Sie hatte es sehr eilig und sah sich immerzu nach einem Auto um. Sie wollte in einen Bus steigen, der kam, aber Paul war so nicht abzuschütteln. Zuletzt schlug sie Friedrichsfelde vor, für den Sonntag in vier Wochen. Aber Paul hat gesagt: »Nein, nächsten Sonntag!« Er machte Miene, mit ihr in den Bus zu steigen. Da hat sie zugestimmt.
Als sie weg war, ist Paul klargeworden, warum Paula nicht auf den Friedrichshain und nicht auf die Möwe

eingegangen ist, aber auf Friedrichsfelde, weil Friedrichsfelde für Paula von besonderer Bedeutung war. Wenn Paula seinerzeit mit ihren Kindern zu den Tieren gegangen wäre, statt sie ins Kino zu schicken, dann wäre ihr Sohn am Leben geblieben. In derselben Sekunde wußte Paul, was er am Sonntag tun mußte. Er mußte die Kinder mit nach Friedrichsfelde nehmen.

Der Treffpunkt sollte bei den Raubtieren sein. Paul und die Kinder waren sehr pünktlich, aber nicht Paula oder Laura. Paul wurde zwar unruhig, glaubte aber fest daran, daß sie kommt. So haben sie gestanden und gewartet. Dann ist sie gekommen. Sie ist wie angewurzelt stehengeblieben, als sie die drei gesehen hat. Es soll fast so ausgesehen haben, als wenn sie wieder kehrtmachen wollte, aber da ist Paulas Tochter schon auf sie zugerannt und hat sich an sie gedrückt und geschluchzt und so schnell nicht wieder aufgehört. Paula oder Laura ist bleich gewesen wie ein weißes Tuch. Sie biß sich auf die Lippen, aber zuletzt sind ihr doch die Tränen gekommen und Paul auch. Als der Junge seine Schwester in den Armen von Paulalaura gesehen hat, wollte er auch zu ihr, und sie konnte nicht anders und mußte ihn zu sich nehmen. Es ist gesagt worden, daß in dem Moment die Raubtiere angefangen haben sollen zu brüllen, die Wölfe zu heulen, die Elefanten zu trompeten, die Affen zu schreien, die Papageien zu kreischen, die Enten zu schnattern. Paul konnte dazu nichts sagen. Ein Vulkan hätte direkt vor seinen Füßen ausbrechen können, ohne daß er etwas davon bemerkt hätte. Meine

Person hält es für eine der üblichen Übertreibungen der Leute. Von Scheibe Süd hätte man die Tiere hören können, und niemand hat etwas gehört.

Es IST EIN denkwürdiger Anblick gewesen, wie Paul und Paulalaura und die Kinder quer über das Gebirge in unserem Hof auf unsere Tür zugekommen sind. Es ist noch am selben Tag gewesen. Paul hatte den Jungen auf dem Arm, an der anderen Hand das Mädchen, und das Mädchen faßte ihre wiedergefundene Mutter an. Auch meiner Person sind die Tränen gekommen. Es gab keinen Zweifel, daß es wirklich Paula gewesen ist. Es ist ihr Gang gewesen, ihre Haare, ihre Augen, und es ist ihre Stimme gewesen. Keiner in Scheibe Süd kannte Paula, aber keiner, der sie gekannt hätte, hätte irgendeinen Zweifel haben können. Warum sie selbst sich nicht dazu bekannte, warum sie Laura und nicht Paula genannt sein wollte, warum sie mit Paulas Stimme Dinge sagte, die Paula nie gesagt hätte, und warum sie Dinge tat, die Paula nie getan hätte – das ist für lange ein Geheimnis geblieben.
Als Paul sie in die Wohnung führte, hat er sich zunächst für die Unordnung entschuldigen müssen, die noch immer herrschte. Es ist zwar sauber gewesen, dafür hat meine Person gesorgt, und das ist von Paul auch erwähnt worden, aber die Möbel haben fast noch so gestanden, wie sie die Möbelpacker hingestellt haben. Von neuen Möbeln ganz zu schweigen. Zu neuen Möbeln hatte Paul seine eigene Meinung.
Er hat sich entschuldigt, aber auch erklärt, warum es

nicht anders sein konnte. Auch für das Fehlen der Schneiderpuppe und der alten Teller und Schüsseln gab er die Erklärung. Er konnte ihr aber das alte Bett zeigen, von dem die Aufschriften und Malereien von ihrer ersten gemeinsamen Nacht nie entfernt worden waren. Auch alle ihre Kleider sind noch dagewesen, speziell ihre vielen Gewänder aus der Schwangerschaft. Paulalaura hat sich alles angesehen, sie war auch interessiert, blieb aber stumm. Dann wollte sie sehen, wie die Wohnung geschnitten ist. Paul mußte sie durch die Zimmer führen. Dabei hat sich Paul selbst zum ersten Mal die Wohnung angesehen.« Die Wohnung interessierte ihn im Grunde nicht. Von Paul aus hätte sie im Keller liegen und ohne Fenster sein können, wenn nur Paula mit ihm da wohnte. Er gab ihr das auch zu verstehen, mit jedem Wort und jedem Blick. Er gab ihr auch zu verstehen, daß er sich sofort von den alten Möbeln trennen konnte, sogar von dem historischen Bett. Denn obwohl sie kein Wort sagte, konnte Paul doch sehen, daß sie auf die alten Sachen aus der Singer keinen Wert legte. Weiterhin gab Paul ihr zu verstehen, daß er jeden Nagel der neuen Einrichtung nach ihrem Geschmack aussuchen würde. Er wollte noch das seltenste und ausgefallenste Stück beschaffen, und wenn es dreimal nur für den Export bestimmt war. Im stillen hat er gedacht, selbst wenn ich Saft aus alter Freundschaft in seiner Villa besuchen und ihn um den Gefallen bitten müßte; als Preis wollte er Saft dann einen Blick auf Paula gönnen. So ist der Rest des Tages vergangen. Der Junge lachte sie die ganze Zeit an und wollte immerzu auf ihren Arm, und das Mädchen ist ihr nicht von der Seite gewichen.

Von Paulalaura selbst ist fast kein Wort gekommen. Sie ließ Paul machen und tun und reden. Wenn die Rede auf die alten Zeiten gekommen ist, wurde sie ganz still, und wenn Paul die Rede auf die neuen Zeiten brachte, ist sie nachdenklich geworden. Und wenn sie dachte, Paul sieht es nicht, hat sie ihn beobachtet. Paul ließ sie dann in dem Glauben, daß er nicht sah, wie sie ihn beobachtete, und zeigte sich von seiner besten Seite, auch körperlich. Er ist im Zimmer hin und her getigert, elastisch und biegsam. Zuletzt lag er auf dem Boden und machte Liegestütze für sie, und zwar chinesische, bei denen er für kurze Zeit mit Armen und Beinen in der Luft war und außerdem in die Hände klatschte. Er wollte ihr zeigen, daß er wieder im Vollbesitz seiner Kräfte war.
Gegen Abend mußte er den Jungen versorgen. Er war dabei so ungeschickt, wie er eigentlich nicht war, so daß Paulalaura ihm alles aus der Hand nahm. Sie zog den Jungen aus, zog ihn an, brachte ihn ins Bett und hat ihm sogar ein Schlaflied gesungen. Paul machte währenddem ein Essen, und sicher wären ihm die Tränen auch gekommen, wenn er nicht gerade Zwiebeln geschnitten hätte. Auch dem Mädchen sind die Tränen gekommen, weil das Lied ein Lied gewesen ist, das Paula öfter für ihre Kinder gesungen hatte. Später brachte sie auch das Mädchen ins Bett. Sie setzte sich für ein paar Minuten zu ihr. Das Mädchen brauchte jetzt mehr Zeit bis zur Schule, mußte also früher aufstehen. Paulalaura sollte sich deswegen aber keine Sorgen machen. Sie stand immer selbst auf und machte Frühstück für sich. Sie redete Paulalaura mit Mama an. Paul hörte alles durch die angelehnte Tür. Er liebte das Mädchen dafür, daß

sie an derselben Sache arbeitete wie er – daß Paulalaura bleiben sollte, möglichst schon diese Nacht. Von dem Kind wußte Paulalaura auch, daß ihr Bruder tagsüber in der Kaufhalle war. Sie war dagegen. Das hat Paul sehr überrascht. In seinen Gesprächen mit Paula war sie immer dafür gewesen. In der Sekunde ahnte Paul, daß seine Gespräche mit Paula nichts als Selbstgespräche und Einbildung gewesen sind. Jetzt stand die leibhaftige Paula vor ihm, wie sie auch immer genannt sein wollte, und ist dagegen gewesen, und Paul war sofort bereit, den Jungen schon ab morgen in die Krippe zu geben. Paulalaura hat sich nach Pauls Beruf erkundigt. Paul gab wahrheitsgemäß seinen eigentlichen Beruf an, war aber auch zu jeder anderen Tätigkeit bereit, »einschließlich Müllfahrer oder Mitarbeiter der städtischen Abwasserbehandlung, zu deutsch Gullitaucher«. Paul wollte seinerseits ihren Beruf wissen. Sie war Sachbearbeiterin für Statistik, und Paul mußte grinsen. Paula im Zusammenhang mit Statistik konnte er sich nicht vorstellen. Er begriff aber sofort, daß sein Grinsen unangebracht war. Aus Verlegenheit duzte er sie im nächsten Moment, und auch das war falsch. Paulalaura ist beim Sie geblieben. Paul glaubte nicht mehr, daß sie schon diese Nacht dableiben würde. In dem Augenblick ist aber das Mädchen wieder ins Zimmer gekommen, im Nachthemd. Sie ist ihrer Mutter wortlos um den Hals gefallen und ist ebenso wortlos wieder ins Bett gegangen. Da hat Paulalaura wieder angefangen zu schluchzen, und Paul faßte sie zum ersten Mal an. Er streichelte ihre Hand und gleichzeitig hat er sie gefragt, ob sie jetzt ins Bett gehen will. Er selbst wollte auf dem Teppich schlafen. Paul hat zwar gehofft, sie nimmt ihn

mit. Er ist aber mehr als zufrieden gewesen, als sie sich wirklich in das historische Bett gelegt hat. Er seinerseits hatte eine seiner schönsten Nächte auf dem Teppich.
Am nächsten Morgen war Paul als erster wach. Er schlich sich in aller Stille aus der Wohnung. Er wollte zum nächsten Bäcker wegen frischer Brötchen, ohne eine Ahnung zu haben, wo der nächste Bäcker war. Er fragte Leute, aber keiner wußte etwas von einem Bäcker. Die meisten haben ihn in die Kaufhalle geschickt. Aber die Kaufhalle war um die Zeit noch geschlossen, das wußte Paul, und er wußte auch, was von Kaufhallenbrötchen zu halten war. So ist er in die Richtung gegangen, wo noch Altbauten zu erkennen waren. Er ist gerannt. Er hat sich nicht geschont. Als er endlich einen Bäcker entdeckte, stand da bereits eine Schlange, die ihren eigenen Schwanz nicht mehr sehen konnte. Da machte Paul auf der Stelle kehrt, rannte zurück und schlich sich wieder in die Wohnung ein. Er stellte sich in die Küche und nahm Mehl und Hefe und Wasser und hat seine Brötchen selbst gebacken. Sie sind sogar noch rechtzeitig fertig geworden. Es duftete in der ganzen Wohnung danach, und nicht nur in der Wohnung, fast in der ganzen Scheibe Süd. Nicht nur Paulalaura und die Kinder sind davon wach geworden, viele andere Leute auch. Sie hätten gern die Fenster aufgemacht, um zu sehen, ob über Nacht eine Bäckerei gekommen war, eine fahrbare zum Beispiel, eine Feldbäckerei. In der ganzen Scheibe Süd aber sind die Fenster so gebaut, daß man sie nur ankippen, also den Kopf nicht hinausstecken kann. So sind manche von den Leuten, die sich noch an Friedenszeiten erinnern konnten oder die durch ihre Eltern oder Großeltern davon

wußten, heimlich an ihre Türen gegangen und haben nachgesehen, ob nicht vielleicht ein Beutel mit frischen Brötchen an der Klinke hing, meine Person eingeschlossen. Keiner hat daran gedacht, daß unsere Türen keine Klinken haben, man muß sie mit dem Schlüssel zuziehen. Hinzu kam der Duft von Kaffee, der bei Paul schon immer sehr gut war. Auch Paula hatte ihn zeitlebens sehr geschätzt. Paulalaura verdünnte ihn sich, als sie am Frühstückstisch war. Sie sprach sich auch dagegen aus, daß die Kinder davon tranken, obwohl sie daran gewöhnt waren. Paulundpaula haben ihnen immer Kaffee gegeben. Ansonsten aber ist Paulalaura des Lobes voll über Paul und seine Brötchen und sein frühes Aufstehen gewesen. Für die Kinder machte sie Tee. Das Mädchen wußte aus der Schule, daß in Tee mehr Koffein ist als in Kaffee. Aber Paulalaura sagte, daß Koffein in Kaffee anders und schädlicher gebunden ist als in Tee. Damit hatte sie recht. Paul fragte sich nur, woher Paula diese Kenntnisse hatte. Paulas großer Vorzug war ihre Herzensbildung und nicht ihre Schulbildung, und um über die unterschiedliche Bindung von Koffein in Tee und Kaffee Bescheid zu wissen, dazu brauchte man mindestens zehn Klassen, hat er sich gesagt. Mehr hat er sich nicht gesagt. Mehr interessierte ihn nach wie vor nicht. Er mußte vor allem eines in Erfahrung bringen, was zu tun war, damit sich Paulalaura für immer bei ihm niederließ.
Er hielt Paulalaura unter dauernder Beobachtung, um herauszufinden, wie sie nach der Nacht über die Sache dachte. Die Rede ist am Frühstückstisch nicht davon gewesen, dafür sorgte der Junge. Alles, was auf dem Tisch in greifbarer Nähe war, griff er sich und ließ

es fallen, damit Paulalaura es aufhob. Selbst Paul wäre früher oder später der Geduldsfaden gerissen – nicht so Paulalaura. Sie tat dem Jungen immer wieder den Gefallen, und beide haben sich dabei köstlich amüsiert.
Dann war es Zeit, und das Mädchen mußte in die Schule, und Paulalaura gab ihr ein Frühstück mit, wie es sich gehörte. In der Tür hat sie gesagt, daß sie am Nachmittag alles wissen wird über Koffein, und Paulalaura hat dazu genickt. Pauls Herz fing sofort an zu schlagen. Dieses Nicken konnte nichts anderes bedeuten, als daß Paulalaura einen Entschluß gefaßt hatte. So ist es auch gewesen. Sie wollte noch am selben Tag ein paar von ihren Sachen aus ihrer in Pauls Wohnung schaffen. In den nächsten Tagen sollte eine komplette neue Einrichtung besorgt werden. Dann sollten alle alten Sachen aus der Wohnung geräumt werden, entweder gleich zum Sperrmüll oder zum Verkauf, soweit sie noch von irgendeinem Wert waren. Das war ihr Plan. Paul ist, ohne eine Sekunde nachzudenken, mit allem einverstanden gewesen. Er bot sich sofort an, mit in ihre Wohnung zu kommen, womit sie einverstanden war. Paul ist sehr froh darüber gewesen. So haben sie den Jungen meiner Person übergeben und sind zusammen in die Wohnung gegangen. Sie ist ebenfalls in einer Wohnscheibe gewesen, mit einem Zimmer, einer Küche ohne Fenster und einem Bad ohne Fenster. Sie war mit einem Leiterregal eingerichtet, das steckte voller Bücher, einem Tisch, zwei Stühlen, einem alten Sessel und mit zwei Liegen, die über Eck standen. Über den Liegen war ein Bord mit einem Radio, einem Leuchter, zwei Vasen und einem alten Teller in einem Gestell. Die

Lampe war aus japanischem Papier und auf dem obersten Regalbrett stand ein nachgemachter Katerkopf aus schwarzem Plüsch, in den man den Kopf stecken konnte. Ein Spiegel mit einem vergoldeten Rahmen und zwei Bilder waren da. Das eine war von Paulalaura selbst gemalt und stellte ein Stilleben dar, das andere war eine Fotografie ihrer Eltern. Während Paulalaura ihre Sachen in zwei Koffer packte, sah Paul sich genau um. Paulalaura hat ihm alles sehr genau erklärt. Für die Bücher hatte sie viel Geld ausgegeben, weil sie sich für Literatur interessierte. Der Katerkopf war ihre Maske bei einem Fasching gewesen. Der alte Tisch, der Sessel und die Stühle kamen aus einem alten Haus, bevor es abgerissen worden war. Der Teller war aus England, von einem Freund, der öfter im Ausland war, ebenso die japanische Lampe. Er hatte sie ihr geschenkt, als ihr Sohn geboren wurde. Das Kind war eine Frühgeburt und nicht lebensfähig. So war aus der geplanten Familie nichts geworden.
Paul hörte alles mit weit offenen Ohren an, und das ist auch der Zweck ihrer Ausführungen gewesen. Er fing nun doch an nachzudenken. Und wenn Paula nicht wie sie leibte und lebte ihm gegenübergestanden hätte, hätte Paul an seinem Verstand gezweifelt. So konnte er sich nur sagen, daß es für Paula offensichtlich einen Grund gab, in ihrem zweiten Leben Laura zu sein mit einer Laura-Vergangenheit, welcher Grund das auch immer gewesen ist. Und er wollte ihr die Liebe tun, sie als Laura zu nehmen, wenn das die Bedingung sein sollte, unter der sie mit ihm und den Kindern zusammenblieb. Und er hat Paula zum ersten Mal bei ihrem neuen Namen genannt. Aber schon, als Paul es zum

zweiten Mal tun wollte, kam er in Schwierigkeiten. »Laula« hat er gesagt, sich zu »Plaura« verbessert, und dann erst ist »Laura« gekommen. Bei diesen Schwierigkeiten ist es solange geblieben, bis Paul sich eines Tages entschloß, jede Anrede mit Namen zu vermeiden, aber da ist es darauf schon nicht mehr angekommen.

Zuletzt hat Paul sich nach ihren Plänen betreffs der Bücher, der Liegen und so weiter erkundigt. Sie wollte alles unberührt lassen und die Wohnung nicht aufgeben. Ihre Sachen sind inzwischen in zwei großen Koffern gewesen. Sie haben ein Taxi gerufen und sind losgefahren.

LAURA BESTAND darauf, noch am selben Tag die neue Einrichtung zu kaufen. Für Paul war das Unternehmen zwar mit einem großen Fragezeichen versehen. Er hielt es für unmöglich, an einem Nachmittag eine komplette Einrichtung für eine Dreizimmerwohnung zu beschaffen. Aber so, wie Laura vorgegangen ist, war in kürzester Zeit eine Zeichnung der Wohnung fertig mit allen Maßen. Das ging so, daß Laura ein Blatt Papier nahm, und Paul mit dem Zollstock durch die Wohnung lief und jede Ecke ausgemessen hat. Alle drei Zimmer waren gleich groß. In kürzester Zeit sind sie unterwegs gewesen. In kürzester Zeit kannte Laura das Angebot. Paul war in kürzester Zeit der Meinung, daß Laura schon lange feste Vorstellungen von den Schrankwänden, dem Schlafzimmer und den Sitzmöbeln gehabt hat. Alle haben ein Schild »Beratungsmuster« gehabt, man mußte also ein Jahr, wenn nicht länger, auf sie warten. Laura fing erst einen, dann noch einen Verkäufer ab. Paul: »Allein wie sie das machte, ist eine Schau für sich gewesen. Sie winkte nicht etwa mit einem ›Fuffi‹, sondern sie hatte eine Art des Auftretens, gegen die selbst die kälteste Hundeschnauze von Verkäufer machtlos war.« Sie soll jeden wie einen Menschen zweiter Klasse behandelt haben. Über Geld und Preise soll sie grundsätzlich nicht geredet haben. Außerdem ließ sie keinen Zweifel daran, daß sie von jedem wußte, wieviel Leichen er im Keller hatte, und ihm folglich die schönsten Schwierigkeiten machen konnte, falls er nicht so spurte, wie sie wollte. Paul: »Ich stand nur mit hängendem Kiefer im Wege und sah zu, wie sie die Leute ins Wirbeln brachte.« Falls es tatsächlich hier und da ernsthaftere Schwierigkeiten gab, soll sie nur lächelnd gefragt haben: »Wie war bitte doch gleich Ihr Name? Wo kann ich bitte telefonieren?« Aufschriften wie: Nur für Personal! Oder: Kein Zutritt für Kunden! waren für sie nicht da. Gerade solche Türen soll sie mit Vorliebe benutzt haben, und sie sollen auch am schnellsten zum Ziel geführt haben. Paul fragte sich am Schluß, warum sie noch die offiziellen Eingänge benutzte. Er kam sich lächerlich vor mit seinem Tick, wo es nur ging, alle Eingangstüren aufzumachen. Zuletzt hat sich Paul nur noch über eines gewundert, daß all' die Sachen nicht noch am selben Tag geliefert worden sind, sondern erst am nächsten und übernächsten. Zwischendurch wies ihn Laura an, ein Lastauto für den Abtransport der alten Sachen zu besorgen. Und Paul ist an eine Tankstelle gegangen und hat auf den ersten Lastwagen gewartet, der tanken kam. Er hat den Fahrer gefragt: »Willst du dir 'ne Mark machen, Kumpel?«

Und der hat gesagt: »Aber immer«, und Paul hat ihm seine Adresse gegeben.

Der Tag soll nach Pauls Meinung gut und gerne zwanzigtausend Mark gekostet haben, und er hat später, als die Sachen in der Wohnung waren, auf dreißigtausend erhöht. Ernsthafte Sorgen machte sich Paul des Geldes wegen aber nicht. Was Paul an Geld hatte, gab er Laura bar in die Hand, ohne es nachzuzählen. Laura hat es genommen und nachgezählt. Dann tat sie etwas, das Paul sehr beeindruckt hat: Sie steckte es sich in den Ausschnitt. Das ist etwas gewesen, was Paul an Paula sehr gemocht hatte. Wenn es Geld gegeben hatte in der Kaufhalle, dann nahm Paula es sofort aus der Tüte und steckte es sich in den Ausschnitt. Das hat Paul so sehr fasziniert, daß er ihr meistens auch seins noch gab, nur um zu sehen, wie es in ihrem Ausschnitt verschwand. Paul wußte, woher diese Angewohnheit bei Paula kam. Sie hatte es in italienischen Filmen gesehen und war der festen Meinung, daß sie davon einen italienischen Busen kriegen würde. »Nach dem Motto: Geld hebt.« – Paula. Daß es trotzdem mit ihrem Busen nie so recht geworden ist, lag ihrer Meinung nach daran, daß sie nie Geld genug hatte. Paul war der Meinung, daß es sinnlos ist, mit wenig Geld wirtschaften zu wollen, »weil die fixen Kosten einer Familie so fix sind«, daß ohnehin nichts übrig bleibt, um damit noch zu wirtschaften. Und so legte Paul sein Geld so an, wie er es gewohnt war – an Paulas Busen, oder an Lauras. Der Unterschied, daß Laura vorher gezählt hat, ist für Paul nicht

groß gewesen. Es ist derselbe Busen gewesen, das genügte ihm. Obwohl er, für den Anfang, nicht viel über Lauras Busen wissen konnte, weil er ihm nicht zugänglich gewesen ist, und dabei ist es auch vorläufig geblieben. Nicht viel anders ist es mit Lauras Konto gewesen. So wie sie aufgetreten ist, konnte Paul nur annehmen, daß es trotz der großen Ausgaben gedeckt war. Eine Erklärung dafür gab Laura nicht, und Paul fragte nicht. Wirklich geglaubt hat er allerdings erst daran, als auch nach Monaten die neue Einrichtung noch in der Wohnung gewesen ist und nicht wieder abgeholt wurde.
Das einzige, was bei der Einrichtung der Wohnung nicht glatt ging, ist der Abtransport der alten Sachen gewesen, den Paul organisieren sollte. Der Fahrer mit dem Lastwagen kam zwei Stunden später als vereinbart, so daß den ersten Lieferanten der neuen Sachen die alten im Wege standen. Es sind die Teppichkleber gewesen. Und Paul mußte nun selbst die alten Sachen aus der Wohnung räumen und zum Fahrstuhl schaffen. Meine Person hat geholfen, so gut sie konnte, und es sind auch einige von Paulas Gewändern aus der letzten Zeit bei meiner Person zurückgeblieben, wie auch Paulas alte Schneiderpuppe. Zwei Tage lang haben sich die verschiedensten Lieferanten und Handwerker die Klinke in die Hand gegeben, daß nicht nur Paul, sondern alle Leute in unserer Scheibe aus dem Staunen nicht herausgekommen sind. Es sind sogar Gewerke darunter gewesen, von denen Paul gewußt hat, daß sie noch existieren, die er aber noch nie in einer Privatwohnung hatte werken sehen. Dekorateure zum Beispiel, die die Vorhänge angebracht haben. Alle Leute im Haus haben im stillen Paul zu so einer Frau gratuliert.

Denn alle haben natürlich gesehen, wer das Heft in der Hand hielt: Laura. Irgendwelche Aufträge brauchte Paul nicht mehr zu erledigen. Ob das mit der Panne beim Abtransport der alten Sachen zusammenhing, war nicht klar. Pauls Sache in diesen Tagen war es, für Lebensmittel zu sorgen und auf die Kinder aufzupassen. Meistens ist er mit ihnen auf die Straße gegangen.

Als alles fertig war, hat sich Paul die Wohnung angesehen. Es ist kein einziges altes Stück mehr zu sehen gewesen, nicht mal mehr eine Blumenvase. Die Wohnung war laut Paul auf ihre Art perfekt. »Man hätte sie nehmen können und sie ohne zu zögern auf jeder beliebigen Möbelmesse ausstellen können, als Beispiel für die Leistungsfähigkeit der modernen Wohnkultur des Landes.« Laura hatte Pauls Meinung nach dennoch eine persönliche Note bewahrt. Es gab mindestens eine Lampe und drei Wandteller und zwei Gläser und etliche Vasen und einen Spiegel, von denen man sicher sein konnte, sie nicht auch bei Nachbars sehen zu können. Das alles hat Paul ihr auch mitgeteilt und sich stark darauf konzentriert, nicht Plaula oder Paura zu sagen, und es ist ihm gelungen. »Liebe Laura«, hat Paul gesagt, »ich gratuliere dir zu deiner neuen Wohnung.« Und weil die Fenster angekippt waren, konnte man diesmal die Tiere wirklich brüllen hören, die Tiger und die Löwen und die Wölfe. Laura ist vor Stolz rot geworden, und Paul nutzte die Gelegenheit, sie in die Arme zu nehmen und das erste Mal zu küssen. Was Paul verschwieg, war, daß der einzige Gegenstand, der nicht in die Wohnung paßte, er selbst war. Als er plötzlich an dem neuen Spiegel vorbeikam, hat er sich angesehen in seinen immer denselben blauen Hosen und immer demselben Hemd mit immer denselben Haaren, die seit ewig keinen Friseur mehr gesehen hatten, und da ist er sich sehr unpassend vorgekommen. Das zweite, das er verschwieg, war, daß er die neuen Möbel für nichts anderes als für gepreßten und gelackten Müll hielt, die »länger als ein Menschenalter nicht halten konnten und das auch nur unter der Voraussetzung, daß sie ein für allemal an ihrem Platz blieben und nicht etwa mehrfach umgezogen werden«. Er hat gesehen, wie die Möbel schon jetzt hier und da ausgebrochen sind und wie der Müll zur Erde rieselte, aus dem sie gemacht waren, und wie der Lack abblätterte, und wie die Türen anfingen, schief in den Scharnieren zu hängen und nicht schlossen, trotz der vielen Magnete. So lange Paul mit diesen Möbeln lebte, hat er mit den Türen gekämpft. Zuletzt aber hat er obsiegt, bis auf zwei aussichtslose Fälle von Kleiderschranktüren, die trotz aller Tricks nicht zubleiben wollten und deren Art es war, zu gewissen Zeiten gegen ein Uhr nachts aufzugehen. Er wehrte sich aber dagegen, als Laura den Kleiderschrank reklamieren wollte. Er setzte seine ganze Geduld daran, hinter die Ursachen zu kommen. Er legte sich ein Tagebuch über die Türen an, in denen er ihr Verhalten festhielt, zugleich mit allen möglichen anderen Daten und Geschehnissen.

Zunächst hat Paul den Schrank auf das peinlichste ausgewogen, in der Waagerechten wie auch in der Senkrechten. Dann hat er ihn auf das genaueste vermessen. Die dabei festgestellten Mängel hat er durch die

schon am Schrank vorgesehenen Verstellvorrichtungen ausgeglichen. Er hat die Magnete ausgetauscht, später zwei Magnete mehr eingebaut. Als das alles fertig war und nichts geholfen hat, hat er mit dem Tagebuch angefangen.
Zunächst konzentrierte er sich auf das Wetter, auf die Temperaturen, den Luftdruck, die Luftfeuchtigkeit. Er beschaffte Geräte, die genauer waren als die handelsüblichen. Aber als er schon sicher war, daß das Aufgehen der Türen tatsächlich mit einer bestimmten Wetterlage zu tun hatte, fingen die Türen an, auch bei anderem Wetter aufzugehen. Jetzt trat Paul mit der Wetterwarte in Verbindung und erkundigte sich nach Erdbeben und nach kosmischen Strahlungen und Sonnenflecken. Aber nichts führte zu einem Ergebnis. So hat sich Paul schließlich eingehend über Parapsychologie informiert und über Wünschelrutengängerei. Er fing an, selbst Versuche mit der Wünschelrute zu machen, die ihm aber nicht gelungen sind. Paul: »Ich war nicht rutenfähig.« Zuletzt ist es Paul mit großer Mühe gelungen, die beiden einzigen noch lebenden Rutengänger Berlins zu ermitteln und sie mit viel Mühe zu überreden, festzustellen, ob unsere Scheibe oder wenigstens das Wohnzimmer auf einem sogenannten Reizstreifen steht oder unter einer Säule aus ionisierter Luft. Beide sind unter strengster Geheimhaltung erschienen und haben unabhängig voneinander, ohne daß einer vom anderen etwas wußte, ihre Versuche angestellt. Der eine konnte einen Reizstreifen feststellen, der andere hat nichts davon gemerkt. Dafür stellte er das Vorhandensein ionisierter Luft fest, allerdings in der Küche. Paul ist so schlau gewesen wie zuvor. Dann ist er auf den

Gedanken gekommen, nach Zusammenhängen mit der Politik zu suchen. Er suchte nach bevorstehenden Verschärfungen oder Verbesserungen der internationalen Lage, nach Auftreten von Terrorismus, Gewalt oder Verletzung von Menschenrechten. Da sich aber, laut Paul, die internationale Lage ständig verschärft und alles andere auch in großer Fülle auftritt, gab er seine Untersuchungen auf und fand sich damit ab, daß das Verhalten der beiden Türen nicht zu erklären war. Nach seinen Worten lag darin sogar etwas Gutes, nämlich, daß es doch noch etwas gibt, das nicht zu erklären ist.
Laura ist in der Angelegenheit anderer Meinung gewesen. Sie glaubte, daß Paul »die Aktion mit den Türen nur durchführte«, um sie zu reizen und die neuen Möbel schlechtzumachen. Aber das ist viel später gewesen. Paul hat es auch immer bestritten. Paul war ehrlichen Herzens nicht gegen die Möbel eingestellt. Sie sind seiner Meinung nach absolut zeitgerecht gewesen. »Auf jeden Fall zeitgerechter als die beliebten antiken Möbel, auf die sich manche Leute versteifen. Wenn es sich nicht um Geldanlage oder Statussymbole handelt oder um beides, sind alte Möbel ein hilfloser Protest gegen Müllmöbel.«
»Wie sich heute zeigt«, hat Paul gesagt, »war das Gefühl und der Protest der ersten Autofeinde ganz richtig, aber mit dem Beharren auf Kutschen war gegen Autos nichts zu machen. Und so ist es mit den antiken Möbeln, nur noch etwas hilfloser, weil die Stückzahl der alten Möbel ein für allemal begrenzt ist im Gegensatz zu Pferden und Kutschen und weil es keine Hoffnung auf das Entstehen neuer alter Möbel gibt. Wer unbedingt

wollte, konnte sich 1900 auf 1870 einrichten und 1920 auf 1900 und 1950 auf 1920, und wer unbedingt den Versuch machen will, kann sich heute noch auf 1950 einrichten, Nierentische, -hocker, -betten, -sessel. Aber ist es denkbar, daß sich 2000 jemand auf 1970 einrichtet, selbst wenn es hier und da noch ein Stück geben sollte, das noch nicht ganz zu Müll zerfallen ist?«
An Paulas alten Möbeln von 1900 hat er nur Paulas wegen gehangen. Deswegen ließ er sie nicht auf den Sperrmüll fahren, sondern er stapelte sie in seiner alten Garage neben seinem alten Auto. Paul glaubte damals noch, Paula in der Haut von Laura würde eines Tages wieder auf ihre alten Sachen zurückkommen.
Er ist des festen Glaubens gewesen, daß in derselben Haut nur derselbe Mensch stecken kann.
Die Garage war das letzte, was noch von der alten Singer stehengeblieben war. Keiner wußte, aus welchem Grund. Keiner wußte aber auch, daß Paul Paulas Möbel dort untergebracht hatte. Auch meine Person nicht. Das stellte sich erst bei dem vielleicht schlimmsten Vorfall in Pauls Leben heraus.

Nach der Wohnung nahm sich Laura der Kinder an, zuerst ihrer Textilien. Bei Paul sind die Kinder nie dadurch aufgefallen, daß sie schmutzig oder abgerissen gewesen sind. Das Mädchen sorgte selbst für sich, und für den Jungen haben teils die Frauen in der Kaufhalle, teils meine Person gesorgt.
Aber was die Kinder getragen haben, hat Lauras Vorstellungen von kindgemäßer Kleidung nicht entspro-

chen. Sie nahm sie an die Hand, ist mit ihnen in die Stadt gefahren und hat sie von Kopf bis Fuß neu eingekleidet. Das Taxi, mit dem sie zurückgekommen sind, hatte den Kofferraum voller Kindersachen. Beide Kinder hatten rote Gesichter und glänzende Augen. Seit Laura da war, fühlte sich Paulas Tochter wie im Märchen und war ein Herz und eine Seele mit ihr. Auch Paul freute sich. Und der Junge freute sich, weil sich alle gefreut haben. In Wahrheit hatte Paul die Befürchtung, daß Laura am nächsten Tag *ihn* an die Hand nehmen wird, um ihn neu einzukleiden, und daß er gezwungen wird, seine geliebten Einheitshosen, -hemden, -pullover abzulegen. Er hat schon gesehen, wie er mit Laura im Taxi von Herrenausstatter zu Herrenausstatter fährt und wie er in Umkleidekabinen schwitzt und sich vor Spiegeln dreht. Das alles fand aber nicht statt. Etwas anderes ist passiert. Als die Kinder neu eingekleidet in der neu eingerichteten Wohnung umherliefen – ganz abgesehen von Laura, die immer sehr sauber und adrett war, mußte Paul feststellen, daß er sich nicht mehr wohl fühlte. Und schon am vierten Tag, nachdem die Wohnung neu eingerichtet war, ist Paul von sich aus losgegangen und war entschlossen, sich neu einzukleiden. Erst unterwegs ist ihm eingefallen, daß es eine Stelle in Berlin gab, wo eine komplette Garderobe für ihn im Schrank hing – bei seiner Frau in der Singer.
So ist es gekommen, daß er nach langer Zeit seine Frau wiedergesehen hat und seinen Jungen auch.

Seine Frau hat ihm sofort gezeigt, daß sie noch immer seine Frau ist: sie hat ihn fest umarmt, als er vor der Tür stand, und Paul kam sich sehr merkwürdig vor. Es war seit langer Zeit zum ersten Mal, daß ihn eine Frau umarmte. Denn Laura hatte zwei Tage vorher nicht ihn umarmt, sondern er sie, und nicht sie hatte ihn geküßt, sondern Paul sie, und Paul hatte gemerkt, daß sie dabei »wie ein Brett« gewesen war. Seine Frau ist Paul dagegen »wie ein Bett« vorgekommen. Sein Junge ist ihm vor Freude auf den Rücken gesprungen, und der Tanzmeister gab ihm die Hand wie einem alten Freund. Sie haben ihm die ersten beiden Urkunden gezeigt, von ihren ersten beiden gewonnenen Tanzturnieren. Der Tanzmeister hat gesagt, daß sie auch zweite Plätze hätten haben können, wenn sie früher aufgetreten wären. Aber sie haben gewartet und trainiert und traten erst auf, als sie in »Topform« waren. Er soll Pauls Frau dankbar die Hand geküßt haben. Es soll ausgesehen haben, als wenn er im nächsten Moment auch Paul die Hand küssen wollte vor Dankbarkeit, weil er ihm diese Prachtfrau überlassen hatte. Seit seinem Wegzug aus der Singer war Paul nicht wieder dagewesen, und die Zeit, in der sich alles, was ihn und Paula angegangen war, in ganz Berlin herumsprach, ist vorbei gewesen. Auch die Frau ist sehr vorsichtig mit Paul umgegangen. Nur der Junge soll sich völlig normal verhalten haben. Er zeigte sein letztes Zeugnis, sein »Giftblatt«. Es wimmelte nur so von Dreien. Paul: »Einzig in Disziplin und in den Geistesfächern sah es schlechter aus. Da waren nur Einsen.« Paul ist Kaffee und Kuchen vorgesetzt worden, und er ist nach den Kindern gefragt worden, ob sie gesund und wohlauf sind. Da hat Paul berichtet, daß es die gesündesten Kinder der Welt sind und auch die bestangezogensten und daß Paula wieder bei ihm ist, wenn auch unter anderem Namen. Der Blick, den sich da seine Frau und der Tanzmeister zugeworfen haben, ist Paul nicht entgangen. Trotzdem haben sie versprochen, ihn zu besuchen, dann sind sie zu einem neuen Thema übergegangen. Tisch und Sessel sind beiseite geschoben worden, und sie haben Paul zu Ehren einen Fandango getanzt. Der Fandango war, laut Paul, perfekt. Jedenfalls soll es so ausgesehen haben. Und allein darauf ist es seiner Meinung nach bei allen diesen Sachen angekommen. Dann brachte Paul sein Anliegen vor. Seine Frau führte ihn sofort ins Schlafzimmer und machte den Kleiderschrank auf, und da hingen neben ihrer Tanzgarderobe alle seine Anzüge und Mäntel. Sie sind im besten Zustand gewesen, gebügelt und mit Mottenstreifen versehen, und auch seine Hemden sind in tadellosem Zustand gewesen, und sogar seine Schuhe waren geputzt und auf Spanner gezogen. Paul war sehr berührt. Und plötzlich hatte er eine große Lust auf seine Frau und große Mühe, nicht sofort nach ihr zu greifen. Aber nach kurzem Nachdenken wurde ihm klar, daß seine Lust in Wahrheit Lust auf Paula war. In dem Moment hat er sich etwas für die folgende Nacht vorgenommen.

Seine Frau sollte ihn allein lassen, damit er sich umziehen konnte. Sie wollte ihm aber helfen. Sie holte ihm sein schönstes Hemd, seine schönste Krawatte und seinen schönsten Anzug aus dem Schrank. Es soll ihr großen Spaß gemacht haben. Zuletzt hat sie ihm noch den Krawattenknoten gebunden und ihm seinen schönsten Hut gereicht und seine alten Sachen in seinen

Attachékoffer gesteckt. So ist Paul losgezogen. Paul ist sich vorgekommen wie in alten Zeiten, als er aus dem Haus getreten ist. Nur der Dienstwagen fehlte. Er hat sich sehr merkwürdig gefühlt.

DER ERFOLG, als Paul in seinem Aufzug zu Hause ankam, ist sehr groß gewesen. Es gab kein großes Hallo und keine Umarmungen, aber Lauras Gesicht ist doch sehr zufrieden gewesen. Sie soll ihn so angesehen haben, wie Paula ihn angesehen hatte, als er in Uniform auf ihrer Schwelle stand, bevor er die erste Nacht in Paulas Wohnung verbrachte. Das ist Paul durch und durch gegangen. Er war mehr denn je überzeugt, daß Laura Paula gewesen ist. Er war sich sicher, daß sich Paula ihm in dieser Nacht endgültig zu erkennen geben würde.
Er hielt sie den ganzen Abend über unter Beobachtung und ist sich seiner Sache immer sicherer geworden. Jede Bewegung Lauras hatte für ihn nur eine Bedeutung. Und als die Kinder im Bett waren, stand Laura plötzlich in einem extra schönen Kleid vor Paul mit Ketten um den Hals und Bändern um das Handgelenk. Paul ist in das nächste Lokal gerannt. Für Geld und gute Worte ist es ihm gelungen, eine Flasche Wein zu kaufen. Zurück ist er die elf Stockwerke über die Treppe hochgerannt, weil der Fahrstuhl nicht gleich gekommen ist. Zu alledem brauchte er nicht mehr Zeit, als Laura, um zwei Gläser aus dem Schrank zu nehmen, sie zu putzen, sie auf den Tisch zu stellen und das Fernsehgerät anzuschalten. Sie haben angestoßen und

getrunken. Paul wußte sehr genau, worauf er getrunken hat. Schon nach dem halben Fernsehprogramm ist er angeblich sehr müde gewesen und mußte ins Bett. Und Laura hat dem zugestimmt, und kaum daß sie unter der Bettdecke neben Paul lag, griff Paul schon nach ihr, und Laura hat dem auch zugestimmt. Paul hat freimütig gesagt, daß er fast die ganze Nacht in Erinnerungen geschwelgt hat. Es ist wie ein Rausch für ihn gewesen. Zuletzt wußte er genau, daß es keinen Unterschied zwischen Paula und Laura gab. Und das Wunder von Paulas Rückkehr war für ihn komplett. Er ist erst wach geworden, als die Kinder schon aus dem Haus waren, das Mädchen in der Schule und der Junge in der Krippe. Auch das ist eine von Lauras Taten innerhalb von vier Tagen gewesen, den Jungen in einer Krippe unterzubringen.
Laura selbst war nicht neben Paul im Bett, auch nicht in der Wohnung. Paul war der Meinung, daß sie direkt von der Krippe zum Bäcker gegangen ist, wegen frischer Brötchen. Und wie lange das dauern konnte, wußte er. Er ließ sich in aller Ruhe die Badewanne vollaufen, und ließ die vergangene Nacht Revue passieren. Am Ende war sein Beschluß, wieder ins Bett zu gehen und Laura, wenn sie kam, zu einem Frühstück im Bett zu überreden, vielleicht sogar zu einem Mittag im Bett oder überhaupt zu einem ganzen Tag im Bett. Und er war sicher, nicht lange reden zu müssen. Als Laura nach einer Stunde noch nicht wieder da war, ist er unruhig geworden. Er suchte in der ganzen Wohnung nach einem Zettel mit einer Nachricht von ihr, sah aber keinen. So ist er losgelaufen zum Bäcker, weil vielleicht die Schlange überlang war. Der Bäckerladen ist völlig

leer gewesen. Er beschrieb Laura, aber die Verkäuferin konnte sich an sie nicht erinnern. So ist Paul wieder zurückgelaufen, aber Laura ist immer noch nicht dagewesen. Paul hat sich gefragt, ob sie nicht vielleicht zur Arbeit gegangen war, trotz ihres Urlaubs. Paul kannte aber nicht den Namen ihrer Arbeitsstelle, geschweige denn die Adresse. Da riß er in einem Anfall von Wahnsinn die Schränke auf. Von Lauras Sachen war nicht ein Stück mehr da. Nicht ein Kleid, nicht ein Strumpf und im Bad nicht mal mehr die Zahnbürste. Da ist Paul zusammengebrochen. Anders hätte er die nächsten zwei Stunden nicht überstehen können. Als er wieder zu sich gekommen ist, lag er auf dem Fußboden, zur Hälfte im Bad, zur anderen Hälfte im Korridor. Direkt über seinem Kopf sah er die neugekaufte Korridorlampe. Da ist ihm eingefallen, wo er eine solche Lampe schon einmal gesehen hatte – in Lauras Wohnung.
Eine halbe Stunde später stand Paul vor Lauras Tür. Er klingelte lange und immer wieder, weil er wußte, daß Laura in der Wohnung war. Er dachte in dem Moment nicht darüber nach, warum er es wußte, aber er wußte es. Er hatte vorläufig keine Zeit, darüber nachzudenken, weil er einen Entschluß fassen mußte. Er mußte zu einem Schluß darüber kommen, was er zu tun oder zu lassen hatte. Und obwohl die Situation schlimm war, mußte er darüber grinsen, daß es ihm offenbar vorherbestimmt war, immer mal wieder vor geschlossenen Türen zu stehen, zu sitzen oder zu liegen. Er ist aber diesmal von vornherein entschlossen gewesen, es nicht wieder zum Liegen und auch nicht zum Sitzen kommen zu lassen. Er wollte nach angemessener Zeit das tun, was ihm schon einmal geholfen hatte – die Tür einschla-

gen. Und er ist sich auch nach kurzer Zeit schon sicher gewesen, woher er das dazu nötige Beil kriegen konnte. Der lange Flur, an dem Lauras Wohnung lag, war nach Pauls Beobachtungen fast nur von alten Frauen bewohnt. Es soll ein ständiges Kommen und Gehen von Tür zu Tür gewesen sein, ein ständiges Verabschieden und Begrüßen. Und viele haben ihre Türen offengelassen und sind ein- und ausgegangen, wie in einer einzigen großen Wohnung. Paul ist der Meinung gewesen, daß er mit großer Sicherheit von einer der alten Damen ein Beil ausleihen konnte. Paul: »Ich konnte mir nicht vorstellen, daß eine alte Dame, und wenn sie dreimal eine Wohnung mit Fernheizung ihr eigen nannte, nicht doch in ihrem Spind ein Beil für schlechte Zeiten aufbewahrte.« Paul hatte auch schon zwei, drei der alten Damen in die erste Wahl genommen. Und nach einer Stunde Warten haben ihn schon drei Damen eingeladen, in ihrer Wohnung zu warten, bis Laura nach Hause kam. Aber Paul nahm keine der Einladungen an, weil er nicht wollte, daß Laura ungesehen aus der Wohnung kam, falls sie das vorhatte. Daß sie wußte, Paul steht draußen und wartet, dafür sorgte er, indem er alle zehn Minuten auf die Klingel drückte. Die alten Damen sind zwar einhellig der Meinung gewesen, daß Laura nicht in der Wohnung ist. Aber Paul wußte es besser. Er wußte, daß er in seiner Zeit vor Paulas Tür einen Instinkt entwickelt hatte, der ihm sagte, ob sich jemand hinter einer geschlossenen Tür befand oder nicht. Die alten Damen sind rührend um ihn besorgt gewesen. Paul hat sehr bald seinen Sessel gehabt, seine Tasse Kaffee und seine Flasche Bier. Paul war das Ereignis des Jahres für sie. Sie waren sehr neugierig, was Pauls

Erscheinen vor Lauras Tür bedeutete. Die alten Damen wollten Details wissen, auch wenn sie nicht direkt danach fragten. Sie sind selbst ins Erzählen gekommen. So hat Paul erfahren, daß Laura ein Waisenkind war, daß sie in einem staatlichen Heim großgeworden war und daß sie meistens mit einem Auto zum Dienst gefahren und auch wieder zurückgebracht wurde, das sie mit noch zwei Männern teilte. Die alten Damen wußten auch, daß Laura darüber hinaus nichts mit Männern zu tun hatte, jedenfalls nicht in ihrer Wohnung. Sie sind übereinstimmend der Meinung gewesen, daß Laura einen sehr guten und lieben Mann verdiente. Einige sind sogar der Meinung gewesen, daß kaum ein Mann gut genug für sie war. Daß Laura allein war, haben die einen darauf zurückgeführt, daß Laura sehr tief veranlagt war, ein sehr ernstes Wesen hatte und daß ihr Männer für eine Nacht oder eine Woche nichts sein konnten, sondern daß sie nur einen Mann fürs Leben wollte und auch brauchte. Und daß sie diesem Mann aber auch bis ans Ende treu sein würde. Die anderen haben gesagt: »Das mag schon sein, daß sie tief und ernst ist und einen Mann fürs Leben will. Aber welche Frau will das nicht? Und wie will sie ihn denn finden, wenn sie nicht mal aus sich 'rausgeht und ihn sucht?« Sie waren der Meinung, daß Laura auch schüchtern und unsicher war und leider auch etwas stolz und daß es solche Frauen immer schwer haben im Leben. Sie haben gesagt, daß einer Frau der Mann fürs Leben nicht in den Schoß fällt, sondern daß sie ihn sich erziehen muß. Und daß sie Laura deswegen schon ins Gebet genommen hatten. Laura soll aber nur schwer zu beeinflussen gewesen sein. Auch soll sie noch nicht allzu

lange im Haus gewohnt haben. Paul hat sofort gefragt: »Seit wann?« Und der Zeitpunkt stimmte ziemlich genau mit Paulas Tod überein.
Als Paul sah, daß die alten Damen ihm alles über Laura erzählt hatten, und Laura sich immer noch nicht regte, fing Paul seinerseits an, etwas über sich und Paula und alles über sich und Laura zu erzählen, auch Dinge, die man laut Paul normalerweise nicht erzählt, »jedenfalls nicht in Mitteleuropa«. Paul war der Meinung, daß es ihm leben geholfen hat, andern viel über sich zu erzählen, und als er das einmal wußte, hat er es auch regelmäßig so gehalten. Die alten Damen sollen regelrecht aufgeatmet haben, als sich endlich die Spannung löste, wo sich Laura die letzten Nächte aufgehalten hatte. Paul genierte sich auch nicht, sie zu fragen, warum Laura ihm, ihrer Meinung nach, wieder weggelaufen war. Da haben die alten Damen mit Paul ein Verhör angestellt, aber ein wohlgemeintes, weil sie Paul längst in ihr Herz geschlossen hatten. Paul stand auf alle Fragen Antwort, nach Treu und Glauben und Ehre und Gewissen, aber sie sind auf keinen Punkt gekommen. Sie standen vor einem Rätsel. Paul beantwortete alle Fragen sehr laut, weil er nach wie vor der Meinung war, daß Laura in der Wohnung alles verstand. Zuletzt stellte die eine der alten Damen, die von allen die ungenierteste und aufgeklärteste gewesen sein soll, die Frage, wie es mit seiner Potenz als Mann ist. Darauf hat Paul nach Treu und Glauben geantwortet, daß seiner Meinung nach mit seiner Potenz alles in Ordnung ist. Daraufhin fragte sie ihn, ob eher mehr oder eher weniger in Ordnung. Paul: »Eher mehr.« Sie hat gefragt, ob er vor allem sehr nach Paula beziehungsweise Laura

ausgehungert gewesen ist oder mehr allgemein. Darauf Paul: »Sowohl als auch.« Als Beweis konnte er anführen, daß sich bei ihm auch etwas geregt hatte, als er kürzlich seine eigene Frau umarmt hatte. Darüber haben alle sehr lange nachgedacht, zu einem Schluß sind sie aber nicht gekommen.
Zuletzt ist Paul noch auf ein kleines Beil zu sprechen gekommen, und es sind ihm auch mehrere angeboten worden. Paul nahm noch einmal die Tür in Augenschein. Sie bestand seiner Ansicht nach aus nichts weiter als doppelter Pappe, jedenfalls soll sie keinen Vergleich ausgehalten haben mit Paulas Tür in der alten Singer. So wählte Paul das kleinste der Beile. Dann wollte er allein gelassen werden. Die alten Damen haben seiner Bitte auch entsprochen. Als er allein war, hat Paul noch einmal geklingelt und sich vorgenommen, danach für lange Zeit nicht mehr zu klingeln und erst, wenn Laura sich auch dann nicht rührte, von dem Beil Gebrauch zu machen. In der Zwischenzeit ist er noch einmal in sich gegangen, besonders der letzten Nacht wegen. Er konnte aber immer noch keinen wunden Punkt sehen. Paul: »Was vor allem daran gelegen hat, daß ich in falscher Richtung in mich gegangen bin.« Paul dachte immer nur in die Richtung wie die aufgeklärteste der alten Damen. Die äußerste Schlußfolgerung, zu der er gekommen ist, war, daß Laura, wie Paula gesagt hätte, zu keinem »Gorgasmus« gekommen war und daß er das völlig übersehen hatte. Plötzlich klingelte das Telefon bei Laura. Paul konnte aber nicht feststellen, ob Laura abhob oder nicht. Aber nach zwanzig Minuten öffnete sich Lauras Tür wie in Zeitlupe. Paul stand mit seinem Sessel so, daß Laura die Tür

sehr weit aufmachen mußte, um ihn sehen zu können. Und die Gelegenheit nahm Paul sofort wahr, um seinen Fuß in aller Ruhe in den Spalt zu stellen. Laura war zwar erschrocken, hat aber nicht versucht, Paul auszusperren.

Das ist alles gewesen, was vor Lauras Tür vorgefallen ist. Paul rechnete sehr damit, daß es am nächsten Tag hieß: Paul liegt wieder vor einer Tür und malt wieder Herzen, und Saft ist auch wieder da und steigt über ihn weg. Zeitweise war Paul selbst fast überzeugt gewesen, daß Saft im nächsten Augenblick vor ihm stehen würde, so sehr fühlte er sich zurückversetzt in alte Zeiten. Paul wußte auch schon, was er zu Saft gesagt hätte: »Ich bin schon hier.«

Als Paul Laura in ihrem Zimmer gegenüberstand, hat er sie sofort gefragt, warum sie ihn verlassen hat. Er wollte auch die Kinder erwähnen, hat es aber unterlassen. Er wußte inzwischen, daß er Laura mit den Kindern erpressen konnte.

Laura hat auf seine Frage nur schwer geseufzt, aber nichts gesagt. Minuten später soll sie zum zweiten Mal geseufzt, aber wieder nichts gesagt haben. Und als wieder Minuten vergangen waren, hat sich Paul gesagt, bevor sie sich »völlig einschweigt«, fragt er sie besser direkt, ob sie einen Orgasmus gehabt hatte, das hat er auch getan.

Daraufhin soll Laura sehr blaß geworden sein, auch ihre Lippen, und ihr Kehlkopf soll auf und ab gegangen sein, und mit ihren Augen soll sie ein Loch in den

Fußboden gebohrt haben. Dann soll Laura langsam über und über rot geworden sein, nicht nur das Gesicht und der Hals, sondern auch die Arme und die Hände und nach Pauls Vermutung am ganzen Körper. Und dann hat Laura mit großer Mühe den Kopf gehoben und Paul gerade in die Augen gesehen und gesagt: »Nein.« Paul ist ein Stein vom Herzen gefallen. Er hat sich entschuldigen wollen und ihr sagen, daß er sich in Zukunft besser um sie kümmern wollte, aber Laura soll so schnell weitergeredet haben, und auf eine Art, wie einer redet, der weiß, daß er in den nächsten Minuten für immer die Stimme verlieren wird. Lauras Rede ist gewesen, daß sie Paul nicht aus dem einen sexuellen Grund verlassen hat. Sie wußte, daß es an ihr gelegen hatte, an ihrer Unerfahrenheit. Sie ist sich aber im klaren darüber gewesen, daß der Verlauf der ersten Nacht zwischen zwei Menschen noch nichts bedeuten muß. »Auch, daß es gut geht, muß nichts bedeuten«, hat sie gesagt. Paul dachte, daß sie ihm damit nichts Neues mitteilte. Er ahnte auch, daß Laura nicht aus Erfahrung geredet, sondern »die einschlägige Literatur zitiert hat«. Trotzdem fand Paul es gut, daß sie darüber redete, auch oder weil es ihr so unsäglich schwergefallen ist, daß sie immer wieder abwechselnd rot und blaß geworden ist. Er ist der Meinung gewesen, daß man über sexuelle Dinge gar nicht genug reden konnte, auch auf die Gefahr hin, zuviel darüber zu reden, weil er die Gefahr, zuviel darüber zu reden, für geringer hielt, als die Gefahr, zuviel darüber zu schweigen.
Demgemäß schwieg er, um Laura weiter Gelegenheit zum Reden zu geben. Aber Laura ist am Ende gewesen. Sie hat wieder schwer geatmet und geschwiegen, und

zuletzt hat sie nur noch geschwiegen. Da griff Paul zu einem Trick, den er von einem Schauspieler kannte. Er hielt die Luft an, bis sein Gesicht rot angelaufen war und seine Halsadern und seine Stirnadern angeschwollen sind, und dann brüllte er Laura an, daß sie reden soll. Der Trick tat seine Wirkung. Laura hat sofort die Wahrheit gesagt. Paul hatte in der Nacht dreimal »Paula« gesagt. Deswegen hatte sie ihn verlassen. Paul ist sich dieser drei Paulas nicht bewußt gewesen. »Sie müssen mir unbewußt entfahren sein«, hat er gesagt. Und Laura: »Eben.« Sie hat ihre Sprache wiedergefunden und gesagt: »Ich bin ein für allemal Laura und nicht Paula, ist das klar? Und wenn ich dreimal so aussehe wie sie!« Darauf hat Paul seine Hand aufs Herz gelegt, und zehn Minuten später sind sie mit einem Taxi wieder in Scheibe Süd gewesen, und alles hat von vorn angefangen.
Laura soll es gewesen sein, die den ersten Griff nach den Koffern getan hatte, das war von großer Bedeutung für Paul. In diesem Griff konnte Paul nur eine Bestätigung für seine fixe Idee sehen, daß es sich bei Laura um Paula handelte. Oder, wie er sich seit dem Tag gesagt hat, um »Paula in Laura, die mich nach wie vor liebte«. Erst viel später sah Paul, daß »in jeder Paula auch eine Laura steckt« und daß »es auch noch andere Gründe als Liebe gibt, wenn eine Frau zu einem Mann geht, zum Beispiel das Vorhandensein von Kindern, die keine Mutter haben, aber eine brauchen; das Bestreben, sich zu etablieren, eine Familie zu haben, sein zu wollen, wie alle sind; wie alle immer mal wieder den Satz sagen zu können: ... mein Mann; Angst vor Einsamkeit und so weiter, für jeden Buchstaben des Alphabets einen Grund, darunter auch L und S. So daß

die Codes von Mann-Frau-Systemen meistens etwa so aussehen: QWERTZVS, oder ASDFGL, aber sehr viele auch VSOPKGD und CVBNMPIU«. Welche Buchstaben bei ihm und Laura eine Rolle gespielt haben, ist für Paul nie ganz klar geworden, und ob im Laufe der Zeit welche dazugekommen oder weggefallen sind. Bei Paul handelte es sich vor allem um L und S und um Z, wie Zuneigung, auch um W wie Wahnsinn, Z wie Zwang und A wie Anpassung, wie er selbst gesagt hat.

Die Kinder haben von Lauras Abwesenheit nichts bemerkt. Als das Mädchen aus der Schule kam, war Laura wieder in der Wohnung, die Koffer waren ausgepackt, und Laura ist fast mit dem Mittagessen fertig gewesen. Darauf legte Laura großen Wert. Das Essen mußte immer zur gleichen Zeit stattfinden, weil Lauras Meinung nach nichts über regelmäßiges Essen ging und über regelmäßige Lebensweise. Immer dann war Paul drauf und dran zu sagen: »Regelmäßig ist am besten, sagte der Geldschrankknacker und knackte jede Woche seinen Geldschrank.« Er ließ es aber jedesmal sein. Bis auf das erste Mal. Da hat er es gesagt, und Paulas Tochter konnte sich nicht lassen vor Lachen. Aber Laura konnte zwei Tage lang kein Wort mit Paul reden. Da half auch nicht, daß Paul gesagt hat, daß er überhaupt nicht gegen Regelmäßigkeit ist, nicht gegen regelmäßiges Essen, regelmäßiges Trinken, regelmäßiges Denken, regelmäßiges Schlafen – und das möglichst nicht allein. Das machte es nur noch schlimmer,

obwohl es von Paul nur nett und als Witz gemeint war. Paulundpaula haben keinen Witz ausgelassen, den sie machen konnten, schon gar nicht über regelmäßiges Schlafen. Für Laura ist es aber ein zu ernstes Thema gewesen, um darüber Witze zu machen. Auch dazu hätte Paul am liebsten gesagt, daß es sich eigentlich nur lohnt, über ernste Themen Witze zu machen, ließ es aber bleiben, um die Lage nicht zu verschärfen.
Es ist Paul schwergefallen, auf seine Pointen zu verzichten. Einmal schlug er Laura folgendes Übereinkommen vor. Er sollte seine Pointen machen dürfen, und sie sollte so tun, als wenn sie nicht verstanden hätte. Dann wäre Paul seine Pointe los, und Laura brauchte nicht zu reagieren. Laura ist aber nicht darauf eingegangen, jedenfalls lange Zeit nicht. Als Paul sah, daß Laura drauf und dran war, auch eine ganze Woche nicht mit ihm zu reden, hat er etwas getan, was ihm sehr schwergefallen ist. Paul wußte genau, daß Laura an seinem Äußeren etwas sehr mißfiel: die Haare. Weil sie erstens zu lang und zweitens »ungepflegt« waren, vor allem zweitens. Paul hatte allerdings den Verdacht, daß Laura vor allem der Meinung war, daß man eben regelmäßig zum Friseur gehen muß. So faßte sich Paul ein Herz und ging zum Friseur, einzig um Laura den Gefallen zu tun und sie vielleicht auf die Art wieder zum Reden zu bringen. Der Gang zum Friseur fiel Paul nicht deswegen schwer, weil er darin einen Verrat an irgendeiner Gruppe sah. »Lange Haare als Gruppenzeichen«, war Pauls Ansicht, »sind, wie alle wissen, längst passé. Heute kann der härteste Finsterling Haare bis zu den Hacken haben, und der netteste Kerl eine Bürste. Anders im NSW. Da sind lange Haare längst wieder zum Grup-

penzeichen geworden, nämlich für Leute, die einen so festen Job haben, daß er ihnen nicht gekündigt werden kann, Beamte etwa.« Pauls Haare waren ihm seinerzeit vor Paulas Tür gewachsen. Später hatte er sich daran gewöhnt, den Friseur und die damit verbundene Anstrengung zu vermeiden. Er gefiel sich aber auch mit langen Haaren, und Paula haben sie auch gefallen. Es war für ihn wichtig, sich selbst zu gefallen, wichtiger, als regelmäßig zum Friseur zu gehen. Der Gang zum Friseur war für Paul eher etwas von Verrat an sich selbst. Als er aber auf dem Stuhl vor dem Spiegel saß, dachte er nicht daran. In dem Moment dachte er nur daran, daß Laura nicht mit ihm reden konnte und daß er etwas tun mußte, um sie wieder zum Reden zu bringen. Und zum Reden mußte er Laura wieder bringen. Denn wenn Laura nicht redete, redete auch Paula nicht, und wenn Paula nicht mit ihm redete, konnte Paul nicht leben. Außerdem ist es nicht nur beim Nichtreden geblieben. Laura hat auch nicht mit Paul geschlafen. Sie hatte, laut Paul, eine Art entwickelt, zwischen sich und ihm eine durchsichtige »Eiswand« zu errichten. Um die Wand wieder abzutauen, brauchte Paul jedesmal viel Geduld und Zeit. Meistens mußte er vorher zum Friseur gehen – im übertragenen Sinn. Manchmal hat es geholfen, wenn er tatsächlich zum Friseur gegangen ist. Jedenfalls konnte Laura dann wieder mit ihm reden, und wenn sie erst redete, verschwand auch bald wieder die Eiswand im Bett. Erst später fand Paul eine Methode, Laura wieder zum Reden zu bringen, die nicht soviel Zeit und keinen Gang zum Friseur brauchte, nur Geduld und Nervenstärke seinerseits. Sie bestand darin, daß er die Wand regelrecht umging. Er stand dann aus seinem Bett auf, ging um das Fußende herum und legte sich zu Laura, und von der Seite stand keine Eiswand, auch wenn Laura selbst aus Eis war. Aber wie ein Mann eine Frau aus Eis auftauen muß, das wußte Paul, unter anderem von Paula – vorausgesetzt, die Frau will den Mann grundsätzlich, und davon konnte er ausgehen. Diese Formulierung stammte nicht von ihm. Eines Tages fragte er Laura, ob sie ihn grundsätzlich will, und da war sie es, die gesagt hat, daß Paul »grundsätzlich davon ausgehen kann«. Da haben Paul die Ohren geklungen. Das war eine Formulierung, die in seiner alten Dienststelle im Schwange gewesen war. Laut Paul ursprünglich nur dann, wenn einer sich um ein deutliches Ja drücken wollte. Erst später auch dann, wenn einer tatsächlich ja meinte. Zuletzt soll es so weit gekommen sein, daß keiner mehr ein einfaches Ja verstand. Mit einem einfachen Ja soll man aufgefallen und »schlechten politischen Stils verdächtigt worden sein«. Bei Laura ist Paul davon ausgegangen, daß sie ja meinte. Und so ließ er sich nicht entmutigen, auch wenn sie aus Eis war »wie ein bis auf den Grund gefrorener See«. Wenn Paul die Eiswand umging und sich auf Lauras rechte Seite legte, sind seine Voraussetzungen, Laura aufzutauen, auch noch aus einem anderen Grund gut gewesen. Laura bestand von der ersten Nacht an darauf, im rechten Bett zu liegen. Es konnte für sie nicht anders sein. Paul war davon irritiert. Paulundpaula haben immer Paul rechts und Paula links gelegen, ohne weiter darüber nachzudenken. Das hing damit zusammen, wie sich beide eines Tages klargemacht hatten, daß Paul Rechtshänder war und auf die Art seine rechte Hand frei hatte, um Paula anzufassen und sie zu streicheln, und Paula hatte ihre linke frei, um Paul zu streicheln. Paula ist von Geburt an Linkshänderin gewesen. Und wenn Paul jetzt ums Bett gegangen ist, dann lag Laura wieder links von ihm, und das war für sie letztendlich auch gut, ob sie ihm nun den Rücken zugedreht hat oder nicht. Und wenn er sie soweit aufgetaut hatte, daß sie sich ihm zudrehte, dann ist für Paul zu Buche geschlagen, daß Laura auch Linkshänderin gewesen ist. Was sie laut Paul nie zeigte, nur im Bett. »Und auch da nur in ihrer besten Zeit.« Die Nacht, in der Paul das zum ersten Mal erlebte, ist für ihn »eine der größten« gewesen. Später hat er Laura gefragt, warum sie alles mit rechts macht, wenn sie doch Linkshänderin ist. Da hat sie gesagt, daß sie es sich selbst anerzogen hat, um in einer Welt der Rechtshänder keine Schwierigkeiten zu haben. Das leuchtete Paul sehr ein. »Es ist dasselbe Problem«, hat er gesagt, »wie in einer Gesellschaft, die rechts denkt, links zu denken. Das führt zu nichts anderem, als wenn einer in einem Land, in dem rechts gefahren wird, versucht, links zu fahren: zu dauernden Zusammenstößen, und damit zu leben ist nicht jedermann möglich.«

Pauls Hoffnung war, daß er Laura eines Tages auf die Dauer aus dem rechten in das linke Bett verlegen konnte. Daran war aber nicht zu denken, sooft er es auch versucht hat. Nach Paul spielte sich sein und Lauras Liebesleben immer auf die gleiche Weise ab. Beim »Vorspiel« faßte Paul Laura mit seiner Linken an und streichelte sie. Dann versuchte er, an ihre rechte

Seite zu kommen, auch ohne das Bett zu umgehen. Das verhinderte Laura regelmäßig, indem sie immer weiter nach rechts rückte. Und wenn Paul sie dann liebte, mußte er immer an ihre erste Nacht denken, wie schlecht es ihr da gegangen war, und er konzentrierte sich ganz auf sie und darauf, daß ihm nicht etwa wieder eine Paula entschlüpfte oder sogar drei. Diese Gefahr war laut Paul aber nicht mehr sehr groß, weil er nichts davon hatte, wenn er Laura liebte, »außer der Genugtuung, nicht mehr als Unhold dazustehen, wie nach der ersten Nacht«. Er ließ aber Laura nichts davon wissen, was, wie er selber gesagt hat, ein großer Fehler gewesen ist. Paul: »Ich habe sie glattweg getäuscht.« Das fiel ihm um so leichter, als Laura selbst immer etwas davon hatte und oft sogar mehr als einmal, und davon war sie so begeistert, daß sie bei Paul das gleiche voraussetzte. »Ein bekannter Effekt«, laut Paul. »Ganz so ist es mir in der ersten Nacht mit Laura gegangen, und ganz so wird es allen gehen, die dieses Spiel spielen und nicht eines Tages sagen, du irrst, mein Schatz.« Obwohl Paul dieses Spiel kannte, hat er es doch lange gespielt und nicht gesagt, du irrst. Unter anderem deswegen, weil mit Laura über dieses Thema nach wie vor nicht zu reden war, und je länger Paul nichts sagte, desto schwerer war es für ihn, damit anzufangen. Er hat aber auch deswegen nichts gesagt, weil er fürchtete, daß Laura dann wieder ihre zwei Koffer packte und diesmal auf Nimmerwiedersehen verschwand. Später hat er es nicht mehr ausgehalten und ihr die Wahrheit gesagt. Laura ist trotzdem nicht gegangen. Da liebte sie Paul schon, hatte aber noch andere Gründe.
Der Zustand ist für Paul nicht gut gewesen. Manchmal

hat er sich nicht anders zu helfen gewußt, als Laura zu reizen, damit sie die Eiswand errichtete und er das Bett umgehen konnte und auf die Art wenigstens ab und an etwas von der Liebe haben konnte. Es genügte schon, wenn Paul in Schuhen in die Wohnung gekommen ist, statt sie, wie Laura es eingeführt hatte, vor der Wohnungstür auf der Treppe abzustellen und die Wohnung in Strümpfen zu betreten. Dann konnte er fest damit rechnen, daß die Eiswand im Bett stand. Das ist aber meistens nicht ausreichend gewesen. Paul mußte außerdem noch ein Wort über Paula fallen lassen. »Das mag sich zynisch anhören«, hat Paul gesagt, »aber Leute in sexueller Not sind noch zu ganz anderem fähig.« Wäre er nicht in Not gewesen, wäre Paul längst dazu bereit gewesen, seine Schuhe vor der Tür zu lassen. Er sagte sich: »Früher oder später zieht man ohnehin seine Straßenschuhe aus, wenn man in seine Wohnung geht, also warum nicht gleich und vor der Tür?« Er fand, daß sich deswegen kein Streit lohnt. Ebenso dachte er über die Regelmäßigkeit von Essen, Schlafen und so weiter. »Man muß ohnehin essen, trinken, schlafen, also kann man es gleich regelmäßig tun.« Er bot aber Laura keine Diskussion darüber an und sagte schon gar nicht seine wahre Meinung. Er wollte sich die Streitpunkte erhalten. Dabei ist ihm entgegengekommen, daß Laura zu Diskussionen nicht fähig war. »Sie konnte nur bestimmen und jeden Widerspruch nur mit drakonischen Maßnahmen beantworten, wie Schweigen, Eiswand und Kofferpacken.« Paul brauchte lange Zeit, ehe er einsah, daß es nicht »einfach Hysterie« gewesen ist, die sie so sein ließ, sondern nichts weiter als Unsicherheit. Den noch wahreren Grund für Lauras Benehmen zu sehen, hatte Paul keine Chance. Er war, laut Paul, auch so ausgefallen, »daß kein Schwein« darauf kommen konnte. Pauls Phantasie reichte nicht dazu aus.

Paul und Laura haben auch über das Thema Arbeit gesprochen, zunächst über Lauras. Paul war es, der damit anfing, weil er sich mit der Zeit wunderte, womit Laura das Geld verdiente, das sie ausgab, und darüber, daß Laura keine Anstalten machte, wieder zu arbeiten. Laura wich diesem Thema nicht aus, aber sie kam auch nicht von selbst darauf zu sprechen. Worauf sie aber zu sprechen kam, war Pauls Arbeit in der Kaufhalle, oder seine Beschäftigung, wie Laura es nannte. Paul nahm das anfangs nicht weiter ernst. Dann fiel ihm auf, daß Laura offensichtlich etwas gegen die Kaufhalle hatte. Er hat sie gefragt, ob er ihr zuwenig Geld verdient. Das bestritt Laura. Ihrer Meinung nach war Paul mit dieser Beschäftigung unterfordert. Das lehnte Paul ab. Paul fühlte sich nach seinen Worten ausgefüllt und eher überfordert. In Wahrheit hätte Paul mit der Zeit die Kaufhalle vermissen können, aber nicht die Erinnerungen an Paula. Die wollte Paul nicht vermissen. Er hat Laura auch nichts über all die Vorfälle gesagt, die ihn in die Kaufhalle gebracht hatten. Denn dann hätte er auch den Namen Paula erwähnen müssen und daß er einzig und allein Paulas wegen den Bereich gewechselt hatte. Und wie Laura darauf reagieren würde, das wußte Paul: wahrscheinlich nicht nur mit Eiswand, sondern gleich mit Auszug.

LAURA SELBST ist es gewesen, die wieder auf das Thema Kaufhalle zurückgekommen ist. Sie wollte wissen, ob er in Moskau an der Handelsschule gewesen war und wenn ja, warum er dann nicht mindestens Kaufhallenchef ist. Daraufhin konnte Paul nur lügen und sagen, daß er eine höhere Funktion im Handel gehabt hatte, daß es aber zu finanziellen Unregelmäßigkeiten kam und er zur Bewährung in die Kaufhalle geschickt wurde. Das mußte Laura hinnehmen. Nur, wie es zu den finanziellen Unregelmäßigkeiten gekommen war, wollte sie noch wissen. Aber da hat Paul gesagt, daß ihm die Details peinlich sind. Was Paul nicht wissen konnte, war, daß Laura zu der Zeit schon alles über ihn wußte. Daß sie das trotzdem aus ihm herausholte und wie sie es machte, hat ihr Paul später sehr übelgenommen.

ALS LAURA das dritte Mal auf die Kaufhalle zu sprechen kam, hat Paul den Spieß umgedreht und sie nach ihrer Arbeit gefragt und womit *sie* eigentlich ihr Geld verdient. Damit hatte er Laura in eine schlimme Lage gebracht, ohne es zu wissen. Paul selbst konnte lügen, wenn es ihm auch keinen Spaß machte. Aber Laura konnte nicht lügen. Sie drehte Paul den Rücken zu, so daß er nicht sehen konnte, wie blaß sie geworden war. Ihren Angaben nach hatte sie unbezahlten Urlaub. Darauf Paul: »Wie lange?« Und Laura: »So lange mein Geld reicht.« Da hat Paul gesagt: »Dann muß dein Konto aber nicht klein sein«. Und Laura: »Ist es auch nicht, und außerdem soll hier alles erst in Ordnung sein.« Da ist Paul die Frage entschlüpft: »Was denn nun noch?« Paul fand, daß eine größere Ordnung eigentlich nicht mehr denkbar war. In derselben Sekunde fing Laura an zu schweigen. Da ist Paul der Schreck in die Glieder gefahren, weil er sie schon nach den Koffern greifen sah. Auch so ist ihm klar gewesen, daß sie mit Sicherheit eine ganze Woche »voll durchzicken« würde. Er wollte das Thema wechseln, obwohl das nicht einfach war. Es gab kaum ein Thema zwischen Paul und Laura, bei dem sie einer Meinung gewesen sind, wenn Paul nicht zurücksteckte. Aber an dem Tag ist es Paul sehr schnell gelungen, Laura zu beruhigen. Warum und wieso ihm das gelungen ist, begriff er selbst nicht. Paul ist aufs Heiraten zu sprechen gekommen. Paul wollte Laura durchaus heiraten, lieber früher als später. Aber immer wenn er die Rede darauf brachte, ist Laura ausgewichen. Ihrer Meinung nach bestand keine Notwendigkeit zum Heiraten. Diesmal aber hat sie gesagt, daß man »über die Frage nachdenken müßte«. Paul war so »geschockt«, daß er sich keine Sekunde über Lauras Ausdrucksweise erregte, auch nicht im stillen. Sein Verhältnis zu Laura ist nach seinen eigenen Worten so gewesen wie zu einem Türschloß, zu dem er zwar einen Schlüssel hatte, das aber nur manchmal funktionierte, ohne daß er wußte, warum oder warum nicht. Auch ist Laura in der ganzen Woche danach sehr zu Kompromissen bereit gewesen, und sie ist auch jede Nacht in Pauls Bett gekommen, um ihn zu lieben, das heißt, um es zu versuchen.

Befriedigt war Paul von diesem Zustand nicht, und

auch Laura war nicht glücklich. Andererseits waren sie auch nicht besonders unglücklich. Es ist ihnen gegangen wie den meisten Menschen. Pauls Problem dabei war, daß er das alles mit einer Frau war, die wie Paula aussah, die ihn ständig an Paula und an die Zeit mit ihr erinnerte. So kam er nicht zur Ruhe und dachte immer wieder, ob der alte Paulundpaula-Zustand nicht wieder herzustellen wäre. Er rieb sich daran auf.
Es gab Zeiten, da konnte er sich mit Laura abfinden. Dann gab es wieder Zeiten, wo er sich auf die Suche nach Paula in Laura begab. Das ist vor allem der Fall gewesen, wenn sie eine Nacht mit der Eiswand hinter sich gebracht hatten. Dann war Paul sehr unruhig. Dann hat er sich nicht damit abfinden können, daß es »auf dem Laura genannten Klavier« Tasten gegeben hat, die er so sacht oder so stark anschlagen konnte, wie er wollte, die aber keinen Ton von sich gaben. Er ist sich dann so vorgekommen wie Paula in alten Zeiten, die auch versucht hatte, dem Paul genannten Klavier bestimmte Töne zu entlocken, ohne Erfolg damit zu haben. Wobei Paul zu der Zeit schon ahnte, daß ihm mit Laura keine komplette Paula in den Schoß gefallen war, mit allen Tasten und Tönen, und er ahnte auch, daß er soviel nicht verlangen konnte. Aber da waren ein paar wesentliche Töne, auf die wollte Paul nicht verzichten.

So ist alles gekommen, wie es kommen mußte.
Eines schönen Tages brachte Laura wieder die Rede auf das Thema Kaufhalle. Wie Paul meinte, ohne Not. Als

Anlaß nahm sie, daß Paul einen sehr langen Weg zur Kaufhalle hatte, über eine Stunde. Laura: »Wenn du schon im Handel tätig bist, dann geh doch in die Kaufhalle in unserem Wohngebiet. Da brauchen sie auch Arbeitskräfte.« Da hatte Paul plötzlich keine Lust mehr, seine Lügen zu wiederholen.
Im übrigen war es so, daß es fast keine Reizthemen mehr gab, weil Laura sich an Paul gewöhnte und weil Paul seinerseits alles machte, was sie von ihm verlangte. Er ging regelmäßig zum Friseur, putzte regelmäßig seine Schuhe, aß regelmäßig, trank regelmäßig, saß nicht regelmäßig vor dem Fernsehapparat, sondern las, wie Laura, regelmäßig ein gutes Buch und hörte regelmäßig gute Musik. Er trug wieder regelmäßig seinen Anzug, und er liebte Laura regelmäßig, auch wenn er es nicht lieben, sondern »leiben« genannt hat, aber nur im stillen. Und Laura ihrerseits gestattete ihm bei allem eine Ausnahme, und auch die regelmäßig. Paul konnte regelmäßig zweimal im Monat seine alten blauen Hosen anziehen und seinen grünen Pullover. Er konnte regelmäßig jedes dritte Mal den Friseur auslassen, und er hatte auch regelmäßig die eine oder die andere Nacht frei, obwohl gerade das laut Paul ein regelrechtes Opfer gewesen sein muß für Laura. Laura soll zwar nie darüber gesprochen haben, aber Paul war sich sicher, daß sie noch nie soviel von der Liebe gehabt hatte. Und Pauls Unglück ist gewesen, daß sein Körper immer reagiert hat, wenn Laura zu ihm ins Bett gekommen ist. »Man hat dann keine Chance zu sagen, daß man nicht will und schon gar nicht, daß man nicht kann, wie Frauen das so gut können, ohne daß ihnen einer das Gegenteil beweisen kann.« – Paul. Er begriff nicht, daß

gerade Laura nach dem einzigen noch verbliebenen Reizthema griff. Für einen Moment hatte er »so etwas wie eine Vision«. Er dachte, es ist fast so, als wenn sie im Auftrag handelt. Ein absurder Gedanke, hat er sich gleichzeitig gesagt und ihn vergessen und nur noch den einen Gedanken gehabt: »Alles, was ich getan habe, reicht ihr nicht. Sie will die totale Anpassung. Sie will, daß ich Paula völlig vergesse. Daß dies nicht der Fall sein wird, mache ich ihr jetzt ein für allemal klar, und dann soll kommen, was will.« Und Paul hat ihr alles bis ins Kleinste berichtet, von sich und Paula und daß er nur wegen Paula noch in der Kaufhalle arbeitet und auch daran festhalten wird. Und er hat ihr auch gesagt, welches sein Studium gewesen war und wo er gearbeitet hatte. Da soll Laura blaß geworden sein, sogar bleich. Paul will unwillkürlich auf den Teppich gesehen haben, weil er noch nie jemand so bleich hat werden sehen und sich nicht erklären konnte, wo das ganze Blut geblieben war. Aber dann ist er selbst blaß geworden, weil Laura gesagt hat, daß sie nicht mehr leben kann als Stellvertreterin von Paula, daß sie daher weggehen wird und daß sie mit ihm nie wieder ein Wort reden wird, es sei denn – und da ist Paul fast vom Schlag getroffen worden – Paul bewirbt sich wieder bei seiner alten Dienststelle. Und dann griff Laura nach den zwei Koffern, packte sie voll und verließ die Wohnung und Paul und die Kinder.

Den Kindern hat Paul gesagt, daß Laura verreisen mußte. Er hatte keine Erklärung für Lauras Abschied.

Er brauchte eine Woche, um zu begreifen, daß es tatsächlich unmöglich ist für einen Menschen, in Stellvertretung eines anderen zu leben, weil das auf Selbstaufgabe hinausläuft, ganz abgesehen von der Eifersucht, die Laura ständig auf Paula gehabt haben mußte. Und plötzlich kam ihm der Verdacht, daß es an diesem Zustand lag, daß sie sich nicht lieben lassen wollte, wie Paul sie lieben wollte. Das alles war ihm plötzlich sehr plausibel, und plausibel war ihm auch, daß er sich nun endgültig von seiner fixen Idee trennen mußte, daß Laura eine zweite Paula war, nur weil sie aufs Haar so aussah wie Paula. Paul: »Das einzige, was ich nicht begriff, war, was meine alte Dienststelle damit zu tun haben sollte.« Darüber dachte Paul Tage nach und kam zu keinem Schluß. Allein die Vorstellung, wieder an eine Tür zu klopfen, die er ein für allemal hinter sich zugemacht hatte, war für Paul so unvorstellbar, daß es schon genügte, ihn am Nachdenken zu hindern, ganz abgesehen von der Wut, die er auf Laura hatte. Und das ist, wie Paul sich ausdrückte, nicht bloß »die Wut über einen verlorenen Groschen« gewesen. Er sagte sich, daß der Preis, den er für Laura gezahlt hatte, entschieden höher gewesen ist, so hoch, daß er so gut wie bankerott gegangen war, und daß von einem Zusammenleben nicht die Rede sein kann, wenn der eine für den anderen dabei bankerott geht.

Eines Tages standen seine Frau und sein Sohn vor der Tür. Sie wollten ihn besuchen, und neugierig auf Laura sind sie auch gewesen. Als Laura nicht da war, ist seine

Frau sehr rot geworden. Paul konnte sich denken warum. Sie kümmerte sich sofort um die Kinder, die sich aber untereinander gut vertragen haben. Die beiden Großen haben sich sogar herabgelassen, dem Kleinen zu Gefallen, Mutter, Vater, Kind zu spielen. Pauls Frau ließ keinen Zweifel daran, daß sie bereit war, dasselbe Spiel zu spielen: Vater, Mutter und drei Kinder. Meine Person ist sich nicht sicher, ob Paul ihr Angebot nicht stundenweise angenommen hat. Aber auch wenn es der Fall gewesen sein sollte, kann es nur stundenweise dazu geführt haben, daß Paul Laura vergessen hat. Es ist der Tag gekommen, an dem er zugeben mußte, daß er Laura vermißte – von den Kindern ganz abgesehen. Der Junge soll direkt nach ihr gefragt haben, das Mädchen nicht, aber es hat gewartet. Pauls Leben ist dadurch nicht leichter geworden. Warum Paul Laura vermißte, darüber ist er sich nicht klar gewesen. Auch später hatte er nur die eine Erklärung dafür, daß sie wohl schon zu verfilzt ineinander waren.
Und als Paul einmal so weit war, mußte er sich, ob er wollte oder nicht, wieder mit dem Gedanken an seine alte Dienststelle befassen. Es war ihm zuwider. Trotzdem ist ihm zuletzt eine Erklärung für Lauras Forderung eingefallen.
»Laura will, daß ich dienstlich von vorn anfange, weil sie will, daß ich auch mit ihr von vorn anfange.« Weiter hat er sich gesagt: »Wenn ich das eine will, nämlich Laura, und ich will sie offensichtlich, muß ich auch das andere wollen, die Dienststelle. Das ist nur logisch.« Einen Tag lang dachte er darüber nach, ob er Laura nicht umstimmen konnte, länger nicht. Er kannte Laura gut genug, und ihr Gesicht stand ihm noch

deutlich genug vor Augen, als sie nach ihren Koffern gegriffen hatte. Schon am nächsten Tag griff Paul zum Telefon, um seinen Kumpel zu fragen, wie er die Sache sieht und was man in der Dienststelle zu dem Fall sagen würde. Paul ließ aber den Hörer noch im selben Moment wieder los, als wenn er glühend wäre.

DEN GANG zum Telefon machte Paul noch dreimal, bis er ahnte, daß er sich regelrecht auf diesen Gang vorbereiten mußte, wenn er eines Tages fähig sein wollte, auch nur ein Wort in den Hörer zu sprechen. Zunächst versuchte er es mit Kognak, um sich zu enthemmen. Aber es zeigte sich, daß er selbst volltrunken nicht dazu in der Lage war. So ist Paul auf den Gedanken verfallen, die Nummer zwar zu wählen, den Hörer aber nicht abzunehmen, sondern erst, nachdem er zu Ende gewählt hatte, seinen Spruch vorzubringen, ohne daß ihn einer hören konnte. Paul glaubte, daß er sich mit der Zeit an seine eigenen Sätze gewöhnen würde und auch, daß er sie mit der Zeit auswendig lernen konnte, wie eine Rolle.
Als er soweit war, als er sich selber weich geklopft hatte, als die Premiere kam, wie er es nannte, half ihm alles Auswendiglernen nichts. Er brauchte Kognak, und folglich brachte er alles durcheinander. Nichts stimmte mehr, nichts hatte mehr einen Zusammenhang. Der Text kam durcheinander mit den Bestellungen für die Kaufhalle. Paul war so volltrunken, daß ihm nicht aufgefallen ist, wie ihn sein Kumpel trotzdem auf Anhieb verstand. Er hat Paul gesagt, daß seine Aussich-

ten gut sind und daß er ihn besuchen wird, um die Sache im Detail zu besprechen, und daß er sich freut, Paul nach so langer Zeit wiederzusehen. Paul hat sich bedankt und ihn außerdem beschworen, um Himmels willen genügend Kisten mitzubringen, damit er all die leeren Flaschen mitnehmen kann. Damit meinte Paul in seiner Volltrunkenheit nicht die Flaschen, die er ausgetrunken hatte, sondern das Leergut aus der Kaufhalle. Sein Kumpel hat gelacht und gesagt, daß er daran denken und auch für Nachschub sorgen wird.

UND SO IST ES auch gekommen. Schon einen Tag nach Pauls Anruf ist sein Kumpel bei ihm gewesen. Er brachte die versprochenen Flaschen mit. Sie haben angefangen zu reden, zuerst über ganz alte Zeiten, dann über weniger alte Zeiten und bei der dritten Flasche über die jüngste Zeit. Und als beide ihre Zungen kaum noch bewegen konnten, sind sie soweit gewesen, daß Paul über alle Vorgänge im Haus seit seinem Bereichswechsel informiert war, alle personellen Veränderungen durchschaute, allen Klatsch kannte und auch alles über alle neuen Konzeptionen auf dem internationalen Parkett wußte. Das Letzte ist für Paul das Schwierigste gewesen, weil er aus allem raus gewesen ist. Es war aber, wie er wußte, notwendig, wenn er wieder einsteigen wollte. Und ganz zuletzt haben sie besprochen, wie Pauls Einstieg vor sich gehen und in welche Abteilung er eingebaut werden sollte.

Das soll wieder sehr einfach gewesen sein, laut Paul, fast schon zu einfach. Seine neue Stellung sollte zwar nicht wieder die alte sein, aber ein Abstieg war sie nicht. Sie hatte sogar eine bessere Perspektive. Sein Kumpel gab ihm die einfache Erklärung, ein reuiges Schaf ist allemal besser als einer, der noch so fest ist im Glauben, und nichts wird so heiß gegessen, wie es gekocht wird, und kommt Zeit kommt Rat, und als er keine weiteren Sprichwörter mehr wußte, informierte er Paul noch über die neueste Hausmode. Attachékoffer sollen nicht mehr »in« gewesen sein, auch nicht breite Schlipsknoten, Hosen mit Schlag, Schuhe mit hohen Hacken und mit Glanz. In Mode soll alles gekommen sein, was konventionell war, und am aktuellsten soll gewesen sein, wenn man ein wenig abgeschabt war, allerdings in den richtigen Grenzen. Motto: Sproß aus alter Familie. Es soll nicht mehr angezeigt gewesen sein, die Worte relativ, evident, allergisch, substantiell, freundschaftlich und also zu benutzen. Gefragt dagegen sollen gewesen sein: essentiell, signifikant, brüderlich, locker, autophil, feminin, diametral und antithetisch, aber diametral um Himmels willen nicht mehr zusammen mit entgegengesetzt. Im Kommen soll gewesen sein: kontrovers, konsumtiv, auch wieder kollektiv, nominell, national und produktiv. Produktiv aber nur mit langem gerolltem R. Im übrigen soll er gesagt haben, daß letztere Vokabeln zunächst noch in mehreren Spitzenreferaten bestätigt werden müßten. Und dann hatte er noch einen Geheimtip für Paul: gelegentlich etwas unpünktlich sein, als Zeichen dafür, daß einer eine wirklich selbständige Person ist und sich nicht beeindrucken läßt von den ständig zirkulierenden Rundschreiben betreffs der genauen Einhaltung der Dienststunden. Und ganz zuletzt riet er Paul noch, sich die Haare wieder länger wachsen zu lassen, mindestens bis auf den Hemdkragen, und um Himmels willen nie so auszusehen, als käme er gerade vom Friseur. Und dann sind sie beide, laut Paul, weggesackt in ihren Sesseln und erst sehr früh wieder wach geworden.

Der erste Gedanke, den Paul am Morgen hatte, ist gewesen, zu Laura zu fahren, um ihr alles zu erzählen. Aber sein Kumpel hielt es für besser, zuerst in die Dienststelle zu gehen und »gleich Nägel mit Köpfen zu machen«. Er bot sich auch an, Paul soviel wie möglich an Verhandlungen und dergleichen abzunehmen, beziehungsweise für Paul vorzubereiten. So haben sie es dann auch gemacht. Sie haben sich geduscht, haben sich Kaffee gemacht, haben den Kindern Frühstück gemacht, das Mädchen in die Schule geschickt und den Jungen in die Krippe gebracht, und dann haben sie sich auf den Weg gemacht. Paul war sehr zufrieden, daß da einer war, der ihm sagte, was er zu tun und zu lassen hatte. Paul selbst konnte nur an eines denken: was Laura sagen und ob sie damit einverstanden sein wird, in Zukunft links zu schlafen. Er dachte sogar daran, es zur Bedingung zu machen, daß sie das Bett wechselt, falls sie nicht von selbst auf den Gedanken kam, was Paul sehr hoffte. Auf die Art hat Paul nicht viel von seiner Wiedereingliederung in die Dienststelle erlebt. Er ist seinem Kumpel von Zimmer zu Zimmer gefolgt, hat Unterschriften geleistet, Hände gedrückt, teils von Leuten, die er kannte, teils von Leuten, die neu gewesen sind. Auch sein alter Chef war nicht mehr im Haus. Der

war als Sonderbotschafter unterwegs, und es war allgemein bekannt, daß er danach nicht wieder in seine alte Funktion zurückkam. Man munkelte, daß er danach »die letzte Sprosse erklimmen« sollte.
Der Fiesling aber ist noch im Haus gewesen. Er kam Paul auf das freundlichste entgegen. Paul hat im selben Moment alle guten Vorsätze vergessen und dem Mann die Hand gepreßt und ihm mit der anderen auf die Schulter gehauen und ihn anschließend noch in die Rippen geboxt, so daß er blaß wurde und ihm die Luft wegblieb, was Paul sehr wohltat. Später hörte Paul, daß der Mann kurz vor seiner Versetzung in ein anderes Haus stand, und Paul wußte, was eine Versetzung bedeutete. Da fand Paul sein Vorgehen nicht mehr so gut, weil er der Meinung war, daß es unter seiner Würde war, einem Absteiger noch einen zusätzlichen Stoß zu geben. Die Rache des Mannes ist dementsprechend grausam ausgefallen. Die größte und erfreulichste Überraschung gab es für Paul am Schluß, als er seinem neuen Abteilungsleiter vorgestellt werden sollte. Da ließ ihn sein Kumpel allein gehen. Paul ist in das Zimmer gekommen, und da saß sein eigener Kumpel hinter dem Schreibtisch und sagte: »Wie hab ich das gemacht?!«
Und jetzt ist Paul auch klar geworden, warum die ganze Prozedur seiner Wiedereingliederung so reibungslos und freundlich abgelaufen war – weil das ganze Haus informiert war, auch wenn sein Kumpel vorläufig nur kommissarisch Abteilungsleiter war.

LAURA EMPFING Paul im wahrsten Sinne des Wortes mit offenen Armen, als er bei ihr klingelte. Nach Pauls

Schilderung ist es so gewesen, daß sie schon die Arme offen hatte, bevor Paul noch ein Wort gesagt hatte. Sie umarmte Paul und drückte ihn an sich, daß Paul die Knie weich geworden sind. Es soll genau die Art gewesen sein, in der ihn Paula immer umarmte. Dann hat ihr Paul erzählt, daß er tatsächlich wieder in seine alte Dienststelle eingestiegen ist, daß er mit offenen Armen empfangen worden ist, daß sein Kumpel sein neuer Chef ist und daß er die ganze Zeit große Sehnsucht nach ihr gehabt hat und die Kinder auch. Laura hat gesagt: »Ich auch.« Sie haben zum dritten Mal Lauras zwei Koffer gepackt. Aber diesmal hat ihm Laura, als sie aus der Wohnung gegangen sind, die Schlüssel gegeben, und ohne daß einer von beiden ein Wort darüber sagen mußte, haben beide gewußt, was das bedeutete. Es bedeutete soviel wie ein Ringwechsel oder ein Jawort. Die Kinder haben Laura mit Lachen und Tränen begrüßt, und auch Laura sind wieder die Tränen gekommen, und zugleich ist sie sehr froh gewesen. Sie haben zusammen den Kühlschrank geplündert und ein Essen gemacht, bei dem sich jeder aussuchen konnte, was er wollte, und die Kinder konnten länger wach bleiben, und das, obwohl Paul und Laura nur eines im Kopf hatten: das Bett. Wobei Paul immer dachte: hoffentlich in das richtige Bett. Denn zu seinem Vorsatz, Laura das linke Bett als Bedingung vorzuschreiben, fehlte ihm der Mut. Ihm fehlte der Mut, das neue Glück gleich wieder aufs Spiel zu setzen. Ebenso große Angst hatte er davor, daß Laura nicht von selbst auf die Idee kam. Er ist als letzter ins Bad gegangen und hat sich da ewig aufgehalten und will sich so gründlich gewaschen haben, wie in den letzten drei Jahren nicht mehr. Zuletzt faßte er sich aber doch ein Herz und kam aus dem Badezimmer. Da brannte im Schlafzimmer eine Lampe, und Paul wurde schwindlig vor Erregung. Bis dahin hatte ihn Laura immer nur ohne Licht lieben wollen. Und als Paul ins Zimmer kam, lag Laura wirklich im richtigen Bett. Paul hat sich neben sie gelegt und sie mit seiner Rechten gestreichelt und gegriffen, und Laura ließ sich streicheln und greifen und hat Paul mit ihrer Linken gestreichelt. Zu mehr ist es zuerst nicht gekommen, weil Paul vor Aufregung eine halbe Stunde lang ohne jede Potenz gewesen ist. Es soll aber nur eine halbe Stunde gedauert haben, dann konnte er Laura mit ganzer Seele lieben und auch aus Leibeskräften, und Laura hat es genauso getan. Sie sind die ganze Nacht nicht zur Ruhe gekommen, und auch die Tiere im Zoo nicht. Der Wind stand günstig, und wer wach war, konnte sie die Nacht über brüllen hören. Erst gegen Morgen sind sie ruhig geworden, als Paul und Laura erschöpft eingeschlafen waren. Sie hatten große Mühe, wach zu werden, als die Kinder geweckt werden mußten. Beide haben tiefe Augenringe gehabt, sind sehr blaß gewesen, und Laura hat tiefe Spuren von Zähnen in ihrer Hand gehabt, die sie sich selbst beigebracht hat, weil sie selbst vor ihren Schreien Angst gehabt hat, bei den dünnen Wänden in Scheibe Süd.

Pauls Dienstwagen stand schon vor der Tür, aber Paul ließ sich Zeit und machte sich in aller Ruhe fertig, weil er erstens wußte, daß der Wagen für ihn allein da war, und zweitens, weil er sich erinnerte, daß eine gewisse Unpünktlichkeit neuerdings durchaus angebracht gewesen sein soll.

Dann brachte ihn Laura zur Tür, drückte ihm den Hut

in die Hand und küßte ihn zum Abschied, und das auf eine Art, daß Paul am liebsten dageblieben wäre. Aber Laura schob ihn aus der Tür. Paul ist in seinen Dienstwagen gestiegen und ist sich sehr merkwürdig vorgekommen, als er sah, wie Laura ihm aus dem Fenster zuwinkte. Er ist sich vorgekommen wie in alten Zeiten in der Singer, als seine Frau es war, die ihm nachwinkte. Sein Anzug ist noch derselbe gewesen, sein Hut auch, das Haus sah nicht viel anders aus, der Dienstwagen war noch derselbe, einschließlich des Fahrers. Paul: »Ich kam mir vor wie einer, der im Kreis gegangen ist.« – Er mußte sich erst mit Gewalt ins Gedächtnis rufen, was alles geschehen war. Daß da oben nicht seine Frau winkte und auch nicht Paula, sondern Laura, auch wenn sie ausgesehen hat wie Paula, daß er einen Sohn von Paula hatte, den Laura an Mutterstelle angenommen hatte, samt Paulas Tochter, deren Vater keiner kannte und an der er Vaterstelle vertrat. Und er sagte sich auch, daß er selbst unmöglich der alte Paul sein konnte, auch wenn er sich im Moment so vorkam.

PAUL WAR sehr gespannt darauf, wie er mit dem Betrieb in seiner alten Dienststelle zurechtkommen wird. Paul: »Schließlich wußte ich noch aus der Schule, daß man nicht zweimal in denselben Fluß springen kann.« Schon der erste Tag zog sich für Paul ins Endlose, auch wenn er fast pausenlos beschäftigt war. Paul wollte jedoch nicht ungerecht sein. Er sagte sich: »Das kann gut daran liegen, daß ich die ganze Zeit etwas anderes vorhabe.« Paul hatte Laura vor: »Und wenn es einem so geht, dann kann einem der interessanteste Dienst zur Qual

werden.« Aber schon nach einer Woche konnte Paul den Vergleich Fluß gleich Dienststelle nicht mehr aufrecht erhalten. Seine Probleme schienen daher zu kommen, daß Paul nicht mehr derselbe war. Paul: »Das wollte ich geklärt wissen.« Und von da ab machte sich Paul seinen eigenen Tagesablauf. Die meisten Abende und sogar Nächte waren in »alter und gehabter Weise« besetzt durch Versammlungen, Einsätze, Feuerwehreinsätze. Davor konnte er sich schlecht drücken, das war die eigentliche Arbeit. Aber tagsüber, »während des Leerlaufs«, machte er sich selbständig. Er ging unter einem Vorwand aus dem Haus und geradewegs zu Laura, die immer sehr erfreut war, weil es tags auch für sie Leerlauf gab. Und sie ließ sich von Paul nun auch ohne weiteres am hellerlichten Tag lieben. So haben sie und Paul regelmäßig mitten am Tag in den Betten gelegen. Sie haben aber auch zusammen geredet. Laura soll sich sehr lebhaft für die Vorgänge in der Dienststelle interessiert haben und wollte bis ins kleinste alles wissen, was vorging. Paul: »Wenn ich mehr von den diversen Bestimmungen von Geheimhaltung von Informationen beeindruckt gewesen wäre, hätte ich geradezu auf den Gedanken kommen können, sie hätte ein geheimdienstliches Interesse an mir gehabt.«
Und dann ist eines Tages Lauras Konto leer gewesen, und sie mußte ihren Urlaub beenden. Paul dachte sofort daran, daß es dann keinen Zweck mehr hatte, tagsüber nach Haus zu kommen. Er hat gesagt, daß sein Gehalt schließlich reicht. Damit war Laura nicht einverstanden. Sie wollte finanziell nicht abhängig sein von Paul und fühlte sich außerdem unausgelastet als Nur-Hausfrau. Gegen beides konnte Paul nichts sagen. Also

schwieg er, ließ sich aber etwas einfallen, etwas sehr Gutes, wie er dachte. Er ist zu seinem Kumpel und Chef gegangen und hat ihn gefragt, ob in der Dienststelle nicht eine Stelle frei ist für eine Statistikerin oder Sachbearbeiterin oder wissenschaftliche Mitarbeiterin oder etwas in der Art, und er verheimlichte auch nicht, um wen es sich handelte und wo ihre und auch seine Gründe lagen. Sein Kumpel verstand alles, griff zum Telefon und noch am selben Tag war alles perfekt, und Laura konnte schon am nächsten Tag anfangen, wenn sie wollte, und noch dazu im gleichen Haus wie Paul, nur in einer anderen Abteilung. Als Paul Laura von alldem informiert hat, ist sie ihm auf eine Art um den Hals gefallen, daß die Tiere im Zoo unruhig geworden sind und ihre Wächter sich schon auf eine unruhige Nacht vorbereitet haben. Es ist aber zu keiner weiteren Unruhe gekommen, weil Paul einen späten Einsatz hatte. Er ist erst spät in der Nacht und sehr müde nach Scheibe Süd gekommen. Dafür schlief er am nächsten Morgen aus und holte mit Laura am Vormittag nach, wozu sie in der Nacht nicht gekommen waren. Dann sind sie zum ersten Mal zusammen in ein und denselben Dienstwagen gestiegen und in ihre gemeinsame Dienststelle gefahren.

Viel sah Paul an diesem Tag von Laura nicht. Er sah sie nur ab und an auf einem Korridor, wie sie von einer Tür zur anderen ging, und sie haben zu nicht mehr Zeit gehabt, als sich kurz zuzuwinken. Oder er konnte das eine Mal Lauras Oberteil und das andere Mal Lauras Unterteil im Paternoster sehen.

Vom nächsten Tag an sind Laura und Paul morgens zusammen in den Dienstwagen gestiegen, haben den Jungen in die Krippe gebracht und sind dann zur Dienststelle gefahren. Dort sind sie ein oder zwei Stunden geblieben, und dann haben sie sich »absentiert«, jeder für sich. Sie haben sich in der Stadt getroffen und sind dann nach Scheibe Süd gefahren. Da haben sie sich geliebt, haben sich Mittag gemacht und sich gegen Nachmittag, je nach Lage, entweder beide oder nur der eine, in die Dienststelle zurückbegeben. Im besten Fall haben sie sich abends wieder im Dienstwagen getroffen. Dieser Tagesablauf bot für sie den großen Vorteil, daß sie nicht in den bekannten Trott verfallen sind, der Pauls Meinung nach tödlich gewesen ist für alles und erst recht für etwas wie Liebe und gegen den nur ein Mittel hilft: der Antitrott. Den Antitrott haben sie unter Pauls Anleitung sorgfältig gepflegt, und darin sind sie sich auch völlig einig gewesen. Aber nicht nur darin sind sie sich einig gewesen. Nach einiger Zeit stellte Paul fest, daß sie sich überhaupt in allem einig waren, daß es keinen Streitpunkt mehr gab und kein Reizthema. Es ist soweit gekommen, daß Paul sich fragte, ob sie vielleicht so etwas wie glücklich waren. Er hat Laura gefragt, und sie hat auf ihre Art geantwortet: »Ich würde sagen, ja.« Paul glaubte ihr das. Paul hielt sich nicht mehr über ihre Formulierungen auf. Er sah, daß aus Laura eine Frau wurde, die selbstbewußt war, nicht mehr verkrampft, und die innerlich ruhig war, aber äußerlich plötzlich redselig, jedenfalls für ihre Verhältnisse. Wenn Laura besonders gute Tage hatte, soll sie auf alle möglichen Themen ansprechbar gewesen sein, sogar auf sexuelle. Es kam soweit, daß sie von sich aus und ohne Not über ihre erste Zeit mit Paul redete, auch über ihre erste Zeit im Bett. Sie erklärte ihm, wie es gewesen ist, wenn sie in sein Bett kam und sie zusammen geschlafen haben. »Es ist gewesen, wie wenn einem der Rücken an einer Stelle juckt, an die man selbst nicht rankommt, und der, den man bittet zu kratzen, nicht die richtige Stelle findet. Das ist zwar auch gut und hilft, aber es ist doch nicht das Wahre. Das Wahre ist es zum ersten Mal gewesen, als du zum ersten Mal das Bett gewechselt hast.« Und damit Paul auch richtig versteht: »Zum ersten Mal im Leben.« Paul mußte sich erst freihusten. Er konnte vor Überraschung kein Wort vorbringen. Er hat sie gefragt, warum sie dann in sein Bett gekommen ist. Laura: »Weil du es wolltest und gebraucht hast und weil ich dich geliebt habe.« Da entschloß sich Paul, die Wahrheit zu sagen und zuzugeben, daß er »nicht die Bohne was« davon gehabt hat, wenn sie in sein Bett gekommen ist. Da machte Laura etwas, womit Paul nie gerechnet hätte. Sie lachte. Paul: »Sie hat geradezu laut losgelacht, für ihre Verhältnisse, wohlgemerkt.« Sie hat gesagt: »Was ein Quatsch.« Das war norddeutsch. Laura war aus dem Norden, legte aber sonst großen Wert darauf, ihr Bürodeutsch hochdeutsch zu sprechen. Im Laufe der Zeit benutzte sie immer mal wieder norddeutsche Redensarten. Paul dachte darüber nach und kam zu dem Schluß, daß Lauras Art vielleicht mit ihrer nördlichen Herkunft zusammenhing. Zuletzt erfand er für sich die Formel: Laura, das ist Paula plus Ostsee.

Damit ist aber ihr Gespräch noch nicht zu Ende gewesen. Paul wollte wissen, seit wann Laura ihn liebt.

Lauras Antwort war: »Du kannst davon ausgehen, daß es seit dem Tag gewesen ist, als ich dich bei den Tieren getroffen habe und du die Kinder bei dir hattest. Ich habe zunächst angenommen, es handelt sich um Mitleid mit euch dreien, aber das war dann nicht der Fall.« Ihre Gegenfrage war, ob Paul »auf Ehre und Gewissen« immer noch oder immer mal wieder an Paula denkt, wenn er sie sieht oder sie in den Armen hat. Paul hat sich gesagt: Das scheint der Tag der Ehrlichkeit zu sein, und hat ehrlich geantwortet: »Ich denke immer an Paula, auch dann, wenn ich dich sehe oder im Arm habe.« Er ist sehr gespannt gewesen, was Laura tun oder sagen wird. Laura hat aber nur gesagt: »Danke«, und ihn angelächelt, aber sehr ernst, und irgendwelche Folgen hat das alles weder am selben Tag noch später gehabt. Paul: »Wenn sie mich in dem Moment gefragt hätte, seit wann ich sie liebe, hätte ich gesagt: seit jetzt. Und das wäre die Wahrheit gewesen.« Laura fragte aber nicht, und Paul selbst ist für sich selbst auch sehr vorsichtig gewesen mit solchen Ausdrücken wie Glück und Liebe. Er ließ sich höchstens ein auf: »etwas wie Glück« oder »etwas wie Liebe« und so fort. Er tat das auch aus Rücksicht auf Paula, die er geliebt hatte und mit der er glücklich gewesen war. Auch ist Paul seit Paula abergläubisch gewesen, was er nie gern zugab. Und daher wollte er nichts berufen. Wenn es ihm doch passiert ist, hat er schnell in Gedanken gesagt: unberufen, toi, toi, toi, und hat zwei Finger übereinander gelegt, und wenn es sich machen ließ, auch die Beine. Wie recht er damit hatte, auch wenn es ihm nichts half, zeigte die allernächste Zukunft.

Das Unglück hat seinen Lauf an dem Tag genommen, als Laura etwas von einem Auto gesagt hat. Das war zu einer Zeit, als sie und Paul ihre Abwesenheiten vom Dienst und ihre Anwesenheiten in der Scheibe perfekt organisiert hatten. Da ließ Laura fallen: »Jetzt fehlt uns zu unserem Glück nur noch ein Auto.« Und obwohl sie es nicht ernst meinte, und obwohl Paul und sie nie wieder darüber gesprochen haben, setzte es sich doch bei Paul fest. Trotzdem stimmte Paul meiner Person nie zu, daß damit das Unglück seinen Lauf nahm. Seine Rede war: »Ebensogut könnte man dann sagen, es hat seinen Lauf genommen, als ich Laura gesehen habe, oder als Paula gestorben ist, oder als ich Paula gesehen habe, oder als ich die Garage mit dem alten Auto entdeckt habe. Und zuletzt kommt es dahin, daß es damit seinen Lauf genommen hat, daß ich geboren worden bin und ausgerechnet in der Singer. Solchen Sachen kommt man mit Begriffen wie Unglück nicht zuleibe. Dergleichen ist Schicksal, das ist alles.«

Eines Tages mußte der Fiesling seine Sachen packen und ins andere Haus ziehen. Es wurde eine kleine Abschiedsfeier gegeben, auf der ihm alle viel Glück wünschten und froh waren, daß er ging. Auf dieser Feier gab es auch Alkohol. Auch Laura und Paul waren dabei. Für jeden dritten sah es so aus, als wenn sich der Fiesling und Paul zufällig auf der Toilette getroffen

haben, nach dem ersten Kasten Sekt. In Wahrheit ist der Fiesling Paul bewußt gefolgt.
Er fragte Paul, ob Paul denn wirklich glaubt, daß Laura ihn liebt? Und ob Paul wirklich nicht weiß, daß Laura lange Zeit im anderen Haus beschäftigt gewesen ist, als Statistikerin? Und ob Paul wirklich nicht weiß, daß mit Laura über ihn gesprochen worden ist, weil sie Paula so ähnlich war? Und daß es kein anderer als sein eigener Kumpel gewesen ist, der das alles in die Wege geleitet hat? Und ob Paul wirklich glaubt, daß ihm die schöne neue Wohnung so einfach in den Schoß gefallen ist und nicht aus dem Kontingent der Dienststelle stammt? Und das Geld für die Einrichtung, daß das alles Laura gehörte, ob Paul das auch glaubt? Und zuletzt, ob Paul glaubt, daß alle anderen das auch glauben oder Paul vielleicht auch noch glaubt, daß keiner davon weiß?!
Paul war der Meinung, daß er danach sehr lange Zeit dastand und sich nicht gerührt hat. Dann mußte sich Paul übergeben, obwohl nicht der Rede wert gewesen sein soll, was er getrunken hatte. Alle Toiletten in der Dienststelle waren mit entsprechenden Becken ausgerüstet, worüber es viele Witze im Haus gab. Erst danach war Paul fähig, einen Gedanken zu fassen. Er fing an, nach Widersprüchen in dem zu suchen, was der Fiesling ihm gesagt hatte, fand aber keinen. Es gab keine Lücken. Alles paße nahtlos aneinander. Lauras mehrmaliges Auftauchen in der Kaufhalle, das Auto, das dabei eine Rolle spielte, die Sache mit der großen neuen Wohnung, Lauras Auftreten beim Möbelkaufen, das viele Geld, das ihr zur Verfügung stand, und zuletzt, daß Laura darauf bestand, daß er wieder in die Dienststelle einstieg. Das war für Paul das Schlimmste.

Er sah, daß Laura förmlich einen Auftrag gehabt haben mußte, wie er es auch immer drehte und wendete. Paul fühlte sich verraten und verkauft wie noch nie in seinem Leben. Sein erster Impuls war, zu Laura und zu seinem Kumpel zu laufen und sie zur Rede zu stellen. Statt dessen verließ er das Haus, so wie er war, ohne Hut und Tasche, und ohne noch einmal in den Raum zu gehen, wo gefeiert wurde.

Paul ist durch die Straßen geirrt, und die ganze Zeit war nur ein Satz in seinem Kopf: Das darf nicht wahr sein. Und er hat alles immer wieder durchgerechnet und ist immer wieder zum selben Ergebnis gekommen, daß der Fiesling bei der Wahrheit geblieben war. Paul gab keine Ruhe, bis er sich jede kleinste Regung an Laura ins Gedächtnis gerufen hatte und jeden noch so kleinen Vorfall. Paul: »Es ist gewesen wie bei bestimmten Puzzles, die man zusammensetzen muß, ohne zu wissen, um was für ein Motiv es sich handelt. Bis einer kommt, der es kennt und einem sagt: das ist eine Landschaft, im Hintergrund Berge, oder das ist eine Stadt von oben.« Das Motiv hatte Paul, und so konnte er auch das komplette Bild herstellen, wie er auf Laura reingefallen war, oder, nach seinen Worten: wie er »zielstrebig in die Falle Laura« gegangen ist.

Als er soweit war, hat er sich umgesehen und festgestellt, daß er sich am Arkonaplatz in Prenzlauer Berg befand. Wie ihm später nach und nach eingefallen ist, hatte er bis dahin viermal fünf Mark Strafe zahlen müssen, wegen Überqueren von Kreuzungen bei Rot. Dreimal mußte er Autofahrern seine Personalien geben, weil sie durch ihn nur knapp einem Unfall entgangen waren, und irgendwann hatte er auch auf einem

Polizeirevier gesessen und war nur freigekommen, weil er durch Zufall nicht seinen Personal-, sondern seinen Dienstausweis vorzeigte. Paul hatte die Kreuzung Fruchtstraße, heute Pariser Commune, mit der Frankfurter, heute Karl-Marx-Allee, bei vollem Verkehr schräg überquert und dabei ein einziges Chaos hervorgerufen. Paul selbst war aber im Trubel nicht mehr aufzufinden gewesen. Nur ein besonders aufmerksamer Junge hatte ihn beobachtet und verfolgt und ihn im wahrsten Sinne des Wortes abgeführt, indem er Paul einfach an die Hand nahm, als er sah, wie Paul zumute war. Er brachte Paul aufs nächste Revier. Paul ließ alles ohne Widerspruch über sich ergehen, weil er völlig auf sein Puzzle konzentriert war. Das Revier war ganz in der Nähe der Singer. Es ist das Revier am Schlesischen Bahnhof gewesen, heute Ostbahnhof.
Stunden später war Paul direkt in der Singer. Als er am Arkonaplatz war und sein Puzzle endgültig fertig war, fing er an, darüber nachzudenken, was nun werden sollte. Er ist weitergelaufen, wieder ohne zu sehen, wohin er ging, und da ist er wieder einem Auto vor den Kühler gelaufen, und in dem Auto saß ein Mann, dem Paul schon vor zwei Stunden seine Adresse gegeben hatte. Der Mann sah Paul an und hat gesagt: »Setz dich rein, ich bring' dich nach Hause. Wo war das gleich?« Und Paul gab, ohne nachzudenken, an: »Singer fünf.« Zehn Minuten später hat Paul in der Singer vor seinem Haus gestanden. Das soll laut Paul seinem Unterbewußtsein zu verdanken gewesen sein, das geantwortet hatte.
Weiter soll ihm sein Unterbewußtsein gesagt haben: Geh jetzt aber nicht zu deiner Frau, auch wenn du vor

ihrem Haus stehst, geh weiter, sieh dich um, geh in die Richtung, in der deine Garage mit dem alten Auto steht, an dem du als Junge und später soviel gebaut hast und in der du zum erstenmal mit Paula geschlafen hast, auf der Klappliege. Das ist der Ort, den du jetzt brauchst, um zur Ruhe zu kommen und einen Entschluß zu fassen. Vielleicht steht die Garage noch, und alles ist unverändert.

Die Garage stand noch. Sie war das letzte, was von der alten Singer noch stand. Sie war zwar verbeult und stand schief, wohl noch von den Sprengungen, und Schutt und Müll lag um sie herum, aber sonst ist sie völlig unversehrt und auch abgeschlossen gewesen. Paul hatte den Schlüssel bei sich, weil er die Angewohnheit hatte, alle Schlüssel, die in seinem Leben eine Rolle gespielt haben, nicht wegzuwerfen, sondern an seinem Bund zu behalten. Er besaß noch die Schlüssel zur Wohnung seiner Eltern und auch noch die zu Paulas Wohnung und eben auch noch die für die Garage. Paul schloß auf und sah, daß alles weiß von Staub war. Alles ist aber noch am alten Platz gewesen. Die Liege, der Tisch, der Schrank mit seinen alten Sachen, das Werkzeug und das alte Auto. Es stand schief da, weil es noch immer aufgebockt war, wie Paul es vor Jahren hatte stehenlassen. Sogar zwei Schraubenschlüssel lagen noch unter dem Auto. Auch die Schnapsflaschen, aus denen er sich ernährt hatte, als ihm von Paula der Abschied gegeben worden war, lagen noch da. Und die Liege lag noch zusammengeklappt auf dem Boden. Paul schloß die Tür hinter sich und legte sich hin.

Die Sache mit Laura war für ihn so ungeheuerlich, daß er immer noch nicht daran glauben konnte. Er fing an, das ganze Bild noch einmal zu betrachten, und diesmal nicht mit der Absicht, lauter Beweise zu finden, für das, was der Fiesling erzählt hatte, sondern Gegenbeweise. Es ist ihm nicht gelungen, auch nur einen zu finden. Im Gegenteil, es sind ihm nur noch mehr Beweise eingefallen, wie zum Beispiel Lauras Redeweise, die ganz die Redeweise der Dienststelle war. Am schwerwiegendsten aber war, daß Paul zwei Momente entdeckt hat, in denen Laura nahe daran gewesen war, ihm die Wahrheit zu sagen, um sie dann doch bei sich zu behalten. Aus welchem Grund, wurde Paul auch klar – weil sie Angst haben mußte, daß er dann wieder aus der Dienststelle ausstieg, wohin sie ihn mit Mühe gebracht hatte.

Damit war Paul wieder da angelangt, wo er schon am Arkonaplatz gewesen war: was tun? Die Antwort lag auf der Hand. Eben das. Aussteigen. Aus der Dienststelle und auch aus Laura. Paul: »Und da hätte ich eigentlich aufstehen müssen und etwas unternehmen.« Tat er aber nicht. Er nahm Laura noch einmal unter die Lupe und fragte sich, ob sie nicht noch einen anderen Grund gehabt hat, ihm nichts von ihrem Auftrag zu sagen.

»Und wie es allen geht, die Angst vor einem Entschluß haben«, hat Paul gesagt, »so ist es auch mir gegangen. Ich habe etwas gefunden, das mich daran hinderte.« Und das war, daß Laura ihn liebte und daß sie aus Angst um ihn nichts verraten hatte. Oder war es nur Angst davor, ihren Status als Frau mit Mann und Kindern und Wohnung zu verlieren, den sie sich, wie es so schön heißt, selbst geschaffen hatte? Paul: »Das war aber nicht zu beweisen, und nach dem Grundsatz, im Zweifel zugunsten des Angeklagten, habe ich es fallenlassen.«

Paul änderte seinen Entschluß und nahm sich vor, die Nacht in der Garage zu bleiben, am nächsten Tag aber Laura nichts über seinen Verbleib zu sagen und ihr für die nächste Zeit die Chance zu geben, ihm alles zu sagen. Damit war er aber auch nicht glücklich. Er konnte nicht einschlafen. Denn bei weiterem Nachdenken kam er zu dem Schluß, daß Laura kein Wort sagen würde, weil man dergleichen entweder im ersten Anlauf sagt oder nie. Paul glaubte, daß er an Lauras Stelle ohne Not auch kein Wort gesagt haben würde. Und noch mehr, daß er selbst an Lauras Stelle, in ihrem Alter, in ihrer Situation, bei ihrer Erziehung mit hoher Wahrscheinlichkeit auch zugestimmt hätte, wenn man ihn auf eine Frau angesetzt hätte. Paul: »Außerdem habe ich mir gesagt, was heißt denn angesetzt? Konnte es nicht so gewesen sein, daß mein eigener Kumpel zu Laura gekommen ist und gesagt hat, so und so, Paul ist mein Freund, ihm geht es dreckig und den Kindern, und wie sie über den Fall dachte, da sie doch nun mal so aussieht wie Paula und außerdem nicht gebunden ist, und alles mit der Bemerkung, daß es sich nur um einen privaten Vorschlag handelt und um keinerlei Auftrag und sie zu nichts verpflichtet ist? Und kann Laura nicht gesagt haben: Nein, aber ich will den Mann sehen? Und kann sie sich dann nicht gleich oder später in mich verliebt haben, von den Kindern mal abgesehen und auch von den Folgen, die sie nicht übersehen konnte? Und kann es nicht so gewesen sein, daß ich selbst mit meiner fixen Idee, Paula in ihr zu sehen, den ganzen Terror erst provoziert habe. Und wäre dann nicht alles

verzeihlich? Und kann ich nicht froh sein, eine Frau wie Laura zu haben, die wie Paula aussieht, die das weiß, damit leben kann, die mich liebt und eine Mutter ist für die Kinder?«
So entschloß sich Paul, aufzustehen, nach Hause zu gehen, zu sagen, daß er nur an der frischen Luft gewesen war, und alles beim alten zu lassen.
Er ist aber liegengeblieben. Er wußte selber nicht, warum. Er wußte nur soviel über sich, daß ein zwingender Grund vorlag, wenn sein Körper nicht das tat, was Paul wollte. Und schließlich ist ihm klargeworden, daß der Grund gewesen ist, daß die Ausrede mit der frischen Luft auf schwachen Füßen stand. Seit der Abschiedsfeier mit dem Fiesling waren Stunden vergangen. In der Garage war es längst stockdunkel, und es ist soweit gewesen, daß Paul Angst hatte, Laura würde ihn sehr genau ausfragen und er würde dann alles sagen, worauf Laura vielleicht die Koffer packen würde, diesmal vielleicht aus Scham, und es würde ihm nicht gegeben sein, sie wieder zurückzuholen. Er mußte nach einer besseren Ausrede suchen, und da kam ihm plötzlich Lauras Satz in den Kopf. »Jetzt brauchten wir nur noch ein Auto zu unserem Glück.« Von da an war es nicht mehr weit bis zu dem Entschluß, sich sofort unter das Auto zu legen, es in Gang zu setzen und im besten Fall bei Laura vorzufahren, und wenn das Vehikel noch so alt war. Andernfalls wollte er sagen: »Ich hab' an meinem alten Wagen gebaut, wollte dich überraschen, hat leider nicht geklappt.« Paul war aber in dem Punkt guten Mutes. Paul: »Weil ich guten Mutes sein wollte.«
Paul konnte sich plötzlich erinnern, daß ihm eines Tages klargeworden war, welcher Generalfehler ihm im-

mer unterlaufen sein mußte, wenn er den Wagen in Gang setzen wollte. Er konzentrierte sich jetzt und rief sich alles ins Gedächtnis, bis er wieder wußte, was er tun und was er unterlassen mußte. Meine Person begriff davon nur soviel, daß es etwas mit dem Getriebe und der Kupplung zu tun hatte.

So, wie er angezogen war, in Anzug und Krawatte, schob Paul sich unter das Auto und fing da an zu bauen, wo er vor Jahr und Tag aufgehört hatte. Aber beim ersten festen Griff ist das Auto von der Vorrichtung gekippt, mit der es aufgebockt war. Paul hatte keine Chance, sich zu retten. Nach der Lage, in der man ihn fand, muß er versucht haben, sich in Sicherheit zu bringen, denn er lag auf dem Bauch, als hätte er sich unter dem kippenden Auto hervorrollen wollen. So fiel ihm der Wagen mit seinem ganzen Gewicht auf den Rücken.

Zu dieser Stunde war Laura so weit, daß sie Pauls Chef und Kumpel anrief, um zu erfahren, ob man Paul aus irgendeinem Grunde plötzlich abberufen hat, vielleicht aus einem Grund, der geheim bleiben sollte. Er hat ihr gesagt, daß keinerlei Auftrag für Paul vorlag. Er ist selbst sehr beunruhigt gewesen. Er wollte gleich am nächsten Morgen die notwendigen Maßnahmen einleiten, um Paul zu finden. Ob er und Laura noch über ein anderes Thema gesprochen haben, teilte Laura meiner Person nicht mit. Sie kam zwar um Rat zu meiner Person, die selbst sehr beunruhigt gewesen ist, aber auf den Gedanken mit der Garage auch nicht gekommen

ist. Laura äußerte, daß sie sich sofort aus dem nächsten Fenster stürzen wird, wenn sie erfährt, daß Paul etwas zugestoßen ist.
Eine Stunde später gab Pauls Chef und Kumpel den Bericht, daß Paul in keine Klinik in Berlin einschließlich Randgebiete eingeliefert worden ist. Zwei Stunden später stand fest, daß und wann Paul in dem Polizeirevier am Ostbahnhof gewesen ist und auch wann und warum er im Laufe des Nachmittags zwanzig Mark Ordnungsstrafen zahlen mußte und auch an welchen Stellen in Berlin. Das machte uns allen viel Hoffnung. Laura und meine Person haben nach einem Stadtplan noch in der Nacht versucht, Pauls Weg nachzuzeichnen, weil wir der Meinung waren, daß wir daraus Schlüsse ziehen konnten. Das gleiche geschah in Pauls Dienststelle unter dienstlichen Gesichtspunkten. Aber für die Dienststelle ergab Pauls Weg nur ein planloses Zickzack. Daraufhin wurde von der Dienststelle eine offizielle Fahndung durch die Polizei eingeleitet.
Die Polizei war sehr optimistisch. Sie war der Meinung, daß es in ihrem Bereich noch keinen Fall gegeben hat, daß eine Person verschwunden ist, jedenfalls nicht, ohne daß bekannt geworden wäre, wohin.
Laura ist nach besonderen Kennzeichen Pauls gefragt worden, konnte aber keine nennen. Sie wußte nur, daß Paul nicht mehr in der Wohnung gewesen war. Seine Sachen hingen unberührt im Schrank. Auch die blauen Hosen und die grünen Pullover, die er früher getragen hatte, waren da, und sie waren vollzählig. Brillenträger ist Paul nicht gewesen, und seit er regelmäßig zum Friseur ging, sind auch seine Haare kein besonderes Kennzeichen mehr gewesen. So war der Polizei nur sein

Foto bekannt, Größe, Alter und Augenfarbe, und sie wußte, wie seine Sachen aussahen und daß er ohne Hut war und ohne Tasche. Beides war in Pauls Zimmer in der Dienststelle gefunden worden. Zuletzt hat Laura noch etwas gesagt, das ihr ebenso wie Paula aufgefallen war: daß Paul sehr tiefe Salznäpfe hatte, obwohl es ihr nur schwer über die Lippen gegangen ist.
So haben für Laura schlimme Stunden angefangen. Sie wartete von Stunde zu Stunde auf eine Nachricht, zuerst auf eine positive, dann überhaupt auf eine Nachricht. Die nächste Nachricht lautete, daß an keinem der bekanntgewordenen illegalen Grenzübertritte in der fraglichen Nacht Paul beteiligt gewesen ist und daß illegale Übertritte mit Erfolg nicht bekanntgeworden sind. Das gleiche ist auch nach der nächsten Nacht gesagt worden, in der Paul nicht gefunden wurde.
Keiner von uns, auch Laura nicht, dachte auch nur eine Sekunde daran, daß Paul etwa über die Grenze wollte. Trotzdem war die Nachricht ein Trost. Hoffnung machte uns auch, daß die Gerichtsmedizin keine Leiche meldete, die etwas mit Paul zu tun haben konnte. Laura nahm sich alles so sehr zu Herzen, daß sie von Stunde zu Stunde immer mehr Gewicht verlor. Man konnte zusehen, wie sie vom Fleisch gefallen ist. Sie schlief nur vor Erschöpfung, und dann auch nur neben dem Telefon. Sie tat alles, damit die Kinder nichts merkten. Pauls Abwesenheit hat sie mit einer Dienstreise erklärt. Es war aber auf die Dauer nicht zu verhindern, daß Paulas Tochter sah, daß etwas mit Paul nicht in der Ordnung war. Nach achtundvierzig Stunden war Paul immer noch nicht gefunden. Die Polizei stand vor einem Rätsel. Sie ließ langsam in ihren Anstrengungen nach, Paul

schnell zu finden. Das hat Laura halb umgebracht. Sie faßte im selben Moment den Entschluß, die Suche nach Paul selbst in die Hand zu nehmen und Paulas Tochter alles zu sagen und sie zu bitten, ihr beim Suchen zu helfen. Sie nahm sich Urlaub und ließ das Mädchen von der Schule befreien. In den nächsten Stunden sind Laura und Paulas Tochter über sich selbst hinausgewachsen. Sie haben meiner Person den Jungen übergeben und sich auf den Weg gemacht und versucht, Pauls Spur zu folgen. Erschwerend war, daß an dem Tag ein schwerer Sturm über Berlin tobte, gegen den sie ankämpfen mußten. Im Wetterbericht ist von Böen die Rede gewesen, die hundertdreißig Stundenkilometer hatten. Die Kraftfahrer haben nur die dringlichsten Fahrten machen sollen, und die Arbeiten mit Krähnen an den Hochhäusern mußten eingestellt werden. Der Sturm hatte aber auch einen Vorteil. Die Leute waren besonders ansprechbar auf Lauras Fragen. Dabei sah Laura mit Staunen und mit Erleichterung, wie bekannt Paul immer noch in Berlin gewesen ist. Die Leute haben zurückgefragt: »Paul? Der Paul aus der Singer? Der vor Paulas Tür gelegen hat?« Und wenn Laura es bestätigt hat, haben sie gesagt: »Dann bist du Paula? Und du bist gar nicht gestorben?« Da wußte Laura nicht, was sie sagen sollte, aber Paulas Tochter hat alles bestätigt. Hinzugekommen ist, daß viele Paula von Angesicht kannten. Keiner wunderte sich, daß Paula wieder oder noch immer am Leben war, weil alle an dergleichen Vorkommnisse bei Paul und bei Paula gewöhnt waren. Manche, die Laura gesehen haben, haben sofort gesagt: »Das hab' ich immer gewußt, daß du nicht gestorben bist. Das konnte nicht wahr sein.« Es sprach sich sofort herum, daß Paula noch lebt, Paul aber verschollen ist. So ist es Laura und Paulas Tochter in sehr kurzer Zeit gelungen, Pauls Weg bis zum Arkonaplatz nachzugehen. Es ist ihnen auch gelungen, die Autofahrer zu finden, die am fraglichen Abend mit dem taumelnden Paul in Konflikt geraten waren. Darunter war auch ein Taxifahrer, und wie es der Zufall wollte, war es derselbe Taxifahrer, der vor langer Zeit Paulas Jungen überfahren hatte, ohne schuld daran zu sein. Er nahm Laura und das Mädchen sofort in seinen Wagen und ist mit ihnen gefahren, wohin sie immer fahren wollten. So haben sie viel Zeit gewonnen, was sehr entscheidend gewesen ist. Aber als sie am Arkonaplatz ankamen, war Pauls Spur wic abgeschnitten. Der Autofahrer, der Paul in die Singer gebracht hatte, wußte entweder nichts von der Suche nach Paul oder er war nicht aus Berlin. Er meldete sich nicht. Als sie schon jede Hoffnung aufgegeben hatten, kam am Arkonaplatz ein Mann zu ihnen, den Laura nicht kennen konnte. Paulas Tochter kannte ihn. Es war Collie, der Vater von Paulas erstem Sohn. Er sah Laura mit großen Augen an und wußte nicht, was er zu ihr sagen sollte. Über Paul wußte er auch nichts, aber während er Laura immer noch anstarrte wie einen Geist, ist ihm die Idee gekommen, ob Paul nicht vielleicht bei seiner Frau war. Niemand war zwar davon überzeugt, sie sind aber doch in die Singer gefahren. So sind sie schon ganz in Pauls Nähe gewesen, ohne es zu wissen. Pauls Frau hatte schon alles gehört und war todunglücklich. Es war schon weit in der Nacht. Auch Pauls Frau starrte Laura wie einen Geist an. Sie hat Laura aber trotzdem umarmt und auch Paulas Tochter.

So haben sie zusammengesessen und nicht aus noch ein gewußt. Und dann sagte Paulas Tochter plötzlich, todmüde, wie sie gewesen ist, und schon im Halbschlaf, ein Wort: »Die Garage.«
Sie wußte von Pauls Garage seit je und auch, was in der Garage noch zu Paulas Zeiten vorgegangen war. Wie alle, konnte sie nicht wissen, daß die Garage die Sprengungen und auch die Aufräumungen überlebt hatte, aber Paulas Hellsichtigkeit war auf sie vererbt worden.
Außer ihr verstand nur noch Pauls Frau, was gemeint war, und Pauls Junge.
Der Zugang zur Garage war schwierig, weil da lauter neue Bauten standen, die erst halbfertig waren, und Gruben für Fundamente und Baracken und Schuppen für die Bauarbeiter. Sie haben fast die Orientierung verloren, weil es keine Anhaltspunkte mehr gab. Sie wußten nur noch die ungefähre Richtung und die ungefähre Entfernung. Und sie konnten sich noch erinnern, daß ein uralter wilder Pflaumenbaum direkt daneben stehen mußte. Hinzugekommen ist, daß es stockdunkel gewesen ist und daß noch immer Sturm herrschte. Es war nicht ungefährlich, aber keiner von ihnen kümmerte sich darum. Später hieß es, sie haben die Garage nur gefunden, weil die Tür halboffen war und weil das Licht brannte. In Pauls Garage aber war nie Strom gewesen. In Wahrheit ist es so gewesen, daß Paulas Tochter in ihrer Hellsichtigkeit direkt auf die Garage zugelaufen war. Laura war es, die als erste die Tür aufriß. Mit Streichhölzern machten sie Licht, und da haben sie Paul gesehen, wie er auf der Erde lag und das Auto auf ihm. Ohne daß einer ein Kommando

geben mußte, haben alle zugegriffen und das Auto angehoben. Die Männer und Pauls Frau haben es gehalten, die Kinder haben etwas daruntergeschoben, und Laura zog die Klappliege neben Paul. Sie nahm sich nicht einmal die Zeit nachzusehen, ob Paul noch lebte. Sie ist nur von einem Gedanken besessen gewesen: jede Sekunde zu nutzen, bis die letzte Chance genutzt war, Paul zu retten, falls er noch am Leben war. Als die Männer die Hände frei hatten und Pauls Frau auch, haben sie zusammen mit Laura in aller Vorsicht die Liege teils unter Paul geschoben, teils Paul auf die Liege gehoben. Paul hatte äußerlich keine Verletzungen. Auch sein Kopf war unversehrt. Später stellte sich heraus, daß Pauls Kopf frei gelegen hatte, weil von allen vier Rädern des Autos eines noch auf der Achse gewesen ist und der Wagen nicht mit seinem ganzen Gewicht auf Paul fallen konnte. Sie trugen Paul aus der Garage. Alles ist ohne ein Wort vonstatten gegangen. Sie haben Paul denselben Weg zurückgetragen, den sie gekommen waren, quer durch das Baugelände, quer durch die Baugruben. Keiner schonte sich, am allerwenigsten Laura. Sie wollten schnell sein, aber sie durften Paul keinen Erschütterungen aussetzen. Und Laura ist es gewesen, die immer im richtigen Moment die Hand an die richtige Stelle legte. Am schwierigsten war es, die Baugruben zu bewältigen. Die Ränder waren brüchig und steil und Paul mußte um jeden Preis in der Waagerechten gehalten werden. Zum Glück ließ der Sturm nach. Aber der größten Gefahr sind sich alle nicht bewußt gewesen. Keiner von ihnen wußte davon, daß diese Liege mit Sicherheit immer dann zusammenklappte, wenn sie Last bekam. In dieser Nacht hielt die

Liege stand. Erst als Paul schon in der Klinik auf dem Röntgentisch lag und der Professor sie nur mit dem Hosenbein streifte, ist sie zusammengeklappt.
Die Liege ist das wahre Wunder dieser Nacht gewesen, auch wenn es später hieß, daß Paula sozusagen wiederauferstanden war, um Paul zu finden und ihn eigenhändig auf ihren Armen in die Klinik im Friedrichshain zu tragen, und ihn dem Professor auf den Tisch zu legen, so wie sie einstmals ihren toten Jungen getragen und ihn dem Professor auf den Tisch gelegt hatte.
Daran ist nur wahr gewesen, daß sie Paul tatsächlich in den Friedrichshain brachten und daß es tatsächlich Paulas Professor war, der Paul als erster versorgte. Er ist es gewesen, den sie als ersten gesehen haben, als sie in die Klinik kamen. Als sie das Baugelände hinter sich hatten, stand der Taxifahrer schon mit seinem Wagen da. Sie haben die Liege mit Paul auf das Autodach gelegt. Laura und Pauls Frau und Collie und der Tanzmeister haben sich in die Türen gestellt. Der Taxifahrer machte die Fahrt seines Lebens. Er ist schnell und doch sanft gefahren und in der kürzestmöglichen Zeit im Friedrichshain gewesen. Sie haben die Liege mit Paul vom Autodach genommen und sind in die Klinik gegangen und da lief ihnen der Professor über den Weg. Auch er hat Laura wie den Geist von Paula angesehen, aber als er Paul auf der Liege erkannte, hat er sofort auf alle Fragen verzichtet. Laura hat ihm gesagt, daß Paul ungefähr fünfzig Stunden unter dem Auto gelegen haben mußte. Er wurde direkt auf die Intensivstation gebracht. In aller Vorsicht sind ihm die Kleider vom Leib geschnitten worden. Dann wurde Paul mit noch größerer Vorsicht auf einen Tisch gelegt und an eine Wieder-

belebungsmaschine angeschlossen. Der Professor tastete Pauls einzelne Glieder ab. An zwei Stellen über der Wirbelsäule ist die Haut rot gewesen und die Wirbelsäule sah verformt aus. Laura hat den Professor gefragt, ob Paul lebt. Der Professor hat gesagt: »Die Maschine kann nur einem helfen, der nicht mehr lebt, aber noch nicht tot ist.« Er wollte wissen, woher Laura gewußt hat, wie Paul zu transportieren war. Laura wußte keine Antwort. Auch wann das Auto auf Paul gefallen ist, konnte sie nicht sagen, weil sie nicht wußte, wann Paul in seiner Garage eingetroffen war. Der Professor wollte ihren Namen wissen und ob sie eine Frau namens Paula kennt. Das hat Laura verneint, aber gesagt, daß sie alles über Paula weiß. Zuletzt hat der Professor sie nach Paulas Kindern gefragt. Dazu hat Laura gesagt: »Der Junge schläft, und das Mädchen wartet draußen.« Da sah der Professor sie lange an und fragte sie dann, ob sie sich vorstellen kann, was Paul zugestoßen ist. Laura: »Paul hat sich wahrscheinlich die Wirbelsäule verletzt.« Dem stimmte der Professor zu und wollte Laura nach Hause schicken. Laura ist aber erst gegangen, als sie wußte, wann sie Paul wiedersehen konnte. Der Professor versicherte ihr: »Jederzeit, dafür sorge ich.« Er war sicher, Paul wieder zu Bewußtsein zu bringen. Er gab Paul Chancen, ohne die Maschine weiterzuleben, wenn nicht sein eigener Urin im Begriff war, ihn zu vergiften. Es waren andere Gründe, aus denen Laura immer Zutritt zu Paul haben sollte. Der Professor war der Meinung, daß Paul vielleicht ohne die Maschine weiterleben konnte, aber nicht ohne Laura. Dann mußte Laura gehen, und in dem Moment streifte der Professor die Liege, und die Liege klappte zusammen. Laura trug einen solchen Schreck davon, daß sie sich hinsetzen mußte. Draußen haben noch alle gewartet. Laura hat ihnen gesagt, wie es um Paul stand. Pauls Frau brach in Schluchzen aus und umarmte Laura. Sie sind alle wieder in das Taxi gestiegen, und der Taxifahrer fuhr sie nach Hause. Zuerst Laura und Paulas Tochter nach Scheibe Süd. Der Taxifahrer gab ihr eine Nummer, auf der er für sie immer zu erreichen war, Tag und Nacht. Collie gab ihr auch seine Adresse und drückte ihr Geld in die Hand, ob Laura nun wollte oder nicht. Es war für den Jungen, für den er nie Unterhalt bezahlt hatte. Auch entschuldigte er sich dafür, daß er nicht zur Beerdigung gekommen war. Der Zirkus, bei dem er angefangen hatte, war im Ausland gewesen. Alle haben gesehen, daß Collie davon überzeugt gewesen ist, daß Laura Paula gewesen ist. Laura hatte keine Kraft, ihn vom Gegenteil zu überzeugen, und ihr stand auch nicht der Sinn danach. Aber sie war von Collie und all den anderen sehr beeindruckt. Sie brachte Paulas Tochter ins Bett und kam dann zu meiner Person, um nach dem Jungen zu sehen.

AM NÄCHSTEN TAG rief Laura in der Klinik an. Paul war noch nicht wieder bei Bewußtsein, hatte aber in der Nacht Laute von sich gegeben, die wie Worte geklungen haben sollen. Der Professor ließ ihr ausrichten, daß es sich dabei um ein sehr gutes Zeichen handelte. Laura rief in der Dienststelle an und informierte Pauls Chef und Kumpel. Er ist sehr betroffen, aber auch erleichtert gewesen. Er bot Laura sofort alle erdenkliche Hilfe an.

Paul sollte sofort ins Krankenhaus für die Regierung eingewiesen werden. Aber Laura war der Meinung, daß Paul mit Sicherheit nicht transportfähig war. Danach ist Laura aus dem Haus gegangen und hat sich in einer Bibliothek in der Stadt medizinische Bücher besorgt, in denen alles über Verletzungen der Wirbelsäule und des Rückenmarks stand. Damit verbrachte sie den Tag, und zuletzt wußte sie genau, was Paul im schlimmsten Fall bevorstand und was im besten Fall. Dann hat sie den Jungen wieder meiner Person übergeben und ist in die Klinik gefahren, um Paul zu sehen und mit dem Professor zu reden.

Paul ist immer noch nicht wieder bei Bewußtsein gewesen, aber sein Röntgenbefund lag vor. Danach war Pauls Rückgrat an zwei Stellen verletzt. An der einen Stelle war es gebrochen, an der anderen stark gequetscht. Die Quetschung ist zu Pauls Glück in der Nähe des Halses gewesen und das Rückenmark ist nicht wirklich verletzt gewesen, weshalb Pauls Atem und Kreislauf nicht gelähmt waren. Der Bruch aber lag sehr weit unten, und das Rückenmark war verletzt. Paul war dementsprechend an den Beinen gelähmt, und sein Darm und seine Blase konnten nicht mehr funktionieren. Laura war sehr gefaßt. Sie nannte dem Professor die Bücher, die sie gelesen hatte. Sie wollte wissen, ob Paul bereits vom eigenen Urin vergiftet ist oder ob nur die Harnwege entzündet sind. Der Professor hat gesagt: letzteres, und daß er die Entzündung bekämpft und womit, und auch das wußte Laura bereits. Sie wußte auch, daß Rückenmarksverletzungen nicht heilbar sind. Das hieß, Paul würde zeitlebens eine Querschnittslähmung in den Beinen haben, falls die obere

Quetschung wirklich ungefährlich war. Falls nicht, mußte der Professor eines Tages die Entscheidung treffen, Paul von der Maschine zu trennen. Was das bedeutete, dazu mußte Laura kein Buch lesen. Der Professor sah Laura sehr lange an. Dann hat er gesagt: »Wenn es nicht so ist, dann weißt du auch, warum du jederzeit Zutritt zu Paul haben mußt. Es kann unsäglich viel davon abhängen, wen er als ersten sieht, wenn er wieder zu Bewußtsein kommt, und wer bei ihm ist, wenn er erfährt, daß er gelähmt ist. Es ist eine Legende, daß alles vom Lebenswillen eines Kranken abhängt. Wer nicht mehr leben kann, der kann es auch nicht mehr, wenn er noch so sehr will. Aber wenn einer nur glaubt, nicht mehr leben zu können, zum Beispiel in einem Heim zusammen mit lauter Gelähmten, dann kann es sehr wichtig sein, ob jemand an seinem Bett sitzt, und wer es ist.«
Laura hat sofort gesagt: »Paul kommt in kein Heim, jedenfalls nicht, solange ich lebe.«
Da hat der Professor nichts mehr gesagt, nur noch soviel, daß es kaum jemand gibt, vor dem er soviel Hochachtung habe, als vor den Leuten, die da ihren Dienst tun. Erst später gab er zu, daß er noch viel zu dem Thema zu sagen gehabt hätte. Daß er sich durchaus nicht sicher war, ob Laura sich wirklich vorstellen konnte, was es für sie bedeutete, mit einem gelähmten Mann zusammen zu leben. Er wußte aber auch, daß er für den Moment nicht mehr von ihr verlangen konnte. Er führte sie zu Paul. Nach Lauras Bericht lag Paul auf einer Art Drehbett, das es möglich machte, alle zwei Stunden seine Lage zu ändern. Rückenmarksverletzte dürfen sich bei Gefahr ihres Lebens nicht durchliegen.

Paul war immer noch mit der Maschine verbunden, obwohl es, nach Laura, mehrere Maschinen gewesen sein sollen, für jede Lebensfunktion eine.
Pauls Hände sind zugedeckt gewesen. Sie waren gekrümmt wie Vogelkrallen. Das war ein schlimmer Anblick für Laura. Sie wußte, wenn Pauls Hände nicht wieder beweglich wurden, stand ihm das Schlimmste bevor. Sie hat den Professor um zwei Dinge gebeten – um ein Zimmer, damit sie da sein konnte, wenn Paul zu Bewußtsein kam, und um noch mehr Bücher, damit sie sich noch besser informieren konnte. Für beides hat der Professor gesorgt. Er hat später gesagt, daß es ihm zunächst nicht leichtgefallen ist, sich zu erklären, warum Laura so gefaßt und so nüchtern gewesen ist. Sie soll sich zu Paul so verhalten haben, wie sich ein Mediziner verhält und nicht wie ein Mensch, der Paul sehr nahesteht. Gleichzeitig fand er es ungerecht, sie deshalb zu verurteilen, weil sie nicht wie Paula war und schon gar nicht deshalb, weil sie offensichtlich für sich eine Methode gefunden hatte, mit allem fertig zu werden. Er ist sogar so weit gegangen, sich selbst zu verdächtigen und sich zu fragen, ob er als Arzt nicht einfach eitel ist und eifersüchtig auf Lauras Art. Aber er ist dabei geblieben, daß Laura doch ein seltener Fall war. Er wollte noch wissen, wie sie Paulas Kinder versorgen wollte. Da hat Laura gesagt, daß sie bei meiner Person in guten Händen sind.

Später hieß es, daß Paul zu Bewußtsein gekommen ist, als Laura an sein Bett trat und ihn berührte. In Wahrheit ist es so gekommen, daß Paul zu Bewußtsein kam, als weder Laura, noch der Professor noch sonst einer bei ihm war. Es war zwar so eingerichtet, daß immer jemand ein Auge auf Paul hatte. Aber Paul ist mitten am Tage wach geworden, als Hochbetrieb herrschte. Paul ist auch nicht sofort wach gewesen, sondern es ist sehr allmählich gegangen, wie er später berichtet hat. Fast im gleichen Moment, als er zu Bewußtsein kam, wußte Paul schon, was ihm geschehen war.

An Pauls Rückgrat war wegen der Verkrümmungen, die sich eingestellt hatten, schon lange laboriert worden, und er wußte daher alles über Rücken und Rückenmark. Er wußte sogar, daß es auch eine Täuschung sein konnte, wenn er versuchte, die Beine oder die Arme zu bewegen. Er konnte dabei das Gefühl haben, als wenn sie sich bewegen, auch wenn sie in Wahrheit gelähmt waren. Deswegen hatte er keinen Mut, den Versuch zu machen, sich zu bewegen. Paul hat nie versucht zu beschreiben, wie groß seine Angst war. Er ist der Meinung gewesen, daß sie nur einer nachfühlen kann, der selbst in der gleichen Lage gewesen ist, und daß man sie demjenigen also nicht zu beschreiben brauchte. Alles, was er jemals darüber verlauten ließ, war, daß seine Angst so groß gewesen ist, daß er sie seinem schlimmsten Feind nicht gewünscht hat. Sie ist so groß gewesen, daß Paul wieder das Bewußtsein verlor. Irgendwann ist er wieder wach geworden. Seine Angst war nicht kleiner geworden, aber er ist nicht wieder weggesackt. Er wußte diesmal auch, wovon er wach geworden ist. Es war ein Geräusch, und er hörte auch weiter Geräusche. Wenn er hören konnte, wußte er, daß er dann wahrscheinlich auch sprechen und sehen konnte. Das war sehr wesentlich, um mit der Angst fertig zu werden. Er versuchte herauszufinden, ob er die Kraft hatte, allem ins Gesicht zu sehen, und er nahm sich vor, nicht eher die Augen aufzumachen und nicht eher ein Wort zu sagen, als bis er sich sicher war, daß er das schaffen konnte. Es ist ihm aber nicht gelungen, seine Angst war so groß, daß er die Augen aufgerissen hat und angefangen hat zu schreien. Es ist das Wort Hilfe gewesen, das er schrie, und Laura ist das erste gewesen, das er sah. Als Laura gesehen hat, *wie* Paul sie ansah, sind ihr die Tränen aus den Augen gelaufen, ohne daß sie dagegen etwas machen konnte, aber Paul ist sehr erleichtert gewesen. Er schloß die Augen wieder und ist eingeschlafen. Er ist sich plötzlich und zu seiner unsagbaren Erleichterung sicher gewesen, daß alles nur ein Traum gewesen sein konnte.

Paul hat später diesen Vorgang so erklärt, daß sein Bewußtsein die Wahrheit nicht wahrhaben wollte, daß es sich auf die Art nur in eine andere Art Bewußtlosigkeit flüchtete.

Erst mitten in der Nacht ist Paul wieder wach geworden. Laura und auch sonst keiner konnte etwas davon bemerken. Diesmal ist er nicht wieder eingeschlafen. Diesmal erkannte er die ganze Wahrheit, und keiner half ihm.

Paul hat nie auch nur irgendein Wort über die Nacht erzählt. Als Laura am Morgen nach Paul sah, hatte er weiße Haare. Diesmal ist es Laura gelungen, die Tränen zurückzuhalten, als sie Pauls weißen Kopf gesehen hat. Sie war aber sehr ernst, und Paul ist ihr sehr dankbar dafür gewesen. Er hätte es nicht ertragen, wenn sie mit einem Krankenhauslächeln dagestanden hätte. An dem Morgen war Paul sich schon so weit über seinen Zustand im klaren, daß er nicht völlig hoffnungslos gewesen ist. Er konnte noch denken, also konnte sein Gehirn in den Stunden unter dem Auto nicht ernsthaft unter mangelnder Blutzufuhr gelitten haben. Sein Kreislauf mußte also funktioniert haben. Auch, daß seine Atmung ohne die künstliche Lunge funktionierte, hat er gesehen und daraus geschlossen, daß seine Verletzung nicht sehr hoch lag, also nicht lebensgefährlich war. Aber, ob er seine Beine bewegen konnte oder nicht, das war nicht festzustellen. Sie bewegten sich nach seiner Meinung, aber der Mut, hinzusehen, fehlte ihm nach wie vor. Seiner Meinung nach war auch Gefühl im Bauch und in den Hüften, aber er wußte genau, daß das Einbildung sein konnte. Fast das Schlimmste war, hat Paul später zugegeben, daß seine Verdauung gelähmt sein konnte, und das auf Dauer. Er hätte sich nie träumen lassen, wie allein der Gedanke daran einen Menschen erniedrigen konnte. Sehr merkwürdig fand Paul später, daß er nicht darüber nachgedacht hatte, ob er noch sexuelle Bedürfnisse haben wird und wenn ja, ob er sie noch befriedigen konnte. Paul: »Das ist mir einfach nicht in den Sinn gekommen.« Auch als Laura an sein Bett kam, soll es ihm nicht in den Sinn gekommen sein.

Das erste, was Paul Laura fragte, war, welcher Tag gewesen ist. Laura hat es ihm gesagt und auch, daß er an zwei Stellen verletzt ist, daß aber die obere Verletzung nur eine Art Quetschung ist. Beide haben sie nur wenig Worte zu machen brauchen, weil sie beide gut über Rückenmarksverletzungen Bescheid gewußt

haben. Sie sollen zum Teil sogar Fremdworte benutzt haben, um sich zu verständigen. Wenn es nicht ein so schlimmer Anlaß gewesen wäre, hat der Professor später gesagt, dann hätte er Pauls und Lauras Gespräche als Anekdote verwendet.
Wobei Laura Paul um einiges voraus gewesen sein soll, weil ihre Kenntnisse frischer waren. Der Professor ist voller Hochachtung gewesen für beide, aber besonders für Paul, als er erlebte, wie Paul auf Latein erfuhr, daß er unterhalb der Gürtellinie völlig gelähmt war und wie Paul das hinnahm. Paul wurde von allen Maschinen getrennt und in den nächsten Tagen gründlich geröntgt und untersucht. Der Professor verlegte Paul auf seine Station. Laura gab er dasselbe Zimmer, in dem seinerzeit Paul und Paulas Tochter geschlafen haben, als Paula starb. Paul lag immer noch in einem Drehbett. Das bedeutete, wenn Laura und er sich unterhalten und sich dabei ansehen wollten, Laura sich manchmal fast unter das Bett setzen mußte.

Als der Professor mit seinen Untersuchungen fertig war, ist Paul vom Hals abwärts bis zu den Hüften in ein Gipsbett gekommen, damit die Wirbelsäule endgültig Ruhe bekam und die Brüche heilen konnten. Die Folgen, die die obere Quetschung nach sich zog, sind schnell zurückgegangen. Ein großer Tag war der, an dem Pauls Hände aufgehört haben, gekrümmt zu sein wie Vogelkrallen und er seine Finger wieder bewegen konnte. Es machte Paul viel Hoffnung, als er sah, daß er durch Willensanstrengung und Muskeltraining etwas erreichen konnte, auch wenn er wußte, daß man einmal beschädigtes Rückenmark nicht wieder heilen konnte, auch nicht durch Willensanstrengung und Muskeltraining. Und der Professor ließ keinen Zweifel daran, daß Pauls Rückenmark beim unteren Bruch unheilbar unterbrochen war. Die einzige Hoffnung, die er Paul machen konnte, war, daß sich mit der Zeit herausstellte, daß verschiedene Nerven, die dicht oberhalb des Bruchs lagen, weniger verletzt gewesen sind, als es zuerst ausgesehen hatte. Und da war etwas mit Willensanstrengung und Training zu machen. Zum Beispiel bei der Verdauung und auch beim Hüftgelenk. Paul konnte sogar die Hoffnung haben, daß er eines Tages sogar wieder seine Beine bis zu den Knien bewegen konnte, aber nur mit sehr viel Glück. Aber das war Zukunftsmusik. Laura hat gegen den Ausdruck Glück protestiert. Ihrer Meinung nach war und blieb es eine Frage des Verletzungsgrades. Und wie hoch der ist, hat der Professor gesagt, ist eben Glück. Paul: »Oder Zufall.« Glück gleich Zufall, dagegen hat wieder Laura protestiert und gesagt, daß man sich sein Glück erkämpfen muß. Pauls Meinung nach ist Glück ein »innerer Zustand« gewesen und kein äußerer. Paul: »Man kann auch in einem Rollstuhl glücklich sein.« Das nannte Laura Anpassung. »Glück durch Anpassung«, hat Paul gesagt. Aber für Laura haben sich Glück und Anpassung ausgeschlossen. Sie haben angefangen, über den Begriff der Anpassung zu reden, und der Professor hat sich dazu beglückwünscht, Laura den ständigen Zugang zu Paul erlaubt zu haben. Was Laura als Pflegerin leistete, war seiner Meinung nach unschätzbar. Sie lenkte Paul einerseits ab und hielt ihn andererseits geistig wach. Er war der Überzeugung, daß Laura Pauls Aufenthalt in der Klinik um zwei Drittel abgekürzt hat. Laura ist im Laufe der Zeit zu einer bekannten Figur in der Klinik geworden. Sie ist aus und ein gegangen, als wenn sie dazu gehörte, später auch mit den Kindern. Die meisten hielten sie für Paula, dagegen war nichts zu machen. Der Professor wußte auch nicht, warum er etwas dagegen unternehmen sollte. »Wenn alle ihre Paula haben wollen, so sollen sie sie haben«, hat er gesagt. Obwohl er selbst Paula gut genug gekannt hatte, um zu sehen, daß Laura völlig anders war. Sie war zum Beispiel schöner als Paula. Und der Professor und alle anderen haben erlebt, wie sie fast von Tag zu Tag schöner geworden ist. Auch wenn Laura viel durch Kleidung und Aufmachung dazu beigetragen hat. Es ist aber nicht nur das gewesen, sondern Laura ist wirklich schöner geworden. Meine Person kann das nur bestätigen. Der Professor hat gesagt, daß sie auf die Art schöner geworden ist, wie Leute schöner werden, wenn sie glücklich sind. Das hat ihr sehr zu denken gegeben. Zuletzt soll Laura einen »Sex ausgestrahlt« haben, der Tote wieder zum Leben erweckt hätte. Aus der Nähe aber soll es ein Sex gewesen sein, der ihm Gänsehaut verursacht hat. Wie Paul sich dazu verhielt, konnte der Professor nicht erkennen. Paul selbst schwieg zu diesem Thema. Der Professor nahm an, daß Paul kein Interesse daran gehabt hat. Paul mußte vor allem mit seiner Situation fertig werden. Laura ließ ihn zwar so gut wie nie aus den Augen, war immer zur Stelle und diskutierte mit ihm über Gott und die Welt. Aber es ist immer noch Zeit genug gewesen, in der Paul mit sich allein war. Er ist auch oft ohne

Schlaf gewesen. Es gab Tage, da hätte er seinen Gipssarg am liebsten zertrümmert. Aber die Kraft seiner Arme hätte nicht ausgereicht, sich hochzustemmen und sich fallen zu lassen, um sich so den Garaus zu machen. Als es ihm in einer Nacht sehr schlimm gegangen ist, hat Paul trotzdem den Versuch gemacht. Seine Kräfte haben aber nicht ausgereicht, die Gurte zu sprengen, mit denen er an das Drehbett gebunden war, und Paul begriff, warum die Verschlüsse an den Gurten so angebracht waren, daß sie mit den Händen nicht zu erreichen waren. Paul mußte abwarten, bis er aus dem Gips heraus war, um dann den Entschluß über sein Weiterleben zu fassen. Der Entschluß war also nur aufgeschoben, aber nicht aufgehoben. Das hat Paul sehr geholfen. Das, was Paul ans Leben fesselte, wie die Gurte an sein Bett, war Lauras Pflege. Es ist Paul auch nicht entgangen, daß sie großen Wert auf ihr Aussehen legte. Er konnte sich nur sagen, daß sie es für ihn tat. Paul: »Zu meinem Wohlgefallen, um mir zu zeigen, daß sie mich als Mann nicht aufgegeben hatte.« Es ist auch nicht ohne Eindruck auf Paul geblieben, wie der Professor Laura lobte und wie die Klinik Laura bewunderte. Paul wußte lange nicht, warum er darüber nachdachte, an Laura etwas auszusetzen. Zuletzt verbot er es sich. Trotzdem ist er zu einem Ergebnis gekommen.
Eines Tages fing der Film »Paul und Laura« wieder an zu laufen. Und stehengeblieben ist er bei der Frage: »Warum fragt Laura mich nicht, wieso ich von der Abschiedsfeier für den Fiesling verschwunden bin, ohne ein Wort zu sagen.« Zugleich hatte Paul Angst, daß Laura die Rede darauf brachte. Wenn sie die Rede nicht darauf brachte, dann, weil sie die Erklärung

wußte, und dann stand ein für allemal fest, daß der Fiesling bei der Wahrheit geblieben war.
Wenn sie aber doch die Rede drauf brachte, dann war das ein Beweis dafür, daß sie ahnungslos war, und alles, was der Fiesling gesagt hatte, war Intrige. In dem Fall war Paul entschlossen, ihr zu sagen, daß er dem Fiesling nicht mehr glaubte. Bis dahin ist aber noch viel Zeit vergangen, und Paul ist wieder in der Scheibe Süd gewesen.

Es ist der Tag gekommen, an dem Pauls Gipssarg zertrümmert werden konnte. Er konnte anfangen, Sitzversuche zu machen. Die ersten Male ist er umgefallen. Er wußte aber, daß es zu schaffen war, und blieb zäh und schaffte es am Ende. Über alldem hatte er vergessen, daß er noch einen Entschluß über sein Weiterleben fassen wollte. Als es ihm bewußt geworden ist, hat er sich gesagt, offensichtlich hat sich der Entschluß von selbst gefaßt. Er hat den Professor gefragt, ob es Aussichten gibt, die Lähmungen der Hüfte und vor allem der Verdauung schnell zu bekämpfen. Die Antwort war: »Mit Glück und Training.« Lauras Frage war sofort, ob Paul nicht auch zu Hause trainieren könnte, in Scheibe Süd. Der Professor hat zugestimmt, obwohl es gegen alle medizinischen Sitten und Gebräuche war.

So kam der Tag, an dem Paul von Laura und den Kindern aus der Klinik heimgeholt worden ist.

Alle, die in der Klinik abkömmlich waren, haben Pauls Heimholung beigewohnt.
Sie haben ihm viel Glück gewünscht und sehr bedauert, daß Laura, in ihren Augen Paula, nun nicht mehr unter ihnen sein würde.
Keiner von uns hat sich gewundert, daß es schon am nächsten Tag in Berlin hieß, Paul hat mit seinem Beidhänder, noch dazu mit den Kindern und Paula aufgesessen, die ganze lange Strecke aus eigener Kraft zurückgelegt. Das ist nicht der Fall gewesen. Paul hatte zwar einen Rollstuhl, aber es ist noch nicht sein Beidhänder gewesen, der später so berühmt geworden ist. Es ist ein normaler Rollstuhl gewesen, mit dem er keine langen Strecken zurücklegen konnte. Und Platz für andere ist darauf auch nicht gewesen. In Wahrheit sind sie in einem Krankenwagen nach Scheibe Süd gefahren. Laura ließ es sich nicht nehmen, den Professor einzuladen. Sie hatte ein regelrechtes Festessen vorbereitet. Eingeladen waren auch Pauls Frau, der Tanzmeister, Pauls Sohn, Collie, der Taxifahrer, Pauls Chef und Kumpel und meine Person. Und alle sind auch gekommen. Paul ist sehr blaß und überrascht gewesen, und eine Überraschung für ihn sollte es auch sein. Auch der Professor ist überrascht gewesen. Er sah Paul an und Paul ihn. Paul hatte sehr zu kämpfen mit der Überraschung, und der Professor wunderte sich sehr, daß Laura so wenig Gefühl bewies für Pauls Lage. Er war nahe daran, das Essen ärztlicherseits zu verbieten. Aber Laura war sehr glücklich und sehr bemüht, Paul jeden Wunsch von den Lippen abzulesen. Nur Pauls Wunsch, so schnell wie möglich mit ihr und den Kindern allein zu sein, den konnte sie nicht ablesen. Der Professor und

Paul haben sich verständigt und beschlossen, der Sache ihren Lauf zu lassen, es aber kurz zu machen. Es ist sehr schwer gewesen für Paul, Menschen zu sehen, die ihn als gesunden und vollgültigen Mann mit der Herrschaft über all seine Glieder gekannt hatten und die ihn nun gelähmt sahen. Auch wenn Paul wußte, daß alle an seiner Rettung beteiligt gewesen waren, und auch wenn sich alle sehr taktvoll verhalten haben. An dem Tag erlebte Paul zum erstenmal, daß kein Mensch so taktvoll sein kann, daß nicht zu merken war, daß er taktvoll sein wollte.

PAULS GRÖSSTES PROBLEM war aber seine Verdauung. Paul hatte schwer damit zu kämpfen, daß er sich nie sicher sein konnte, ob er nicht stank. Laura mußte ihm immer wieder sagen, daß er in Ordnung ist, und trotzdem ist sich Paul nie ganz sicher gewesen. Paul: »Da hat mir auch nicht geholfen, daß ich nun zu einer Randgruppe gehörte und damit auch das Recht hatte zu stinken. Leider ist stinken etwas anderes als blind sein oder stottern. Es belästigt andere und macht es schwer, mit ihnen zusammenzukommen.« Paul wollte aber weiter mit anderen zusammenkommen und nicht nur mit anderen im Rollstuhl. Auch deswegen ist er aus Lauras Festessen nicht ausgestiegen. Er dachte, daß Leute, die er gut kennt, sicher noch die beste Gesellschaft sind, die er für den Anfang haben konnte. Es wäre ihm nur lieber gewesen, wenn alles etwas »gleitender« vonstatten gegangen wäre und weniger überraschend, und vor allem nach seinem eigenen Plan. Es ist merkwürdigerweise so

gewesen, daß Paul von allen, die da waren, nur bei seiner Frau nicht das Gefühl hatte, daß sie sich taktvoll verhalten wollte – von Laura abgesehen. Aber Laura war ein anderer Fall. Merkwürdigerweise ist auch Pauls Verhältnis zu Collie von Minute zu Minute immer besser geworden, den er vorher nur einmal erlebt hatte, bei der Beerdigung von Paulas erstem Sohn. Collie ist es auch gewesen, der Paul seinen berühmten Beidhänder beschaffte, als es soweit war. Collie selbst fand aber kein richtiges Verhältnis zu Laura und Laura auch nicht zu ihm. Laura ist Collie nicht recht geheuer gewesen. Wenn er Laura sah, verliebte er sich wieder in sie, das heißt in Paula. Dann sagte und tat sie wieder Sachen, die Paula nie im Leben gesagt oder getan hätte. Und weil Collie mit Schaustellern und Zirkusleuten groß geworden ist, ist sie ihm vorgekommen wie eine Raubkatze, die man nie völlig zähmen kann und der man nie den Rücken zukehren kann, weil man nie weiß, ob sie dem Dompteur nicht doch ins Genick springt.
Sie springt auch, hat Paul ihm da gesagt, aber nur, wenn man sie dressieren will, zum Beispiel auf Paula. Was er nicht gesagt, aber was er gedacht hat, war, daß Laura selber ein Dompteur war. Aber auch dies war seiner Meinung nach »nur die vorletzte Wahrheit«. Die letzte Wahrheit sollte sein, daß wir alle dressiert und alle Dompteure sind, dressierte Dompteure.

So BEGANN Pauls viertes Leben. Paul: »Oder war es mein fünftes?« Paul verlor mit der Zeit die Übersicht über seine verschiedenen Leben. Zuletzt kam ihm der

Verdacht, daß es sich nicht um verschiedene Leben
handelte, sondern um »ein und dasselbe mit den verschiedensten Vorfällen«. Das machte ihm Hoffnung.
Er dachte: Da ich lebe und da es bisher die verschiedensten Vorfälle gegeben hat, wird es auch weiterhin die
verschiedensten Vorfälle geben. So ist es auch gekommen. Zunächst aber war keine Zeit für Vorfälle. Paul
war der Meinung, daß man für Vorfälle Zeit haben muß
oder etwas tun muß. Irgend etwas zu tun, dazu war
Paul noch nicht in der Lage, und seine Zeit war sehr
beschränkt. Als Gesunder hat er bedeutend mehr Zeit
gehabt. Einen großen Teil seiner Zeit brauchte er für
die Körperpflege, die er um jeden Preis selbst erledigen
wollte. Dann mußtc dic Wohnung auf seinc Möglichkeiten umgebaut werden. Der Professor ließ ihn regelmäßig ins Krankenhaus holen zu Nachuntersuchungen
und zu Massagen. Zuletzt fing Paul an, seinen Oberkör-
per zu trainieren, weil er das einzige war, worauf er sich
noch verlassen konnte. Paul schaffte sich Hanteln an
und sogar einen Sandsack, der von der Zimmerdecke
hing und gegen den er boxte. Sich irgendeiner Gruppe
gelähmter Sportler anzuschließen, lehnte Paul ab.
Selbst da herrschte Pauls Meinung nach die Neigung,
Mannschaften zu bilden, Punktspiele zu organisieren
und so weiter und so fort, zum Beispiel beim Tischtennis.

Laura schwieg dazu. Früher hatten sie einen hitzigen
Streit zu dem Thema gehabt, weil Paul der Meinung
war, daß er keinen Sport treiben könnte. »Lauf doch
ums Haus«, hat sie gesagt. Und Paul: »Das macht mir
zufällig keinen Spaß. Ich hab' es mehr mit Bällen, und
wenn es ein Tischtennisball ist.« Laura: »Dann geh in

einen Verein.« Paul: »Würde ich machen, wenn ich da zum Spielen käme.« »Das kannst du mir nicht erzählen. Wozu sind denn Vereine existent?« war Lauras Antwort. Und Paul: »Geh hin, probier's aus, und du wirst sehen, daß du schon nach drei Wochen zur dritten Frauenmannschaft gehörst und regelmäßig sonntags anzutreten hast, um gegen die dritte Frauenmannschaft des Vereins um die Ecke oder in Rostock zu spielen, das heißt, zu kämpfen, nämlich um Punkte. Ab da kommst du nicht mehr zum Spielen, sondern nur noch zum Kämpfen oder zum Trainieren.« »Wettbewerb«, hat Laura da gesagt, »gehört zum Sport. Auch wenn du für dich läufst, ist das Wettbewerb, gegen dich selbst, gegen deine Trägheit.« Und Paul: »Einverstanden. Tischtennis bedeutet, den anderen in Schwierigkeiten zu bringen mit Hilfe trickreich geschlagener Bälle und selbst den Schwierigkeiten möglichst geschickt zu begegnen, die einem der andere bereitet. Das ist der Witz, der Wettbewerb und der Spaß für den, der Spaß daran hat. Aber wer sagt mir das, daß ich in einer Mannschaft und einer Liga über andere Mannschaften und andere Ligen herfalle, so daß mir der Spaß nicht völlig vergeht?« Das bestritt Laura. Auf dem Hof Scheibe Süd stehen drei Platten, da sollte Paul spielen. Die Platten sind aus Beton, und die Kinder spielen daran. Netze gibt es nicht, sie nehmen Bretter. Das hätte Paul nicht gestört. Der Wind ist es gewesen, der Paul störte. »Da kann man nur mit Bällen aus Blei spielen, wenn es noch Tischtennis sein soll«, hat er gesagt, und das war die Wahrheit. Auf unserem Hof gibt es den ganzen Tag über Windhosen und Wirbelstürme, auch wenn es sonst windstill ist. »Dann kritisiere nicht«, hat Laura gesagt, »für das Wetter kann keiner.« Und Paul: »Eben, und deswegen geht man mit Tischtennis in die Halle, als Verein, spielt um Punkte, denn eine Halle ist teuer und muß sich rentieren.« »Dann hör auf mit Tischtennis!« »Mach' ich ja, was bleibt mir anderes übrig. Bloß will ich dann nicht die Zeitung aufschlagen und lesen, welche hervorragenden Möglichkeiten ich als Freizeitsportler habe. Dann soll in der Zeitung stehen, daß Sport eine ernste Sache ist und sich auszahlen muß in Punkten, Pokalen, Medaillen und Prestige, und daß gewisse Sporteinrichtungen vorrangig den ernsten Sportlern zur Verfügung stehen.« Darauf Laura: »Artikel des Inhalts, wie du ihn willst, werden nicht in unserer Zeitung stehen.« Und Paul: »Das fürchte ich auch, bloß warum eigentlich nicht?« – »Weil es nicht so ist, wie du sagst. Du kannst nicht sagen, daß du nicht irgendwo unter Dach und Fach spielen kannst, wenn du willst, in einem Keller oder Dachboden.« »Sicher kann das dieser oder jener, aber warum kann es kein Verein?« – »Weil Vereine viel zu groß sind, und weil sich daran zeigt, daß die Mehrzahl derjenigen, die spielen wollen, in Vereinen spielen will. Und wenn du das Sonderrecht willst, nur zum Spaß gegen einen Partner zu spielen, dann mußt du eben sehen, wo du bleibst.« – »Und am Ende schneid' ich meine Platte durch und spiele gegen die Wand. Vorher muß aber noch bewiesen werden, daß die Mehrzahl wirklich in Vereinen mit allem drum und dran spielen will oder ob nicht die Mehrzahl eben deswegen nicht spielt und ob nicht die Vereine die mit den Sonderrechten sind.« – »Du hast eine Einstellung. Wahrscheinlich kommst du jetzt gleich mit deinen Steuergeldern.« – »Könnte ich, mach' ich aber nicht, ich komme mit dem, was ich selbst erwirtschafte. Und was zu einem Teil in den Sport geht, aber was kommt für mich dabei heraus, der Tischtennis spielen will, einfach spielen, oder Rasentennis oder Rudern oder Schießen?« – »Wenn du Rudern willst, leih dir ein Boot.« – »Erstens, zeig mir, wo ich ein Ruderboot leihen kann und keinen Angelkahn. Und zweitens, wieso muß ich für etwas extra bezahlen, was ich doch schon erwirtschaftet habe? Oder mit Steuergeldern bezahlt?« Paul war der Meinung, daß es nicht so schlecht wäre, wenn er hingehen könnte und sich mit einem Freund für fünf Mark für zwei Stunden eine Platte mieten könnte unter Dach und Fach und vielleicht sogar mit Dusche anschließend. Das wären bessere Verhältnisse. Laura: »Kapitalistische Verhältnisse.« Und Paul: »Klare Verhältnisse.« Damit war der Streit zu Ende. Weitergegangen ist er immer dann, wenn Laura ihn fragte, was er denn schon erwirtschaftet hat in seiner Kaufhalle. Dann hat Paul gesagt, daß er zwar auch nicht im produktiven Bereich beschäftigt war, sondern nur gehandelt hat, also verteilt, aber immerhin mit Gewinn, Laura aber nur verwaltet hat. Laura: »Ich will ja auch nicht Tischtennis spielen.« – »Aber ich will.« – »Dann mach's doch, aber sieh gefälligst ein, daß für den Staat, wenn er irgendwo investiert, auch etwas herauskommen muß.« Da hat Paul geschwiegen und sie lange angesehen und dann gefragt: »Der Staat, wer ist das eigentlich? Und sag mir jetzt bloß nicht, ich bin es selbst.« Laura: »Sag ich aber, jedenfalls du auch.« – »Komisch, da muß ich ein anderer Staat sein. Ich will nämlich Tischtennis spielen zu meinem Spaß.« – »Dann geh gefälligst in einen Verein und such dir da eine

Mehrheit von Leuten, die dasselbe wollen.« – »Kannst du dir vorstellen, was da passiert unter Leuten, die sich bereits dafür entschieden haben, Sport ernsthaft und im Verein zu betreiben?« – »Ja, sie sind gegen dich, jedenfalls in der Mehrheit, also was willst du?« »Stop! Sie sind in der Mehrheit, aber ob das nicht die Mehrheit einer Minderheit ist, ist noch nicht bewiesen. Außerdem will ich immer noch aus Spaß spielen, auch wenn die Mehrheit gegen mich ist.« Da hat Laura gesagt: »Dann ist dir nicht zu helfen.« Und Paul: »Sieht so aus.« Paul konnte aber dann doch noch sehr viel Tischtennis spielen. Das ist gewesen, als er schon seinen Beidhänder hatte und Collie ihn abholte und sie dahin gefahren sind, wo Collies Zirkus sein Winterquartier hatte. Da stand ihnen eine ganze große Halle zur Verfügung. Collie setzte sich auf einen Stuhl, um keinen Vorteil gegenüber Paul in seinem Beidhänder zu haben, wenn sie spielten. Bis dahin ist aber noch etliche Zeit vergangen, in der Paul an Tischtennisspielen nicht denken konnte. Es war für ihn auch nicht daran zu denken, allein auszufahren. Es gab nicht viel, was Paul ganz und gar allein machen konnte. Das fing morgens mit dem Aufstehen an und hörte abends mit dem Hinlegen auf. Paul konnte sich zwar aufsetzen im Bett mit Hilfe seiner Arme und auch seine Beine aus dem Bett heben, aber sein Geschick und seine Kraft haben nicht ausgereicht, sich mit seinen Gehhilfen aufzustellen. Er selbst nannte seine Gehhilfen nie Gehhilfen, sondern Krücken. Paul: »Man soll die Dinge bei ihrem Namen nennen, und eine Krücke ist eine Krücke.« Auf die Art war Paul völlig auf Laura angewiesen. Und er hat mit Staunen erlebt, wie Lauras Kraft ausreichte, ihn mit ihren Armen anzuheben, ihn meterweise wie ein kleines Kind durch die Wohnung zu tragen und ihn in seinen Rollstuhl zu setzen oder auf einen Stuhl oder ins Bett. Es ist sogar oft vorgekommen, daß Paul in seinen Rollstuhl gebracht werden wollte, Laura ihn aber zu einem gewöhnlichen Stuhl am Tisch trug. Dabei soll sie noch gelächelt haben und nicht mal eine nasse Stirn gehabt haben. Aber das sind Ausnahmen gewesen. In der Regel tat Laura, was Paul wollte. Schluß mit dem Tragen war, als Laura ihn einmal durch die Wohnung trug, als Besuch da war. Pauls Chef und Kumpel ist zu Besuch gewesen, und Paul hat Laura angefahren und sich das Getragenwerden verbeten. Seitdem hat Laura ihn nie wieder getragen, auch nicht, als Paul sich im nachhinein entschuldigt hat. Sie hat nur gesagt: »Du brauchst dich doch nicht zu entschuldigen.«

Es war alles sehr schwer für Paul. Er hat immer wieder seine Beine angesehen, die immer blasser und dünner geworden sind, und sich immer wieder gefragt, wozu sie überhaupt noch gut waren. Sie haben wie ein überflüssiges Gewicht an ihm gehangen. Paul hat daran gedacht, ob eine Amputation nicht besser wäre. Aber der Professor hat gesagt, solange er lebt, behält Paul seine Beine. Das gab Paul wieder Mut. Laut Paul waren die Stunden in der Klinik seine besten. Es kam ihm auch so vor, als ließe ihn der Professor öfter in die Klinik holen als eigentlich nötig gewesen wäre. Paul konnte es aber nicht beweisen. Er konnte ihm auch nicht beweisen, daß er das wegen Laura tat. Paul selbst lobte Laura vor dem Professor immer wieder sehr und ließ keinen schlechten Faden an ihr, und auch der Professor hat sie nach wie vor sehr geschätzt. Trotzdem sind die Ausfahrten mit Laura oft eine Qual gewesen, an die Paul sich nicht gewöhnen konnte. Pauls Rollstuhl eignete sich schlecht zum Selbstfahren auf der Straße, dazu ist er zu empfindlich gewesen. Jeder Rinnstein war für Paul ein fast unüberwindliches Hindernis. Und Paul hat gesehen, daß es in der ganzen Stadt keine einzige schräge und stufenlose Auffahrt gab, bei keinem Bürgersteig und zu keinem Postamt und keinem Laden, ausgenommen die wenigen Fahrradwege und die Kaufhallen, wenn sie zu ebener Erde gewesen sind. Paul sah darin ein Zeichen dafür, daß das Dasein solcher Gruppen wie der seinen nicht wahrgenommen und daß es ihnen dadurch schwer gemacht wird, sich in der Öffentlichkeit zu zeigen, wodurch sie immer weniger wahrgenommen werden. Erst jetzt hat er einen Blick dafür bekommen. Er hat auch gesehen, wie wenige in Rollstühlen auf der Straße waren, obwohl er wußte, daß es allein in Berlin so wenige nicht gewesen sind. Er bekam auch einen Blick für andere Gebrechliche und hat gesehen, wie viele es gibt. Seiner Meinung nach haben Gesunde diesen Blick nicht gehabt. Die meisten haben zur Seite gesehen, wenn sie einen wie Paul gesehen haben. In ihnen hat sich Paul selber erkannt. Für sich zog Paul zuerst die Schlußfolgerung, möglichst niemanden um Hilfe zu bitten. Erst später dachte Paul um und bat um Hilfe, wenn er welche brauchte, und er hat sie dann auch immer erhalten, und zwar bereitwillig. Da ist er und sein Beidhänder schon überall bekannt gewesen.

Die Qual, wenn er Ausfahrten mit Laura machte, bestand vor allem darin, daß Laura nach wie vor großen Wert auf ihr Aussehen legte und daß sie bei den Leuten den Eindruck weckte, eine Frau zu sein, die sich und ihre Situation im Griff hat und in keiner Weise unglücklich ist. Das Schlimme für Paul war nicht, daß sie diesen Eindruck wecken wollte. Das hat er verstanden. Das Schlimme war, daß sie wirklich ruhig und souverän war und sehr glücklich und daß sie wirklich alles im Griff gehabt hat. Auch Paul. Das konnte er nicht vertragen. Aber zum Vorwurf konnte er es ihr nicht machen. Er konnte ihr nicht sagen: »Sei gefälligst unglücklich und hysterisch und laß dich gehen und leide und kümmere dich nicht um mich und wünsch mich zur Hölle und geh fremd und saufe.« Er hat sich gesagt, daß er selbst hysterisch ist, weil er den Verlust seiner Selbständigkeit nicht ertragen konnte. Andererseits war es unmöglich, sich darüber zu beklagen, wie Laura sich um ihn kümmerte und ihn pflegte. Alle Leute in der Gegend haben gesehen und gesagt, daß Paula in seiner Pflege aufgegangen ist, und sie sehr verehrt deswegen. Denn daß es sich bei Laura um Paula handelte, das war für ganz Berlin eine ausgemachte Sache, und dagegen konnte weder Paul noch Laura etwas tun. Obwohl Laura auch Dinge getan hat, die keiner von uns ihr, sondern nur Paula zugetraut hätte. Das Geld ist knapp geworden, trotz Pauls Invalidenrente, die erheblich war. Aber Laura hatte seit Pauls Unfall keinen Tag mehr gearbeitet, um ihn pflegen zu können. Eines Tages ging sie hin und verkaufte ihren ganzen Stolz: die neue Einrichtung. Statt der neuen Möbel hat sie für einen Apfel und ein Ei alte Sachen zusammengekauft, die wie Paulas ausgesehen haben. Paul: »Das trieb mir die Braue in die Stirn.«

Eine andere Sache, die Laura machte, konnte Paul auf den Tod nicht leiden. Wenn sie ihn in seinem Wagen vor sich her schob, hat sie ihn gelegentlich abgestoßen und ihn rollen lassen. Paul: »Wie Mütter ihre Kinder, wenn sie alt genug dazu sind, im Kinderwagen abstoßen und sie dann wieder einfangen.« Oft ist ihr das nicht gelungen, weil Paul den Wagen bremsen konnte. Laura ist dabei aber so geschickt gewesen, daß es Paul nicht immer bemerkt hat. Manchmal setzte Laura auch den Jungen zu Paul in den Wagen, und wenn sie Paul dann abstieß, konnte Paul kaum etwas dagegen machen.
Laura legte nicht nur großen Wert auf ihr eigenes Aussehen, sondern auch auf das von Paul. Seine Sachen haben immer vor Sauberkeit gestrahlt, und er hat auf der Straße oft eine Krawatte getragen. Seine Haare wurden jede Woche eigenhändig von Laura geschnitten. Sie machte Paul den Vorschlag, Höhensonne zu nehmen. Paul hat ihn befolgt. Und so ist er trotz allem ein gutaussehender Mann gewesen. Er sah sehr interessant aus, und allein ihres Aussehens wegen waren er und Laura überall bekannt. Paul hat selbst zugegeben, daß ihm das gut tat. Es quälte ihn aber auch. Das hat er sich verboten und sich selber hysterisch und eine Mimose genannt.

PAULS GRÖSSTE QUAL ist aber der Gedanke gewesen: Wann wird Laura den Mund aufmachen und mich fragen, warum ich um Himmels willen von der Feier für den Fiesling weggerannt bin, durch Berlin geirrt bin und mich unter das Auto gelegt habe. Für den Fall, daß sie nur nach der Garage fragte, hatte er die Antwort parat. Falls sie aber auch nach seinem Herumirren fragen sollte, wollte er alles sagen. Aber bei aller Qual hatte er doch nicht den Mut, selber den Mund aufzumachen. Hinzugekommen ist, daß sich Pauls sonstiger Zustand auch nicht besserte, trotz aller Massagen und Bestrahlungen. Paul ist von der Hüfte abwärts gelähmt geblieben, und vor allem seine Verdauung machte nach wie vor das, was sie wollte, und nicht, was Paul wollte.
Es ist soweit gekommen, daß Paul alle Hoffnung fahren ließ. Er ließ sich willenlos von Laura hierhin und dorthin tragen, ließ sich in die Klinik und wieder zurückfahren, aß so wenig wie möglich, hat kaum getrunken und geredet. Selbst mit den Kindern hat er nicht mehr viel gesprochen. Er las viel, saß vor dem Fernseher. Unter Leute hat es ihn nicht gezogen, und beim Lesen ist das Buch meistens nur Tarnung dafür gewesen, daß er vor sich hinstarrte. Auch beim Fernsehen starrte er weniger auf die Röhre als durch sie hindurch. Sein Muskeltraining gab er völlig auf. Mit dem Sandsack spielte der Junge. Das einzige, worum sich Paul noch kümmerte, war seine Körperpflege. Darauf hatte er sich so spezialisiert, daß er einen Ratgeber hätte herausgeben können, wie er einmal gesagt hat. Das alles ist Laura nicht verborgen geblieben. Es führte nach Pauls Ansicht dazu, daß sie zuletzt den Mund aufmachte.

»Wie bist du um Himmels willen auf die Idee gekommen, in die Garage zu rennen und dich unter das alte Auto zu legen«, hat sie ihn gefragt. Pauls Herz fing sofort an, im Halse zu schlagen. Er wußte, daß er jetzt die Wahrheit erfahren wird, so oder so. Und er hat leichthin gesagt: »Weil ich zwar nicht ernst genommen habe, als du gesagt hast, jetzt fehlt uns zu unserm Glück nur noch ein Auto, aber weil ich mir dein Gesicht ausgemalt habe, wenn ich mit dem alten Auto vor die Tür gefahren komme und die Gesichter von den Kindern auch.« Laura: »Und deswegen bist du vorher sechs Stunden wie ein Lebensmüder durch die Stadt geirrt?« Und sie hat seinen Kopf gestreichelt. Da ist Paul sehr befreit gewesen. Er hat ihr den gesamten »Fiesling-Report« gegeben. Lauras Antwort war: »Das sind Erfindungen des Teufels, und das hast du geglaubt?« Paul hat ja gesagt, aber aufgeatmet und wieder angefangen zu leben.
Leider ist alles nur eine Einbildung von Paul gewesen. Er wünschte sich das alles so sehr und hatte alles so oft für sich durchgespielt, daß seine Einbildung nicht zu bremsen gewesen ist. In Wahrheit hat Laura nicht nach den sechs Stunden gefragt. Sie hat nur seinen Kopf gestreichelt und geschwiegen. Paul hat deutlich gesehen, daß sie den Mut für die entscheidende Frage nicht aufbrachte. Er selbst hat auch keinen Mut gehabt, sie direkt zu fragen. »Und so haben wir nach bewährtem Muster alles unter den Teppich gekehrt.« – Paul. Zu leben hat Paul aber trotzdem wieder angefangen.
Noch am selben Tag gab es die ersten Anzeichen dafür, daß Pauls Verdauung wieder in Ordnung gekommen ist. Paul rief sofort den Professor an. Der Professor hat

ihm gratuliert und ihn sofort wieder in die Klinik geholt, um ihn zu beobachten. »Es ist fast unglaublich«, hat er gesagt, »aber doch möglich, wie man sieht.« Er wollte mit Pauls Einverständnis eine Arbeit über seinen Fall schreiben. Er hat zu Paul gesagt: »Du bist in der Lage, und bist eines schönen Tages wieder bis zu den Knien intakt.«
Was das sagte, ist Paul völlig klargewesen. Es hieß, daß er eines Tages wieder laufen konnte, wenn auch nur auf den Knien. Fürs erste dachte Paul aber weniger ans Laufen als an seine Verdauung. Er hat gesagt, daß es für ihn ein unvergeßlicher Tag gewesen ist, an dem er zum erstenmal wieder aufs Klo gehen konnte, wann er wollte und wann ihm danach war. Nach seinen Worten war es der größte Genuß, den er je gehabt hat. Es ist ein unvorstellbares Fest gewesen, und er hat mit großem Genuß den Satz gesagt: »Ich will jetzt mal aufs Klo.« Daraus ist für ihn eine Gewohnheit geworden, die er bis zuletzt nicht abgelegt hat. Paul: »Ich konnte mich nicht beherrschen. Den Satz mußte ich immer wieder sagen.« Laura hat das auf die Dauer sehr gereizt. Paul gab zu, daß er den Satz auch manchmal gesagt hat, um Laura zu reizen. Meine Person glaubt, daß Paul auch heute noch diese Gewohnheit hat, wenn er noch am Leben ist, und meine Person ist fest davon überzeugt, daß das der Fall ist.

Noch in der Klinik hat Paul wieder sein Training aufgenommen. Er hat seinen Sandsack bearbeitet, »als wenn es der Klassenfeind persönlich gewesen ist«, und seine Hanteln kaum wieder aus der Hand gelegt. Er machte sie sich schließlich an den Unterarmen fest, damit er jede Bewegung »unter Last« tun konnte. Sein Ziel war, sich nur kraft seiner Arme und seines Schultergürtels und seiner Bauchmuskeln aus dem Bett in den Rollstuhl bewegen zu können. Das führte später dazu, daß Paul auf den Händen laufen konnte, wenn er wollte. Es hat aber auch zu dem Ziel geführt, das er erreichen wollte. Paul mußte zwar Verrenkungen dazu ausführen, aber sie sind alle wohl überlegt gewesen und haben ihren Zweck erfüllt. Eines Tages konnte Paul sich aus eigener Kraft aus seinem Rollstuhl aufs Klo und zurück, ins Bett und zurück oder auf einen normalen Stuhl und zurück bewegen. Er ist sehr stolz darauf gewesen, so stolz, daß er Laura nichts davon gesagt hat. Paul: »Da ist aber auch noch etwas anderes im Spiel gewesen als Stolz.« Er ließ sich weiter von Laura in seinen Stuhl und aus seinem Stuhl heben, und er ließ sich auch wieder tragen von ihr, und es machte ihm sogar Spaß. Er liebte auch seine Beine wieder, die er noch vor kurzem amputieren lassen wollte. Er hat sie oft angesehen und sie massiert und hat sich fest eingebildet, daß er sie eines Tages wieder bewegen konnte, wenigstens bis zu den Knien.

Jetzt war auch der Zeitpunkt gekommen, an dem er wieder daran denken konnte, sich unter Leute zu begeben. Er ist sich schon lange im klaren darüber gewesen, was für eine Art Wagen er für die Straße brauchte. Es war ein Selbstfahrer oder Beidhänder mit großen Hinterrädern und nur einem Vorderrad.

Paul konnte damit jeden Bürgersteig nehmen. Es war das Fahrzeug, was ihm am meisten Unabhängigkeit brachte. Paul brauchte weder Benzin noch Strom, sondern konnte sich nur auf die Kraft seiner Armmuskeln verlassen. Es ist auch robust gewesen. Wenn es nach Paul gegangen wäre, hätte er einen Wagen mit Vollgummibereifung genommen, um auch noch von Reifenpannen unabhängig zu sein. Sein Problem war, ein solches Fahrzeug zu beschaffen. Sie wurden nicht mehr gebaut, und Paul hätte warten müssen, bis der Besitzer von einem unter dem Rasen lag. Das dauerte Paul zu lange. Er hat den Professor gefragt, und er hat Collie gefragt. Beide haben nicht sofort Rat gewußt, aber sie haben sich umgehört, und zuletzt hat der Professor von einem Wagen gehört, der nicht mehr gefahren wurde, und Collie hat auch von einem Wagen gehört, der nicht mehr gelaufen ist, und sie haben sich darum gekümmert, jeder für sich. Das Ergebnis war, daß sie eines Tages beide vor dem gleichen Wagen gestanden haben. Er ließ sich reparieren. Das hat Collie erledigt und ihn neu gestrichen, himmelblau. Das ist Paul zwar nicht recht gewesen, aber er konnte es Collie schlecht sagen. Später hat sich Paul daran gewöhnt und ist sogar berühmt geworden damit.

Es war ein grosser Tag für Paul, als Collie mit dem Beidhänder gekommen ist. Es soll ein größeres Gefühl gewesen sein, als wenn ihm einer ein nagelneues Importauto vor die Tür gestellt hätte. Laut Paul hat Laura Collie im Grunde ihres Herzens für eine windige Existenz gehalten, trotz der Alimente, die er seit Pauls Unfall rückwirkend zahlte und die Laura auch annahm. Aber als sie ihn mit dem wie neu hergerichteten Beid-

händer für Paul vor der Haustür stehen sah, ist sie ihm doch sehr dankbar gewesen. Sie gab sich aber über zwei Dinge keine Rechenschaft. Das erste war, daß Paul sich ohne ihre Hilfe aus dem Rollstuhl in den Beidhänder schwingen konnte. Laura stand neben Paul und machte sich bereit, Paul auf die Arme zu nehmen, da stemmte sich Paul in seinem Rollstuhl hoch, schwang sich in den Beidhänder und hob seine Beine mit den Händen nach. Paul hat ihr deutlich angesehen, daß sie sich wie geprellt vorkam. Aber dann hat Laura gesehen, daß Paul vor Freude bleich gewesen ist und daß ihm die Augen naß geworden sind, als er nach den Fahrhebeln griff und die ersten Meter vorwärts und rückwärts zurücklegte, und ihr sind selbst die Tränen gekommen.
Das zweite war, daß sie sich keine Rechenschaft darüber ablegte, daß Paul sich jetzt aus eigener Kraft vorwärts bewegen konnte, und das in einem Tempo, das sie zu Fuß nicht durchhalten konnte. Collie aber hatte ein Fahrrad bei sich. Er kannte Pauls Armmuskeln, und durch seinen Beruf wußte er, was ein Mensch durch Muskelkraft alles fertigbringt. Er ahnte auch, was Paul vorhatte, obwohl Paul ihm kein Sterbenswort gesagt hatte. »Schon deshalb nicht, weil ich es selbst nicht wußte, jedenfalls nicht genau.« – Paul. Aber Collie soll laut Paul ein Menschenkenner gewesen sein. So haben sich Paul und Collie aus dem Staub gemacht. Paul hat zu Laura gesagt: »Ich bin gleich wieder da, nur eine Proberunde.« Dann sind sie losgefahren, und Laura hat gesehen, daß es zu Fuß keine Chance gab, Paul zu folgen. Paul legte sich mit einer Kraft ins Zeug, daß es selbst für Collie mit dem Fahrrad schwer war zu folgen.

Die Proberunde dauerte bis in den Abend. Laura war sehr unruhig, und die Kinder haben schon nach Paul gefragt. Sie ist sich überflüssig vorgekommen. Noch am selben Abend hat sie sich entschlossen, ein Fahrrad zu kaufen. Sie hat ihren Entschluß gleich am nächsten Tag wahr gemacht, aber als Paul am Abend zurückkam, ihm nichts davon gesagt. Sie wollte nur wissen, wie die Fahrt war und ob der Wagen in Ordnung war und ob Paul mit dem Verkehr zurechtgekommen ist und der Verkehr mit ihm. Paul hat zu allem ja gesagt. Er ist so müde und ausgepumpt gewesen, daß er zu mehr nicht in der Lage war. Er fiel ins Bett und schlief, wie er seit seinem Unfall nicht mehr geschlafen hatte. Er fühlte sich großartig. Laura hat gesagt: »Ich würde sagen, daß sich das nicht wiederholt.« Sie war der Ansicht, daß er nicht ohne Übergang solche Leistungen von sich verlangen durfte. Sie wollte den Professor informieren. Aber Paul war entschlossen, genau so lange und so schnell zu fahren und so oft, wie ihm zumute war. Er war sicher, daß sein Gefühl ihm sagte, was für ihn gut war und was nicht. Noch im Einschlafen legte er die Route für den nächsten Tag fest. Er ist aber am nächsten Tag viel später wach geworden, als er wollte. Laura hatte schon mit dem Professor telefoniert und sich auch schon das Fahrrad gekauft. Und als Paul sich aufmachen wollte, hat sie ihm mitgeteilt, daß er nicht mehr als fünf Kilometer fahren darf und daß sie ihn begleiten wird. Paul hat sofort versprochen, daß er nur fünf Kilometer fahren wird, damit Laura ihn nicht begleiten sollte. Aber Laura blieb fest. Da sind sie schon vor dem Haus gewesen, und Laura hat aus dem Abstellraum ihr nagelneues Fahrrad geholt. Es war ein Fahrrad, das man zusammenklappen konnte und das Mangelware war. Man mußte sich darauf anmelden und ein halbes Jahr warten, und Paul konnte sich genau vorstellen, wie Laura zu dem Rad gekommen war.

So NAHM PAULS und Lauras erste gemeinsame Ausfahrt ihren Anfang. Paul ist gesittet vorausgefahren und Laura hinter ihm her, oder Paula, wie die Leute geglaubt haben, und sie haben sie gegrüßt und ihnen zugewinkt.
Nach einiger Zeit steigerte Paul das Tempo, um zu sehen, wie gut Laura mithielt. Laura hielt gut mit. Dann machte Paul einen Spurtversuch, den konnte Laura nicht mithalten. Sie soll völlig zurückgefallen sein, weil Paul über eine Ampel gefahren war, die gleich hinter ihm auf Rot schaltete. Paul schwor später, daß er nur so schnell gefahren war, um nicht bei Rot in all den Auspuffgasen stehen zu müssen und zu warten. Paul: »Aber ich wußte von dem Moment an, daß Ampeln für mich eine Chance sind.« Alles in allem machte Paul bei dieser ersten Ausfahrt die Erfahrung, daß Laura zwar seinen Spurts nicht gewachsen war, daß er aber selber solche Spurts nicht lange durchhalten konnte. Dazu ist erstens sein »Zahn zu steil« gewesen und andererseits seine Armkraft noch nicht groß genug. Wie gut Laura auf langen Strecken mithalten konnte, konnte er an dem Tag noch nicht sehen, weil sie nur in der Stadt gefahren sind und weil Laura einen Kilometerzähler an ihrem Rad hatte und nach zweieinhalb Kilometern darauf bestand, daß sie umdrehten. Daraus zog Paul zwei

Schlußfolgerungen. Er mußte zusammen mit Collie über eine Gangschaltung beraten, um einen schnelleren Anzug zu haben, und er mußte eifrig weiter trainieren.

Bei der nächsten Ausfahrt wählte Paul eine Strecke in Richtung Stadtrand, um Laura und sich selbst auf einer längeren Strecke zu testen. Die Leute haben ihnen wieder zugewinkt, aber Paul hat gesehen, daß die fünf Kilometer zu kurz waren, um zu einem Ergebnis zu kommen. Er räumte aber Laura auf dem Rad mit den kleinen Rädern für die Zukunft keine großen Chancen ein. Paul hat den Professor angerufen und ihm erklärt, daß er sich gut fühlt, gut genug für zehn Kilometer und mehr am Tag. Der Professor ließ ihn in die Klinik holen und ihn untersuchen. Er ließ Pauls Beidhänder hochbocken, und Paul mußte im Leerlauf fahren, und seine Werte wurden geprüft. Paul war tatsächlich für zehn Kilometer und mehr gut. Der Professor hat Laura geraten, Paul nicht zu bremsen, in dem Sinn, daß sie Pauls Ausfahrten fördern sollte. Aber seine Worte sind gewesen: »Nicht bremsen.« Paul hat sie sich gut gemerkt. Bei der nächsten Ausfahrt über zehn Kilometer legte er ein Tempo vor, das Laura nur sehr schwer mithalten konnte. Die Leute haben wieder gewinkt und sich gefreut, daß Paul und seine Paula so einträchtig und unternehmungslustig gewesen sind und daß Paula ihren Paul so in Bewegung hält. Laura und Paul sind auch angesprochen worden. Laura war freundlich und ließ sich ihre Anstrengung nicht anmerken. Trotzdem sprach sich in Berlin herum, daß Paula und Paul jetzt eine Art Rennen durch die Berliner Straßen fahren bis zum Müggelsee. Es hieß, Paul ist schnell wie ein berühmter Straßenrennfahrer und Paula ist zäh wie ein anderer berühmter Straßenrennfahrer.

DASS SIE BIS ZUM MÜGGELSEE gefahren sind, ist eine Legende gewesen. Die Strecke war vorläufig zu lang, aber auch dahin ist es noch gekommen. Schon bei der zweiten langen Ausfahrt ist Paul, wie er selbst gesagt hat, nicht fein genug gewesen und hat von Laura verlangt, daß sie doch bitte einen Zahn zulegen soll und ihn nicht bremsen. Laura hat dazu nichts gesagt. Am nächsten Tag erlebte Paul, wie Möbelträger die neue Sitzgarnitur abgeholt haben und Laura sich für das Geld ein anderes Fahrrad kaufte, mit normalen Rädern, nicht zum Klappen, mit schmalen Reifen und einem flachen Lenker. Von Gangschaltungen an Rädern war Laura aber zu Pauls Glück nichts bekannt, und Paul hat sie nicht aufgeklärt. So ist es gekommen, daß Laura das nächste Rennen gewonnen hat. Sie ist Paul immer vorausgefahren, so daß er nicht wieder sagen konnte, daß sie ihn bremst. Aber das übernächste Rennen ist wieder an Paul gegangen, weil Collie inzwischen eine Gangschaltung für ihn beschafft und in den Beidhänder eingebaut hatte.

Das ist an einem Sonnabend gewesen, an einem Sonnabendvormittag.

Beim nächstenmal war es Sonntag, und da hat Laura plötzlich einen Kindersitz zur Hand gehabt. Den hängte sie hinten an Pauls Beidhänder und setzte den Jungen ’rein. Das Klappfahrrad hat sie seiner Schwester gegeben, und so sind sie losgefahren, und Paul konnte nichts machen. Laura hatte auch nichts dagegen, daß sie bis zum Müggelsee gefahren sind. Ein großer Korb mit Essen war da und ein Paket mit Decken, für jeden eine und mit allerhand Sportzeug für die Kinder. Das Paket kam auch zu Paul in den Wagen.

Die Leute waren sehr gerührt, als sie gesehen haben, wie Paul trotz seiner Behinderung ein vorbildlicher Familienvater war und am Wochenende das Seine dazutat, daß alle zu ihrer Erholung kamen.

Nur auf der Rückfahrt sind sie vom Regen überrascht worden und naß geworden bis auf die Haut. Pauls Laune ist aber von Kilometer zu Kilometer besser geworden, weil ihm eine Idee gekommen war. Paul ist zu Collie gefahren, und wenig später brachte Collie ihm ein Wetterverdeck, das er nach Pauls Entwürfen gebaut hatte und das man auch zusammenklappen konnte. Das haben sie an den Beidhänder gebaut, und damit war Paul wetterunabhängig. Laura hatte es einfacher. Sie kaufte für sich und die Kinder Wetterumhänge. »Und von da an konnten alle sehen, daß ich und meine Familie selbst beim schlechtesten Wetter nicht davon abzuhalten waren, in die schönen Wälder der Berliner Umgebung zu fahren und die frische Luft zu genießen und sich selbst zu kräftigen.« – Paul. Dabei ist es lange geblieben. Paul konnte am Ende Muskeln aus Eisen vorweisen und Schultern breit wie ein Schrank und Bauchmuskeln wie ein Turner.

Scheibe Süd machte ein Sportfest. Da wurde Paul mühelos und aus dem Stand mit angebremstem Wagen in allen Stoß- und Wurfdisziplinen Sieger, selbst im Speerwurf. Er bekam nicht wenig Beifall dafür und wurde sogar in der Sportzeitung erwähnt. Seitdem hat er nicht mehr trainiert und auch jede sportliche Betätigung aufgegeben. Es machte ihm plötzlich keinen Spaß mehr.

ALLE KÖRPERKRÄFTE haben Paul nicht geholfen, sich wieder auf die eigenen Beine zu stellen. Paul hat zwar keinem ein Wort gesagt, daß er sich von Laura losmachen wollte. Paul: »Aber wenn mich einer gefragt hätte, hätte ich es zugegeben.« Es hat ihn aber keiner gefragt, auch Laura nicht. Ob Laura trotzdem wußte, was Paul wollte, ist nicht klar gewesen. Nachdem Pauls Interesse an den langen Ausfahrten und an den Allwetterfahrten zu Ende war, ließ Laura ihn auch allein in die Stadt fahren. Paul konnte in den Friedrichshain fahren zum Schachspielen mit Rentnern oder auch zum Skat. Auch Tischtennis spielen durfte Paul mit Collie. Aber auch das hat Paul keinen rechten Spaß mehr gemacht. Lieber ist er mit dem Jungen auf seinen Beinen vor sich nach Friedrichsfelde gefahren, da ist Laura meist dabeigewesen. Zuletzt ist Paul aufs Einkaufen verfallen. Laura überließ es ihm ohne weiteres. Und da Paul viel Zeit hatte und auch noch gute Beziehungen aus seiner Zeit in der Kaufhalle, sah es auf dem Tisch des Hauses immer sehr gut aus. Laura nahm zu. Sie versuchte, dagegen anzukämpfen, und legte nach wie vor Wert auf ihr Äußeres, wenn sie mit Paul zusammen unter Leute ging. Aber da hat es doch dieses und jenes gegeben, auf das sie nicht mehr so achtete, auch wenn es nur Kleinigkeiten waren. Paul hat es gesehen und gewußt, daß gerade die Kleinigkeiten das Entscheidende sind. Sie schminkte sich nicht mehr jeden Tag oder hat sich einen Tag später die Haare gewaschen als sonst, oder die Schuhe haben nicht mehr zum Kleid gepaßt.

Laura hat auch nicht protestiert, als Paul eines Tages mit der Idee kam, wieder zu arbeiten. Paul wußte, daß in der Kaufhalle von Scheibe Süd die Flaschenrücknahme unbesetzt war. Paul fragte nach, und nach einem Tag Probearbeit wurde er eingestellt. Wegen seiner Armkraft waren die schweren Flaschenkästen kein Problem für ihn. Zusammen mit dem Beidhänder konnte Paul fast wie ein Gabelstapler arbeiten.
Schon nach wenigen Tagen war die Flaschenrücknahme durch Paul ein mustergültiger Bereich geworden. Dabei haben ihm auch die alten Beziehungen zu den Fahrern geholfen. Das Leergut ist immer schnell abgefahren worden, und Paul standen immer genügend leere Kästen zur Verfügung. Sein Ehrgeiz war, daß es in der Flaschenrücknahme nie eine Schlange gab. Er wurde bekannt dafür, daß immer Kleingeld in seiner Kasse war. Er nahm auch angeschlagene Flaschen zurück, weil er der Ansicht war, nicht die Kunden dürfen damit belastet werden, wenn die Verschlüsse manchmal so fest sitzen, daß beim Aufmachen der halbe Flaschenhals mitgeht. Paul tyrannisierte auch nicht alte Frauen oder Männer oder Kinder, indem er ihnen nicht völlig ausgewaschene und »womöglich noch polierte Milchflaschen« abverlangte. Paul wußte, daß die Flaschen industriell gereinigt werden. Das alles führte dazu, daß

Paul sehr beschäftigt war. Die Leute sind noch aus ganz anderen Gegenden und Bezirken mit ihren Flaschen zu Paul gekommen, darunter vor allem Kinder. Paul war gezwungen, das System zu vereinfachen. Er verlangte von den Leuten nur noch, daß sie die Flaschen abstellten und ihm Zahl und Art ansagten. Dann zahlte er sie auf Treu und Glauben aus oder gab ihnen einen Bon für die Kasse. Paul: »Ich habe nie Minus gemacht, sondern eher im Gegenteil.« Anfangs haben ihm viele Leute Trinkgeld geben wollen. Als Paul das abgelehnt hat, haben sie weniger Flaschen angegeben, als sie abgaben. Auf die Art konnte Paul nichts dagegen machen, daß er Plus machte. Das Plus hat er aber nicht für sich verwendet. Er konnte es sich so leisten, ab und an auch einem Kind oder einer alten Person eine oder mehrere Flaschen abzunehmen, auf die kein Pfand stand. Auch deswegen hatte Paul eine so große Kundschaft, vor allem an Kindern. Es ist aber nicht so gewesen, daß es sich die Kinder zur Regel machten, wertlose Flaschen zu sammeln, um sie Paul zu verkaufen. Ihre Methode war, laut Paul, zehn Pfandflaschen abzugeben, darunter zwei oder drei, die nur fünf Pfennige Wert waren. Paul sorgte dann dafür, daß die Fünf-Pfennigflaschen zu den Altwaren gekommen sind. Zuletzt war immer noch ein Überschuß da, den er zu Solidaritätszwecken verwendet hat. Paul überwies aber nicht einfach auf einen Solidaritätsfonds. Paul hat den Rentnerklub subventioniert. Paul dachte, Solidarität ist immer konkret, und ein allgemeiner Solidaritätsfonds schadet der Solidarität mehr als er ihr nutzt, weil er den Gedanken der Solidarität verwässert und zur Routine macht, weil er nicht abrechenbar ist. Für sich selbst brauchte Paul das

Geld nicht. Zu seiner Rente kam sein Gehalt, und Ausgaben hatte er nicht. »Geld für Schuhe brauchte ich schon mal nicht.« – Paul. Er brauchte auch kaum Geld für Kleidung, und geraucht hat Paul nie und hat auch nicht damit angefangen und auch nicht mit Trinken. Beides wäre tödlich für ihn gewesen.
An Tod hat Paul nicht gedacht. Paul: »Jedenfalls nicht öfter als normalerweise auch.« Er dachte auch nicht besonders an Leben, auch das nicht mehr als normalerweise. Er hat einfach gelebt und gesagt, daß er »letztendlich nicht unnormaler lebte mit seiner Behinderung, als viele andere auch mit Behinderungen und Problemen lebten, auch wenn ihre Behinderungen nicht auf den ersten Blick zu sehen sind«. Paul: »Oder ist eine schwere Neurose oder vielleicht sogar mehrere eine weniger schlimme Behinderung als eine Querschnittslähmung, noch dazu eine relativ tiefe?«

SOWEIT PAUL SAH, hatte er keine Neurose, jedenfalls keine schwere. Die schwerste Neurose, die er je gehabt hatte, die »Paula-Neurose«, war nach seinen eigenen Worten mit Lauras Hilfe überwunden. Er wußte jetzt, daß es keine zweite Paula für ihn gab, und er war froh, daß es eine Paula für ihn gegeben hatte. Er war auch froh, daß es ihm und Paula erspart geblieben war, »unter normalen Bedingungen miteinander leben zu müssen«.
»Im Grunde genommen«, hat Paul gesagt, »habe ich trotz der Behinderung problemloser gelebt als vorher. Die Flaschenrücknahme ist problemlos gewesen, weil

sie die üblichen Probleme von Arbeit und Anstellung nicht mit sich brachte. Eine Karriere hat nicht angestanden. Hauptflaschenrücknehmer konnte ich nicht werden. Niemand hat mich also beneidet. Irgendwelche Bedingungen hatte ich nicht zu erfüllen, weder herkunftsmäßige noch weltanschauliche. An Demonstrationen oder Aufzügen war ich nicht gezwungen teilzunehmen.«

Als Paul trotzdem einmal teilgenommen hat, als Delegierter der Kaufhalle, ist er sich sehr fehl am Platze vorgekommen. Paul: »Genauer gesagt, ich bin den anderen sehr fehl am Platze vorgekommen mit meinem Beidhänder, unter all den vorwärtsweisenden Losungen.« Paul ist aber auf seinen drei Rädern keineswegs hinter den anderen zurückgeblieben beim Marschieren. Trotzdem soll ständig ein leerer Raum um Paul gewesen sein und auch der entsprechende »Liter Händel und Wirsing« soll es sorgfältig vermieden haben, Paul die Hand zu geben, während alle anderen von ihm begrüßt worden sind. Schon nach kurzer Marschzeit soll von Pauls Bereich keiner mehr um ihn gewesen sein. Paul ist unter Leute vom Stadtbauamt geraten, dann unter welche vom Wohnungsamt, und dann ist er eine Zeitlang unter der Fahne der Verkehrsbetriebe gefahren, aber auch da nicht lange. Sie sind hinter ihm zurückgeblieben und sollen ihm freiwillig freie Fahrt gegeben haben. Es soll aber auch Leute gegeben haben, die Paul zuklatschten und seinen Beidhänder mit Fähnchen besteckten. Das sind all die Leute gewesen, die Paul erkannt haben. Zuletzt fuhr Paul unter der Fahne der Universität, und da ist er auch geblieben. Die Studenten haben ihn erkannt und ihn bei sich behalten, und sie haben sogar soviel von ihren Schildern an Pauls Wagen gehängt, wie Platz war. Und ganz zuletzt haben sie es geschafft, daß Paul an der Spitze ihres Zuges noch vor den Professoren gefahren ist, und den Platz hat Paul auch gehalten, obwohl die Professoren versucht haben, zu bremsen und eine große Lücke zwischen sich und Paul entstehen zu lassen. Es ist ihnen aber nicht gelungen, weil die Studenten nachgedrängt sind. Das soll ziemlich viel Aufsehen erregt haben, aber die Polizei hatte keinen Grund zum Eingreifen. Alle, die etwas anderes über die Polizei erzählt haben, haben Legenden verbreitet.

PAULS LEBEN ist auch noch aus einem anderen Grunde ruhiger und problemloser geworden. Frauen haben ihn nicht mehr interessiert. Paul: »Jedenfalls nicht als Frauen.« Obwohl er gesagt hat, daß es so einfach auch wieder nicht gewesen ist. Er ist zum erstenmal in seinem Leben in der Lage gewesen, Frauen als Menschen zu sehen. »Als weibliche Menschen.« Er ist zum erstenmal davon frei gewesen, Frauen unter sexuellen Gesichtspunkten zu sehen. Früher sind alle für ihn in Frage gekommen, jetzt keine mehr und er für keine mehr. Er ist soweit gegangen zu sagen, daß er früher gewohnt war, Frauen in solche einzuteilen, die ihn sexuell sehr interessiert haben, und solche, die ihn sexuell nicht so sehr interessiert haben. Alle anderen nahm er einfach nicht wahr. Paul: »Zum Beispiel alle zu dicken oder alle zu dünnen oder alle rothaarigen und alle zu kleinen. Auch alle älteren oder die ganz alten.«

Erst in seinem Beidhänder ist Paul von diesem Zwang, wie er es genannt hat, frei gewesen. Er konnte mit allen reden und alle ansehen, ohne dauernd denken zu müssen: Die ja, die nein, die vielleicht, die nur, wenn's sein muß, und die nie im Leben, und die hat zwar einen schönen Hintern, aber viel zu magere Waden, und die schöne Schenkel, aber viel zu dicke Oberarme, und die Nase ist zu groß und die Haut zu großporig, oder sie ist nicht glatt genug oder zu glatt oder wenn schon nicht zu glatt, dann zu braun, und was soll man mit einer Frau mit zu dicken Oberarmen überhaupt erst reden? Plötzlich aber hat Paul sehr interessante Unterredungen mit sehr vielen Frauen gehabt. Paul: »Darunter mit alten und sehr alten und solchen mit zu flachem Hintern und zu großer Nase und zu kleinen Augen und mit Brüsten, die zu weit auseinanderstehen oder zu weit zusammen.«

Auch die Frauen haben sich anders zu Paul verhalten als früher. Warum, lag für Paul auf der Hand. Er hat zwar deutlich gesehen und trotz allem fest geglaubt, daß sie immer noch einen Mann in ihm gesehen haben, aber keinen mehr, der ihnen gefährlich werden konnte oder dem sie selbst unbedingt gefährlich sein wollten. Paul sagte: »Sie sind ihrerseits frei davon gewesen, mich danach zu beurteilen, ob ich für sie in Frage kam oder nicht und ob sie sich vor mir gehenlassen konnten oder ob sie Haltung bewahren und herumlaufen mußten mit dem Gedanken, du kannst mich zwar nicht haben, aber wehe, du willst mich nicht, oder du könntest mich haben, aber leider willst du nicht, oder du könntest mich nie haben, es sei denn, du heiratest mich, denn darauf läuft es doch in den meisten Fällen nach wie vor hinaus und muß es auch, wie die Dinge liegen.« Nur zu einer Frau hat Paul kein neues Verhältnis gefunden und sie zu ihm nicht, und das ist leider Laura gewesen. Aber zu einer ganz anderen Frau fand Paul ein erstaunliches Verhältnis: das ist seine eigene Frau gewesen, und das war der Anfang vom Ende.

Pauls Schlaf wurde von Nacht zu Nacht schlechter. Seiner Meinung nach lag es daran, daß er nicht mehr trainierte. Paul ist zum Professor gefahren. Der Professor hat ihn verhört. Träume sind es aber nicht gewesen, die Paul vom Schlafen abhielten. An Träume konnte sich Paul morgens nie erinnern. Der Professor hat sehr lange überlegt und Paul kein Schlafmittel verschrieben. Offenbar ist alles geworden, als Paul eines Tages seinen Jungen besuchen wollte. Sein Junge ist nicht dagewesen, aber seine Frau. Da sie immer noch Hausmeisterin war, konnte sie den Fahrstuhl so vergrößern, daß Paul mit seinem Beidhänder hineinpaßte. So ist Paul in seine alte Wohnung gekommen, die noch immer unverändert war. Auch seine Frau ist noch immer unverändert schön gewesen und dumm, aber das hat Paul schon lange nicht mehr gestört. Sie wollte einen Kaffee machen, und Paul ist es recht gewesen. Er hatte starkes Herzklopfen, seit er in der Wohnung war, ohne zu wissen, warum. Pauls Frau ist in einem Negligé gewesen, an das sich Paul noch gut erinnern konnte, und sie trug ihre Tanzturnierschuhe. Es war zwar so, daß Paul seit ewiger Zeit keine Frau mehr im Negligé gesehen hatte und in Schuhen mit hohen Absätzen, aber er konnte sich nicht vorstellen, daß sein Herz deswegen klopfte. Laura war seit Pauls Unfall sehr darauf bedacht, sich vor Paul weder ganz noch halb ausgezogen zu zeigen, und sie ist auch immer darauf bedacht gewesen, schon vor Paul im Bett zu liegen. Anfangs ist Paul ihr dafür dankbar gewesen, später ist es ihm auf die Nerven gegangen.

Seine Frau hat sich zu ihm gesetzt. In ihrer Dummheit dachte sie nicht darüber nach, ob es ihm recht wäre, daß sie nur halb angezogen gewesen ist. Sie ist so geblieben, wie sie war. Sie hat Paul angelächelt und geküßt und gesagt, daß er sehr gut aussieht, braun und gesund. Und dann hat Paul bemerkt, daß er sie regelrecht haben wollte, wie ein Mann eine Frau haben will, und auch sie hat es bemerkt. Paul wollte es nicht glauben. Aber die Zeichen sollen unverkennbar gewesen sein. Seine Frau soll ihm auch keine Zeit gelassen haben. Sie zog ihn zu sich und auf sich, und Paul ist fassungslos gewesen.

Die folgende Nacht schläft Paul so gut wie lange nicht mehr, träumt aber viel. Zu Laura sagt er, er geht zur Arbeit. In der Kaufhalle sagt er, er geht in die Klinik.

In Wahrheit fährt er zu seiner Frau, und es kommt alles so wie am Tag davor. Paul kann es immer noch nicht glauben. Die Nacht schläft er wieder gut, träumt noch mehr, und am Vormittag ist er wieder bei seiner Frau. Am Nachmittag sieht er den Professor und berichtet. Der Professor beglückwünscht ihn und sagt ein lateinisches Wort.

In dieser Zeit hat Laura vorgeschlagen, endlich zu heiraten. Paul hatte damit früher oder später gerechnet und auch immer einen Satz zur Hand gehabt, den er sagen wollte. Er wollte sagen: »Frauen heiraten Männer, und ich bin keiner. Also was soll's?« Jetzt lagen die Dinge anders. Paul hat den Satz trotzdem gesagt, und Laura ist trotzdem ins Rathaus gegangen, um nach dem nächsten Termin zu fragen, an dem man heiraten konnte.

Zu Pauls Erleichterung war vor vier Wochen an irgendeinen Heiratstermin nicht zu denken, und wenn man an einem bestimmten Tag heiraten wollte, wie Weihnachten oder Pfingsten, dann mußte man sich ein halbes Jahr vorher anmelden. Pauls Satz dazu war: »Die Leute heiraten, scheint's, wie die Fliegen.« Einen Kommentar dazu wollte er nicht geben. Meine Person glaubt, daß er es mit dem Satz: Die Leute sterben wie die Fliegen durcheinandergebracht hat. Er ist seit dem Erlebnis mit seiner Frau sehr durcheinander gewesen, aber auf eine glückliche Art. Sein neues Verhältnis zu den Frauen ging ihm wieder verloren, ohne daß er wußte, ob er deswegen traurig sein sollte. Bei Gesprächen hatte er oft lange Abwesenheiten und gab an den falschen Stellen die richtigen Antworten. Er ist an den falschen Stellen ins Grinsen gekommen und an den falschen Stellen ins Lachen. Außer meiner Person und möglicherweise Collie dürfte keiner die Ursache gewußt haben. – Paul hatte eine neue fixe Idee: Er wollte wieder laufen können, das heißt, er wollte völlig geheilt werden. Krücken wollte er nur als Übergangsstadium hinnehmen. Paul: »Ich wollte wieder auf meinen eigenen zwei Beinen und ohne jede Hilfe über die Erdoberfläche gehen können.« Und er wollte das, obwohl der Professor ihm nach wie vor nur bis zu den Knien eine Chance gab. Paul selbst hat aber dem Professor keine Chance gegeben, sich dazu zu äußern, indem er ihm von seiner fixen Idee nichts sagte. Pauls Gedanken gingen so: Wenn das Wunder geschieht, daß ich wieder mit meiner Frau schlafen kann, dann kann auch das Wunder geschehen, daß ich wieder laufen kann. Außerdem hat Paul noch gedacht: Je öfter ich mit meiner Frau schlafe, desto eher kann ich wieder laufen. Er ist so wahnsinnig gewesen, sich einen Termin zu setzen – noch vor Ablauf der vier Wochen bis zum Termin auf dem Standesamt. Denn Paul war sich nicht sicher, ob er etwas gegen eine Laura tun konnte, die entschlossen war, ihn zu heiraten. Er war sich vor allem nicht sicher, ob er etwas dagegen tun wollte. Sicher war nur, daß er allein nicht leben konnte, auch nicht bis zu den Knien geheilt. Sein Satz dazu war: »Ein Mann war ich dann vielleicht, aber noch lange kein Mensch.« Und ein Mensch wollte er wieder sein.

Schlimm war für Paul, daß seine Frau auf Tournee mußte, und noch dazu ins Ausland, sogar ins westliche. Die erste Station sollte Westberlin sein, und Paul wollte sie davon keineswegs abhalten. Er hat sich sogar erboten, seinen Jungen in Pension zu nehmen, und Laura war auch einverstanden. Andererseits war für Paul keine andere Frau da – von Laura abgesehen. Paul dachte in seiner Not daran, sich Laura zu entdecken. Er ist sich im letzten Moment aber doch zu perfid vorge-

kommen, obwohl die Versuchung groß war. »Es hätte aber alle klaren Verhältnisse wieder völlig durcheinandergebracht«, war seine Meinung.
So war Paul ratlos und hilflos und wußte nicht, wohin mit sich. In der Kaufhalle hielt es ihn nicht mehr. Die leeren Flaschen haben ihn nicht mehr interessiert. Leere Flaschen waren nicht, was er brauchte. Er ist durch Berlin gerast, um sich abzureagieren. Er ist überall gesehen worden. Paul fährt wieder Rennen, hieß es. Aber diesmal waren es Rennen gegen sich selbst.
Dabei hat es sich nicht vermeiden lassen, daß er auch an die Grenze gekommen ist. Es war in der Invalidenstraße. Paul: »Das war passend.« Paul hat sich die Invalidenstraße aber nicht ausgesucht. Es ist der reine Zufall gewesen. Er ist die Scharnhorststraße heruntergekommen und konnte nicht in die Invaliden einbiegen, weil eine Schlange von Autos mit B-Kennzeichen in der Invaliden vor dem Kontrollpunkt stand. So stand Paul und sah sich den Betrieb an, vor sich den Koch-Platz und die Charité, linkerhand das Naturkundemuseum, rechterhand den Kontrollpunkt und dahinter immer weiter auf der Invaliden die Sandkrugbrücke, Lehrter Bahnhof, Alt-Moabit, Tiergarten, Charlottenburg, Schöneberg und so weiter, und seine Frau. Und plötzlich legt Paul sich in die Hebel von seinem Beidhänder, geht rechts in die Kurve und fährt an der Autoschlange vorbei auf den ersten Schlagbaum zu. Zusammen mit einem schweren Opel fährt er unter der Schranke durch. Er wirft einen Blick nach rechts auf den Posten. Der Posten salutiert und nickt freundlich. Paul denkt, der Mann meint den Opel. Paul fährt weiter auf die Leute vom Zoll zu. Die haben alle Hände voll zu tun.

Sie stecken in den Motoren und Kofferräumen, oder sie schieben Spiegel unter die Autos. Paul denkt, er hat nichts zu verzollen und einen Motor hat er auch nicht und was unter seinem Beidhänder ist, kann jeder auch ohne Spiegel sehen. Er fährt einfach weiter. Er wird nicht angehalten. Soviel er sieht, bemerkt ihn keiner. Aber als er auf den zweiten Posten zufährt, sieht er, wie der ihm schon entgegensieht und ihn zu sich winkt. Er hat es eilig. Er hat alle Hände voll zu tun mit den Pässen für die Opel- und Mercedes- und BMW- und VW-Fahrer. Paul macht keine Anstalten, nach einem Paß zu greifen, weil er keinen hat. Später macht er sich klar, daß er instinktiv an seine Brusttasche gefaßt hat. Und der Posten winkt ab und lächelt kurz und winkt Paul auf die Spur für Busse und Paul lächelt zurück und fährt weiter. Er weiß nicht, was noch kommt, aber er fährt weiter. Direkt links neben ihm sind jetzt die Mauern der Charité. Dann sieht er vor sich zwei regelrechte Bastionen aus Beton, dazwischen eine Öffnung für einen überbreiten Lastwagen und eine weiße Linie. Davor ist wieder ein elektrischer Schlagbaum, eine rot-grüne Ampel und ein Pavillon für einen Posten. Rechts davon ist eine Betonsäule mit einer Aussichtskanzel für zwei Posten. Die Öffnung ist mit einem zweiflügligen Tor aus Eisen zu verschließen, einer Kette und einem Vorhängeschloß.

Als Paul kommt, ist das Tor weit offen, die Ampel steht auf Dauergrün, nur der Schlagbaum ist unten. Paul sieht dem Posten entgegen, der Posten sieht Paul an. Er beugt sich aus seinem Fenster, zugleich geht der Schlagbaum hoch. Der Posten lächelt Paul an, Paul lächelt zurück. Der Posten sagt: »Aber nach eins ma-

chen wir zu, klar?« Es ist ein Oberleutnant. Paul sagt: »Ist klar.« Er fährt los. Auf dem weißen Strich hält er an. Aber der Posten sagt: »Na, los! Gang rein«, und winkt ihn über die Grenze, denn hinter Paul kommen schon zwei Mercedes, ein BMW und drei Volkswagen. Paul fährt über den weißen Strich und hat keine Zeit sich zu merken, was er in dem Moment fühlt. Als er den weißen Strich sieht, denkt er noch, daß er entweder nicht drüber kommt oder wenn doch, daß ihm der Strich durch und durch gehen wird. Aber als er drüber fährt, fühlt er nichts. Es ist einfach ein weißer Strich, wie es viele auf den Straßen gibt und wie man tagtäglich über einen wegfährt oder -geht. Aber ein Lied fällt Paul plötzlich ein: Wohlan die Zeit ist kommen, mein Pferd das muß gesattelt sein, ich hab' es wohl vernommen, geritten muß nun sein. Widerallarallarallerallala und so weiter. Peinlich ist nur, daß ihm die zweite Strophe nicht einfällt, was er auch versucht. Er fängt immer wieder mit der ersten Strophe an, singt dann den Refrain und hofft, daß er so den Anschluß an die zweite Strophe finden wird. Das gelingt ihm aber nicht. Der Erfolg ist, daß ihm den Rest des Tages der Refrain nicht aus dem Kopf geht.
Er fährt auf den Lehrter Bahnhof zu und sieht die erste Litfaßsäule und dabei geht es: widerallarallerallerallala. Er sieht auf den ersten Blick das Plakat mit der Veranstaltung, auf der seine Frau tanzt: widerallarallarallerallala. Meine Person denkt, daß es die Litfaßsäule an der Ecke Heidestraße gewesen sein wird, direkt vis-à-vis von dem Haus, auf das in Berlin die erste Bombe im letzten Krieg gefallen ist. Auf dem Plakat steht auch gleich das Veranstaltungsbüro. Es ist in der Lietzen-

burger Straße. Paul fährt los und denkt: widerallaralla-rallarallala. Er kann nichts dagegen machen. Linkerhand hat er plötzlich den Reichstag und dann das Brandenburger Tor, von einer Seite, von der er es noch nie gesehen hat. Er kann aber keinen Unterschied feststellen. Genausowenig am Fernsehturm, den er weiter hinten sieht, schon im Dunst. Er wundert sich, weil es doch höchstens zwei Kilometer sind bis dahin. Linkerhand hat Paul den Tiergarten, die Siegessäule und dahinter, auch im Dunst, Hochhäuser. Er denkt, da muß die Stadt sein. Es ist der Reuter-Platz, früher Reichskanzlerplatz. Paul legt sich links in die Kurve und fährt darauf zu. Er denkt, wo die Stadt ist, da müssen auch Leute sein, die er nach der Lietzenburger fragen kann. Im Tiergarten sieht er keinen Menschen, auch kaum Autos. Er fährt auf den großen Stern zu, widerallaral-laralleralala, geritten muß nun sein, da sieht er endlich einen Menschen. Es ist ein Mädchen. Sie hat Zeit oder wartet auf jemand. Sie ist sehr freundlich, als Paul nach der Lietzenburger fragt, und sagt ihm auch den Weg. Außerdem sagt sie: »Zu mir wär's näher, wenn du kannst.«
Paul sagt, daß er nicht kann, weil er in die Lietzenburger muß. Er findet das Mädchen sehr nett, versteht aber nicht, woran sie ihn als einen von drüben erkannt hat, denn anders kann Paul sich ihre Gastfreundschaft nicht erklären. Ein Nationalitätenkennzeichen hat er an seinem Beidhänder nicht gehabt. Erst von seiner Frau erfährt Paul, daß der Tiergarten der Stellplatz der Straßenmädchen ist.
Vor Paul liegt jetzt der Bahnhof Tiergarten, die Charlottenbrücke und die Hochhäuser am Reuterplatz. Er

fährt aber nicht bis zum Reuterplatz, sondern, wie das nette Mädchen gesagt hat, gleich hinter der Charlottenbrücke in die Fasanenstraße hinter der Technischen Universität entlang, kreuzt die Kantstraße, fährt unter der S-Bahn durch, kommt auf den Kudamm, hat Grün, fährt drüberweg ohne links und rechts zu sehen, und schon ist er auf der Lietzenburger. Links liegt jetzt die Joachimstaler und der Rankeplatz, rechts der Olivaer-Platz und gleich vis-à-vis das Hotel, das er sucht. Er kurvt da ein, Stufen sind keine. In dem bewußten Büro sagt man ihm sofort die Zimmernummer seiner Frau. Paul kann gleich anrufen, und seine Frau ist auch da. Sie fällt aus allen Wolken. Sie sagt: »Ich werde nicht wieder! Wie hast du das gemacht?!« Und dann schlägt sie sich vor den Kopf und sagt: »Richtig! Du bist ja Invalide!« Da sind sie schon in ihrem Appartement.
Paul sieht sofort – der Tanzmeister ist nicht da, aber ein überbreites Bett ist da. Seine Frau erklärt es ihm. Der Tanzmeister hat ein eigenes Appartement, darauf hat er bestanden. Als Leistungssportler ist er strikt gegen Verkehr während der Wettkämpfe und verlangt das gleiche von ihr. Sie sagt: »Eigentlich soll ich jetzt schlafen – aber allein.« Paul hört aber nur das eigentlich. Er klappt seinen Beidhänder auf und läßt sich auf das Bett rollen und zieht seine Frau mit sich.
Paul bleibt bei ihr, bis es lange dunkel ist.
Gegen Mitternacht wird er unruhig. Er denkt an den Posten am eisernen Tor und die Kette mit dem Vorhängeschloß. Er will zurück. Er will nicht als verschollen gelten. Auch muß seine Frau am nächsten Tag gleich nach dem Wettkampf nach Düsseldorf. Sie fragt Paul, ob er am Ende auch in Düsseldorf sein wird. Sie traut

ihm alles zu. Auch Paul traut sich alles zu, mehr denn je tut er das. Zum Beispiel traut er sich zu, aus eigener Kraft aus dem Bett in seinen Wagen zu kommen. Aber das ist zuviel. Das Bett ist niedriger als das in der Scheibe Süd, und Paul fällt, und das tut ihm weh.

Es tut ihm überall weh, nicht nur in der Brust und am Bauch, auch in den Hüften, den Schenkeln und den Knien. Paul begreift zuerst nichts. Er ist nur wütend. Er denkt, es sind Phantomschmerzen. Seine Frau sieht zu, wie er daliegt. Sie hilft ihm nicht. Paul sagt es ihr nicht, aber sie weiß, daß sie ihm nicht helfen darf.

Paul ruft sie zu sich, sie soll ihn mit aller Kraft in die Schenkel kneifen. Sie kommt und tut es, und Paul schreit auf. Der Schmerz ist minimal gewesen, aber Paul schreit aus Freude. Es ist der schönste Schmerz, den er je gehabt hat. Paul will, daß ihm seine Frau auf die Knie hilft. Das tut sie. Sie geht selbst auf die Knie und hilft ihm auf. Paul kniet. Er weiß aber, daß sie ihn mehr hält, als daß er auf eigenen Knien steht. Er sagt: »Laß mich los.« Sie tut es, und Paul fällt um. Sie hilft ihm wieder auf und hält ihn wieder. Paul umarmt sie, und die Tränen kommen ihm, ob er will oder nicht. Er weint vor Freude. Er weiß schon, daß er es schaffen wird, auch wenn seine Frau nach Düsseldorf fliegt. In der Sekunde nimmt er sich fest vor, wenn er wieder auf den Beinen stehen und laufen kann, daß er auch tanzen wird, soviel wie nie im Leben, und daß er auf eine Tanzschule gehen wird, um alle Tänze zu lernen, die es gibt, auch die klassischen, auch solche, die es noch nicht gibt. Auch seine Frau weint. Sie bietet an, auf alles zu verzichten und bei ihm zu bleiben. Aber Paul schickt sie nach Düsseldorf. Er läßt sich nur von ihr in den Beidhänder helfen und wieder bis vor die Tür bringen. Paul greift sofort in die Stangen. Er fährt denselben Weg zurück. Auf dem Rückweg ist es auch, daß er eins von seinen Herzen sieht, wie er sie vor langer Zeit auf Paulas Tür in der Singer gemalt hat. Es ist mitten auf dem Pflaster der Fasanenstraße direkt hinter der Hochschule für angewandte Künste. Es ist zwar nicht zweifarbig, aber es hat doch die von Paul erfundenen zwei ungleichen Hälften. Paul hat aber keine Zeit, sich lange dabei aufzuhalten. Er muß wieder singen. Wideralleralleralleralala, ich hab' mir's vorgenommen, mein Pferd und so weiter. Die zweite Strophe fällt ihm immer noch nicht ein. Der große Stern liegt wieder vor ihm. Er sieht auch wieder den Fernsehturm und das Brandenburger Tor. Sie sind angestrahlt. Er sieht auch, daß es jetzt nach Mitternacht ganz anders ist im Tiergarten als am Mittag. Viel belebter. Sogar eine Würstchenbude auf Rädern ist da und hat offen. Paul hat aber keinen Blick dafür. Er will vor allem schnell wieder an der Grenze sein. Am großen Stern verfährt er sich. Er nimmt die falsche Ausfahrt aus dem Kreisverkehr. Er merkt es erst, als die Grenze nicht kommt und er auch keinen Fernsehturm mehr sieht. Er macht kehrt. Der Umweg hat ihn eine Viertelstunde gekostet. Er kommt an das eiserne Tor. Das Tor ist zu. Paul steht vor zwei Möglichkeiten. Entweder zurück zu seiner Frau oder klopfen. Er sagt sich: Zurück kann ich immer noch, versuch es erst mit klopfen. Er stellt sich quer zum Tor und haut mit der Faust dagegen, daß es dröhnt. Er haut zweimal, er haut dreimal, aber nichts rührt sich. Paul sieht zwar die Posten in der Aussichtskanzel und sie sehen ihn auch und Paul winkt ihnen, aber sie rühren

sich nicht. Paul fängt wieder an zu klopfen. Sein Ehrgeiz wird wach. Er will jetzt wissen, ob er wieder nach Hause kann oder nicht. Das ist alles. Über sonst nichts denkt er nach. Paul klopft in Abständen wohl eine halbe Stunde lang, dann ist Bewegung hinter dem Tor, und ein Flügel öffnet sich langsam, und der Schlagbaum geht hoch. Paul fährt durch das Tor. Er rechnet mit dem Posten und wartet auf ein Wort. Aber nichts kommt. Er kann keinen Posten sehen. Es ist kein Licht in seinem Pavillon. Es ist Paul auch egal. Paul: »Ich war drin, komme, was will.« Er fährt auf den nächsten Pavillon zu. Hinter sich hört er, wie das Tor wieder verschlossen wird. Die Stahltrosse am nächsten Posten, die sonst gespannt ist, um Autos am unkontrollierten Weiterfahren zu hindern, liegt auf der Erde, ebenso die Trosse an der Zollstelle.
Sämtliche Spuren sind hell ausgeleuchtet, aber kein Mensch und kein Posten ist zu sehen. Paul legt sich in die Hebel und treibt seinen Beidhänder über die Trossen auf den letzten Schlagbaum zu. Der Schlagbaum ist noch unten. Als Paul bremst, geht er hoch und Paul ist mit zwei Stößen endgültig drin. Den Posten hat er wieder nicht gesehen. Sein Pavillon ist dunkel. Paul denkt: Ist der ganze Kontrollpunkt ferngesteuert um die Zeit? Aber es interessiert ihn nicht wirklich. Vor ihm liegt wieder das Naturkundemuseum und die Chausseestraße. Alles ist ruhig, menschenleer und halbdunkel, und Paul atmet auf.

Paul ist auf der Invaliden geblieben, die Veteranenstraße hat er aber dann nicht genommen. Die Veteranen ist erstens ein Umweg, zweitens geht sie bergauf und drittens hat er sich gesagt: »Invalide bin ich, jedenfalls vorläufig, aber Veteran noch lange nicht.« Er nahm die Brunnenstraße bis zur Pieck, früher Lothringer. Auf der Pieck ist er geblieben bis zum Prenzlauer Tor. Da mußte er auch wieder singen: Wideralleralleralleralla, ich hab' mir's vorgenommen. Aber die zweite Strophe ist ihm immer noch nicht eingefallen. Sein Satz dazu war: »Die Deutschen sind Einstrophenmenschen, sagt man, was das auch immer bedeutet, und ich bin nun mal Deutscher, da beißt die Maus kein' Faden ab.« Und der Satz hat ihm geholfen. Er mußte nicht mehr singen, und er dachte auch nicht mehr über die zweite Strophe nach. Als er am Prenzlauer Tor ankam, war er so gut wie in Friedrichshain, und als er durch Friedrichshain durch war, da ist er so gut wie zu Hause in Scheibe Süd gewesen.

Laura lag schon im Bett, hat aber auf ihn gewartet. Er hat ihr gesagt, daß er bei Collie gewesen ist, zum Skat. Damit war Laura zufrieden, und Paul fiel ins Bett wie erschlagen.

Bevor er eingeschlafen ist, hat er aber noch alle zehn Fingernägel in seine Oberschenkel gekrallt, um den Schmerz zu spüren.

So und nicht anders ist Pauls einmaliger Auftritt in Westberlin gewesen. Und alles, was sonst erzählt wird, ist Legende.

Schon vom nächsten Tag an hat Paul sich einem harten Trainingsprogramm unterzogen. Er beschaffte sich Gehhilfen, die er kürzte. Damit hat er versucht, auf den

Knien zu laufen. Das fand nicht in Scheibe Süd statt, sondern in der Trainingshalle im Zirkus. Da lagen Matten und Sägespäne, und Paul ist weich gefallen, wenn er gefallen ist. Paul ist mehr gefallen als gelaufen. Aber er gab nicht auf. Er lehnte auch Collies Hilfe nicht ab. Laura glaubte, daß er Tischtennis spielt mit Collie. Sie gibt bekannt, daß sie entschlossen ist, nach der Hochzeit wieder ihre Arbeit in der Dienststelle aufzunehmen. Paul dachte nur: »An dem einen kann ich dich nicht hindern, aber zu dem anderen gehören zwei.« Er glaubte fest an sein Trainingsprogramm und seine Heilung. Und nach einer Zeit, die meiner Person kein Mensch glauben würde, konnte Paul wirklich auf Knien laufen. Von meiner Person abgesehen, sagte er in Scheibe Süd keinem ein Wort, nur zum Professor ist er gegangen. Der Professor trommelte sofort seine Leute zusammen, und Paul sollte zeigen, was er konnte. Paul weigerte sich aber. Schon an dem Tag wußte er, daß es für ihn kein Dauerzustand sein konnte, auf Knien zu laufen. Dementsprechend hat sich Paul auf Knien nie gezeigt. Er zog es vor, weiter in seinem Beidhänder zu bleiben.

Paul sah aber auch, daß der Professor seinen Optimismus nicht teilte. Aber Paul ließ ihn nicht zu Wort kommen. Er hat ihm gesagt, daß er sich den Satz von den Idealen und der Wirklichkeit sparen kann, den er schon Paula unterbreitet hat. Paul wollte den Satz nicht hören. Und der Professor hat auch geschwiegen, aber Paul sah ihm an, daß er seine Meinung nicht geändert hat.

An dem Tag, an dem Laura mit dem Hochzeitsanzug für ihn gekommen ist und dem dazugehörigen Hemd und Schuhen, war Paul soweit, daß er auf Knien sicher

gehen konnte. Aber seine Waden und seine Füße versagten ihm den Dienst, wie der Professor vorausgesagt hatte. Paul konnte sich, soviel er wollte, in die Waden kneifen, da war nicht die Spur von einem Schmerz oder einem anderen Gefühl.
Der Tag der Hochzeit kam. Paul mußte seinen Traum aufgeben, vor Laura auf eigenen Beinen, aus eigener Kraft hinzutreten und ihr zu sagen, daß er sie nicht will, und warum er sie nicht will.
So hat Laura Paul in seinem Beidhänder geheiratet. Es ist ein großer Tag für sie gewesen. Sie tat zwar alles, um den Aufwand in Grenzen zu halten und ist selbst auch sehr schlicht gekleidet gewesen. Trotzdem gab sich an dem Tag Pauls und Lauras halbe Dienststelle in Scheibe Süd die Klinke in die Hand, auch Collie, auch Pauls Frau und sein Junge und der Tanzmeister und der Taxifahrer und der Professor, von meiner Person zu schweigen. Paul hat hinter dem Tisch gesessen, und keiner konnte ihm etwas ansehen. Die Angst, daß seiner Frau etwas entschlüpfen könnte, ist unbegründet gewesen. Ihr ist nichts entschlüpft. Zuletzt hat Pauls Chef und Kumpel ein kleines Feuerwerk vom Balkon aus veranstaltet, wozu er sich eine Sondergenehmigung beschafft hatte. Ganz Scheibe Süd stand in Flammen.

An einem Tag hat Laura lange auf Paul gewartet, bis weit in die Nacht. Dann ist sie unruhig geworden, ist auf die Straße gegangen und hat festgestellt, daß Pauls Beidhänder da stand, wo er immer gestanden hat, wenn Paul ihn nicht benutzte – neben der Haustür, unter dem

Vordach. Und Pauls Rollstuhl stand in der Wohnung. Lauras erster Weg ist in Pauls Garage gewesen. Die Garage und das Auto waren spurlos verschwunden. Als nächstes hat Laura die Dienststelle informiert. Wie schon einmal, ist sofort eine große Suche nach Paul angestellt worden. Aber obwohl man sicher war, Paul wegen seiner Behinderung leicht zu finden, ist er nicht gefunden worden. Nur eins ist zweifelsfrei festgestellt worden – daß Paul keinen Grenzpunkt passiert hat. Laura hat nach Collie gefahndet. Aber Collie war mit seinem Zirkus auf großer Tournee. Man hat noch lange nach Paul gefahndet. Aber nirgendwo ist ein Paul mit Krücken oder auf Knien gesehen worden.